Хорошая работа

David Lodge

Nice Work

Дэвид Лодж

Хорошая работа

Издательство Независимая Газета. Москва

УДК 821.111-3
ББК 84(4Вел)6-44
Л70

David Lodge
Nice Work
Copyright © David Lodge 1989

Дизайн *Софья Шаховская* (переплет) и *Алексей Касьян* (макет)

Лодж Дэвид

Л70   Хорошая работа: Роман / Пер. с англ. М. Ворсановой.— М.: Издательство Независимая Газета, 2004.— 384 с.— (Сер. «Беллетристика»).
ISBN 5-86712-148-8

Университетский городок Раммидж, как мы убедились по прошлым произведениям Д. Лоджа («Академический обмен», «Мир тесен»),— невероятно забавное место. А теперь, на новом этапе своей истории, он вынужден обратиться лицом к миру, командируя на местный завод одну из наиболее талантливых и очаровательных своих представительниц, Робин Пенроуз.

Впрочем, и «старая гвардия», наши добрые знакомые Ф. Лоу, М. Цапп и другие, еще не раз удивят, развеселят и растрогают нас, появившись на страницах нового романа Д. Лоджа.

УДК 821.111-3
ББК 84(4Вел)6-44

В оформлении переплета использована картина М. Эшера «Рептилии» (1943).

Содержание

В срединных землях ныне культ труда,
Что сердцем старой Англии зовутся.

*Дрейтон. Поли-Олбион. Эпиграф
к роману Джордж Элиот «Феликс
Холт, радикал»*

— Две нации; между коими нет ни
общности, ни симпатии; которые не
смыслят в привычках, мыслях и чув-
ствах друг друга, как будто обитают в
разных землях или населяют разные
планеты; порождены разными племе-
нами, вскормлены разной пищей и со-
блюдают разные обычаи…
— Вы говорите о…— неуверенно произнес Эгремон.

*Бенджамен Дизраэли. Сибилла, или
Две Нации*

Пожалуй, ради тех читателей, которые прежде здесь не бывали, необходимо пояснить, что Раммидж — выдуманный город с выдуманными университетами и заводами, населенный выдуманными жителями, и в соответствии с литературным замыслом занимает место, которое на карте так называемого реального мира отведено Бирмингему.

Я безгранично признателен нескольким специалистам в области промышленного производства, и в особенности одному из них, который, пока писался этот роман, показывал мне заводы и административные помещения, а кроме того, терпеливо отвечал на мои, порой наивные, вопросы.

Часть I

Если вы думаете… что вам уготовано нечто, подобное любовному роману, вы ошибаетесь, читатель, как никогда прежде. Вы предвкушаете чувства, поэзию и мечты? Вы ожидаете страсти, порывов и мелодрам? Смирите свои надежды, они — для произведений поплоше. Пред вами лежит нечто настоящее, хладнокровное и весомое; нечто чуждое романтики, как утро понедельника, когда все, у кого есть работа, просыпаются с мыслью, что должны встать и отправиться туда.

Шарлотта Бронте. Предисловие к «Ширли»

1

Понедельник, 13 января 1986 года. Виктор Уилкокс лежит с открытыми глазами в темной спальне и ждет, когда запищит кварцевый будильник. Он поставлен на без четверти семь. Виктор понятия не имеет, долго ли ему еще ждать. Конечно, можно запросто нащупать будильник, поднести его поближе, в поле своего зрения, и, нажав на кнопочку, осветить циферблат. Но Виктор предпочитает оставаться в неведении. А вдруг еще только шесть часов? Или даже пять? Пожалуй, все-таки пять. Как бы то ни было, спать ему уже совершенно не хочется. В последнее время это вошло в привычку: лежа в темноте, без сна, дожидаться писка будильника и тревожиться.

Тревоги надвигаются, подобно вражеским космическим кораблям в компьютерной игре у Гэри. Виктор вздрагивает, ворочается с боку на бок, уничтожает тревоги мгновенно принятыми решениями, но атака продолжается: поставки для «Авко», поставки для «Ролинсон», цены на чугун, курс фунта стерлингов, конкуренция с «Фаундро», некомпетентность коммерческого директора, частые перебои в работе вентиляционной системы, хулиганство в туалетах, давление со стороны управляющей компании, доходы за последний месяц, квартальный прогноз, годовой отчет…

Стараясь ускользнуть из-под этой бомбардировки, а может, и немного вздремнуть, Виктор поворачивается на бок, зарывается в теплое пухлое тело жены и обнимает ее за талию. Марджори вздрагивает от неожиданности, но, одурманенная валиумом, не просыпается, а только поворачивается к мужу лицом. Они стукаются носами и лбами. В дело вступают конечности, происходит нелепая схватка. Марджори, как профессиональный боксер, закрывает лицо кулаками, глухо стонет и отпихивает Виктора. Что-то соскальзывает с ее половины кровати и со стуком падает на пол. Виктор знает, что это: книга под названием «Наслаждайся менопаузой», которую подсунула Марджори какая-то приятельница из клуба «Блюстители веса». Вот уже недели две Марджори без особого интереса почитывает ее на сон грядущий, пока не заснет с книжкой в руках. Последнее, что делал Вик перед сном,—это вынимал книгу из ослабевших пальцев жены и выключал ночник. Видимо, этим вечером он запамятовал о главной из своих супружеских обязанностей. А может, «Наслаждайся менопаузой» притаилась под покрывалом.

Виктор отодвигается от Марджори, которая лежит теперь на спине и тихонечко похрапывает. Он завидует Марджори, но не может разделить с ней ее бессознательное состояние. Как-то раз, утратив всяческие надежды на полноценный ночной сон, Виктор поддался-таки на уговоры жены и принял валиум, запив его традиционным ночным виски. Наутро он ходил, как водолаз по морскому дну. Прежде чем у него просветлело в голове, он успел просчитаться, прикидывая свои двухпроцентные комиссионные с заказа. «Не нужно было смешивать валиум с виски,— сказала Марджори.—Этот коктейль тебе противопоказан». Виктор ответил, что тогда он выбирает виски. «Валиум дольше действует»,— уговаривала жена. «Слишком долго, черт бы его побрал. Сегодня утром благодаря тебе я потерял верных пять тысяч фунтов». «Это из-за меня, да?» — переспросила Марджори, и ее нижняя губа задрожала. Чтобы осушить ее слезы, Виктору пришлось купить для их гостиной медный каминный набор под старину, на который Марджори давно положила глаз. Набор должен был придать достоверности их якобы деревенскому камину с искусственными дровами и газовой горелкой.

Храп Марджори становится все громче. Вик сердито и довольно грубо пихает ее в бок. Храп смолкает, но, как ни странно, Марджори не просыпается. В соседних комнатах трое их детей тоже спят. А снаружи зимний ветер бьется в стены дома и машет ветвями деревьев. Вик чувствует себя капитаном семейного корабля. Он один-одинешенек стоит у штурвала и отвечает за безопасность команды среди зловещих морей. Ему кажется, что в целом мире сейчас не спит только он один.

Пищит будильник.

И в ту же секунду, из-за каких-то сбоев в биохимических процессах или в нервной системе, Вик чувствует себя разбитым. Он смертельно хочет спать и совсем не хочет вылезать из теплой постели. Привычным движением он нажимает кнопку повторного сигнала и мгновенно проваливается в сон. Через пять минут Вик снова пробуждается от писка будильника, назойливого, как заводная птичка. Вик вздыхает, выключает будильник и зажигает ночник у кровати. Марджори повезло: регулятор яркости стоит на минимуме. Выбравшись из постели, Вик босиком идет по ворсистому ковру в ванную *en suite*[1]. Прежде, чем зажечь там свет, он убеждается, что плотно закрыл за собой дверь в спальню.

Вик писает. С тех пор, как унитазы стали узкими и вытянутыми, это занятие требует известной доли меткости и аккуратности. Для Вика не имеет никакого значения тот факт, что сантехника у них темно-лиловая («тернового цвета», как обозвал его в рекламном буклете агент по недвижимости). А вот для Марджори это обстоятельство оказалось едва ли не самым приятным, когда они купили этот дом два года назад: ванная с овальной раковиной, золотистые краны, низкая ванна, элегантные унитаз и биде. А кроме того — все это *en suite*. «Всю жизнь мечтала о ванной *en suite*», — говорила она гостям, а также друзьям во время телефонных разговоров, и Вик ничуть не удивился бы, скажи она то же самое продавцу в магазине или первому встречному на улице. По тому, как Марджори ввора-

---

[1] Совмещенную (*фр.*). (Здесь и далее примеч. переводчика.)

чивала «en suite» в разговор, можно было подумать, что это самое красивое выражение во всех языках мира. Если бы существовали духи «En suite», Марджори, как пить дать, поливалась бы исключительно ими.

Вик стряхивает последние капли, стараясь не брызнуть на ворсистый розовый коврик, и спускает воду. Туалетов в доме четыре, к вящему недоумению отца Вика. «Четыре туалета? — уточнил он, когда впервые осматривал дом. — Я правильно сосчитал?» «А что в этом такого? — поддразнил Вик. — Боишься, что вода кончится, если спустить во всех четырех разом?» «А если поставят счетчики на воду? Вам тогда придется туго». Вик начал было спорить: мол, неважно, сколько в доме туалетов. Важно, сколько раз в день спускают воду. Но отец был убежден в том, что обилие туалетов подталкивает к чрезмерному их использованию, а стало быть — к более частому спусканию воды.

Может, он и прав. У бабушки в Истоне туалет был на улице. Вот уж куда не пойдешь без крайней нужды, особенно зимой. Их семья в те годы стояла на социальной лестнице на ступеньку выше бабушки, и в их доме туалет был внутри: маленькая темная комнатка на лестнице между двумя этажами, в которой всегда немножко попахивало, сколько бы мама ни выливала в унитаз «Санилава» или «Деттола». Вик отчетливо помнит тот желтоватый керамический унитаз с наклейкой фирмы «Челленджер», широкое лакированное деревянное сиденье, на которое было приятно садиться, потому что оно всегда теплое, и длинную цепочку, свисавшую с бачка высоко на стене. На конце цепочки болтался слегка потасканный резиновый шарик. В школьные годы Вик был склонен к запорам и, сидя на унитазе, отрабатывал удар головой, посылая шарик то в одну, то в другую сторону. Мама злилась: на краске оставались следы от резины. Сегодня Вик — гордый владелец четырех туалетов: тернового цвета, цвета авокадо, подсолнечника и белого. Во все проведено центральное отопление. Пожалуй, это и есть самый верный показатель успеха.

Вик встает на весы. Шестьдесят три с половиной килограмма. Вполне достаточно для мужчины ростом метр шестьдесят шесть. Кое-кто говорит (Вик слышал это собственными ушами), будто он пытается компенсировать свой небольшой рост агрессивным поведением. Что ж, пусть говорят. Где бы он сейчас был без этой агрессивности? Впрочем, долго ли он продержится на своем месте—это еще вопрос. Вик смотрится в висящее над рукомойником зеркало, думая о доходах за последний месяц, о квартальном прогнозе, о годовом отчете... Он наполняет лиловую раковину горячей водой, намыливает лицо пеной для бритья из баллона с пульверизатором и начинает скоблить подбородок безопасной бритвой с лезвием «Уилкинсон». Вик свято верует в то, что необходимо покупать все английское, и частенько ругается со старшим сыном, Реймондом, который предпочитает одноразовые пластмассовые станки французского производства. Впрочем, это далеко не единственный камень преткновения. Главная причина их разногласий кроется в том, что они редко видятся: когда Вик уходит на работу, Реймонд всегда спит, а когда отец возвращается, сына не бывает дома.

Виктор стирает со щек остатки пены и оценивающе проводит пальцами по выбритой коже. Из зеркала на него смотрят темно-карие глаза. Кто я такой?

Он обхватывает раковину, наклоняется вперед и изучает квадрат своего лица, бледного под темно-каштановыми волосами, тронутыми сединой. Две вертикальные глубокие морщины на лбу словно прикрепляют к лицу прямой нос. Ровная линия рта, квадратный подбородок. Ты знаешь, кто ты такой: в личном деле все записано.

Уилкокс, Виктор Юджин. *Дата рождения*: 19 октября 1940 г. *Место рождения*: Истон, Раммидж, Англия. *Образование*: начальная школа «Эндуэл Роад», Истон; Истонская грамматическая школа для мальчиков; Колледж новейших технологий, Раммидж. Степень магистра: 1964, Англия. *Семейное положение*: женат (Марджори Флоренс Коулмен, 1964). *Дети*: Реймонд (род. 1966), Сандра (род. 1969), Гэри (род. 1972). *Опыт работы*: 1962—64: стажер, Вангард Инжениринг; 1964—66: младший инженер производственного отдела, Вангард Инжениринг;

1966—70: ведущий инженер, Вангард Инжениринг; 1970—74: начальник производственного отдела, Вангард Инжениринг; 1974—78: производственный директор, Льюис энд Арбакл Лимитед; 1978—80: производственный директор, Рамкол Кастингс; 1980—85: исполнительный директор, Рамкол Кастингс. *Занимаемая должность в настоящее время*: исполнительный директор, Дж. Прингл и Сыновья Кастинг энд Дженерал Инжениринг.

Вот кто я такой.

Вик корчит рожи собственному отражению в зеркале: возьми себя в руки и давай как-нибудь без личностного кризиса. Должен же кто-нибудь в семье зарабатывать на жизнь.

Он натягивает банный халат, который висит на двери ванной, гасит свет и бесшумно возвращается в полутемную спальню. Марджори уже разбужена журчанием воды в унитазе.

— Это ты? — сонно бормочет она и, не дождавшись ответа, продолжает: — Я сейчас спущусь.

— Не спеши, — отвечает Вик. Честнее было бы сказать «не надо», потому что утром он предпочитает хозяйничать на кухне в одиночестве, готовить себе легкий завтрак и наслаждаться первой сигаретой, пока его никто не дергает. Но Марджори вбила себе в голову, что обязана хотя бы символически появиться внизу до того, как муж уйдет на работу. Вик понимает и одобряет этот порыв. Его мама всегда вставала первая, провожала мужа и сына — одного на работу, другого в колледж — и придерживалась этой традиции до самой своей смерти.

Когда Вик спускается по лестнице, внизу раздается пронзительный электронный писк. Протянутый под ковром шнур замкнул сигнализацию, установленную на случай ограбления. Невероятно — Реймонд не забыл включить ее, когда вернулся домой бог знает в котором часу. Вик идет к пульту возле входной двери, набирает код и обезвреживает бездушное устройство. На это у него есть всего пятнадцать секунд, по истечении которых писк перерастет в визг и завоет сирена на крыльце. Такие системы сигнализации есть у всех соседей, и Вик считает, что они действительно необходимы из-за участившихся случаев дерзких ограблений. Но та система, которую они унаследовали от предыдущих владельцев дома, с ее магнитными контактами, инфракрасными лучами, датчиками давления и кнопками сигнала тревоги, по мнению Вика, чрезмерно сложна. Чтобы включить ее, ложась спать, нужно потратить битых пять минут. А если вдруг среди ночи приходится спускаться, нужно ее отключать, после чего запускать снова. «Богатые тоже плачут»,— усмехнулся Реймонд, когда Вик однажды на это посетовал. Реймонд презирает богатство своих родителей, что не мешает ему наслаждаться его благами и удобствами: бесплатным центральным отоплением, бесперебойной подачей горячей воды, стиральной машиной, маминым автомобилем, телевизором, видеомагнитофоном, стереосистемой и всем прочим. У Вика поднимается давление при мысли о старшем сыне, который четыре месяца назад бросил университет и до сих пор ничем не занимается. В данный момент он спит сном младенца, совершенно голый, если не считать золотой серьги в ухе,— отсыпается после ночной попойки. Вик раздраженно трясет головой, чтобы вытряхнуть из нее этот образ.

Вик открывает первую из двух входных дверей и смотрит на половик. Пусто. Или почтальон запаздывает, или из-за забастовки газет не будет вовсе. Инфракрасная лампочка подмигивает ему горящим глазом, когда он выходит на террасу в поисках какого-нибудь чтива. Пол и мебель завалены расчлененными телами «Мейл он Санди» и «Санди Таймс». Вик берет раздел о бизнесе из «Таймс» и идет с ним на кухню. Пока закипает чайник, он бегло просматривает первую страницу. В глаза бросается заголовок: «Мечты о доходах меркнут, а Лоусон все раздумывает».

«Найджел Лоусон, министр финансов, провел в эти выходные закрытое совещание с сотрудниками Казначейства, на котором была дана оценка угрозе его экономической стратегии, вызванная повышением процентных ставок и резким подъемом уровня безработицы».

Так, что еще новенького?

Закипает чайник. Вик заваривает крепкий чай, опускает в тостер два кусочка белого хлеба и поднимает жалюзи на кухонном окне, чтобы выглянуть в сад. Серое неприветливое утро, без признаков заморозков. По лужайке скачут белки, словно пушистые мячики. Напыщенные сороки бродят от одной клумбы к другой и жадно пожирают червяков, которые оказались на поверхности после вчерашнего вскапывания земли. На почтительном расстоянии от сорок прыгают дрозды, воробьи, малиновки и прочие птахи, чьих названий Вик не знает. Все эти существа чувствуют себя в его саду, как дома, хотя до центра города всего километра три. Однажды утром, совсем недавно, из этого самого окна он видел проходившую мимо лисицу. Вик постучал в стекло. Лисица остановилась и на мгновение повернула голову в его сторону, как будто спрашивая «Тебе чего?», а потом неторопливо пошла дальше, помахивая пушистым хвостом. Вик давно пришел к выводу, что английская дикая природа поумнела и перебралась в город, где прожить существенно легче. Здесь нет мышеловок, пестицидов, охотников и спортсменов, зато полным-полно набитых всякой снедью мусорных баков и домохозяек наподобие Марджори — мягкосердечных (или с размягчением мозга), которые выбрасывают объедки прямо в сад, обеспечивая зверье бесплатным питанием. Природа переселилась поближе к людям, чтобы жить за их счет.

Вик уже съедает два тоста и приканчивает третью чашку чая с первой утренней сигаретой, когда в кухню шаркающей походкой входит Марджори. Она в халате и шлепанцах, бигуди обмотаны платком, круглое бледное лицо припухло от сна. В руках у нее только что полученная «Дейли Мейл».

— Куришь,— говорит она покладисто и в то же время укоризненно, заменяя одним-единственным словом долгий, хорошо знакомый им обоим спор. Вместо не менее хорошо знакомого возражения Вик что-то бурчит и смотрит на кухонные часы.

— Не пора ли Сандре и Гэри вставать? На Реймонда я не стану тратить силы.

—Гэри сегодня не идет в школу. У учителей забастовка.

— *Что?* — возмущенно переспрашивает Вик, и его злость на учителей каким-то образом проецируется на Марджори.

—Это профессиональное действие, или как они там его называют?.. В пятницу Гэри принес уведомление.

—Ты хочешь сказать «профессиональное *бездействие*»? Ты заметила, что учителя никогда не стоят в пикетах, под дождем или на морозе? Они отсиживаются в теплых учительских и что-нибудь жуют, а дети тем временем остаются дома—валять дурака и хулиганить. Это не называется действием. И это не профессионализм. Только устраивают шумиху и говорят красивые слова.

—Ну…—успокаивающе произносит Марджори.

—А Сандра? В ее колледже тоже «профессиональное действие»?

—Нет, просто мы идем к врачу.

—Что там у нее случилось?

Зевнув, Марджори уклончиво отвечает:

—Ничего серьезного.

—А почему она не может пойти сама? В семнадцать лет девица должна быть в состоянии сходить к врачу, чтобы ее при этом не вели за ручку.

—Я не пойду в кабинет, если она меня не позовет. Просто подожду.

Вик с подозрением смотрит на жену.

—И после этого вы не собираетесь пройтись по магазинам?

Марджори заливается румянцем.

—Ну, ей бы нужно купить туфли…

—Ты идиотка, Марджори!—взрывается Вик.—Балуешь ее сверх всякой меры. У нее на уме только шмотки, туфли и прически. Как ты думаешь, что за оценки будут у нее в аттестате?

—Не знаю. Но если она не захочет поступать в университет…

—И что же она тогда захочет? Каковы сейчас планы на будущее?

—Она подумывает о профессии парикмахера.

—Парикмахера! — повторяет Вик, вкладывая в это слово как можно больше презрения.

—Она ведь привлекательная девушка. Почему бы ей не получать удовольствие от красивой одежды, пока она молода?

—Иными словами, почему бы тебе не получать удовольствие, наряжая ее. Марджи, ты же обращаешься с ней, как с куклой. Правда ведь?

Вместо ответа Марджори возвращается к вопросу, заданному чуть раньше.

—У нее не все в порядке с месячными, если хочешь знать,— говорит она, словно обвиняя Вика в излишнем любопытстве, хотя сама прекрасно знает: гинекологические откровения — последнее, что его интересует, особенно в эти утренние часы. Несовершенство женского организма всегда было для него пугающим и вызывающим дискомфорт. Женские кровотечения, опухоли, а в особенности болезненные хирургические операции — выскабливание матки, удаление пораженных вен, ампутация груди,— даже упоминание о таких вещах вызывало у него дрожь и тошноту. Недавно этот список пополнился менопаузой: приливы, маточные кровотечения и какое-то совсем уж неприличное «опухание».— Думаю, он пропишет ей таблетки,— говорит Марджори, наливая себе вторую чашку чая.

—А?

—Чтобы наладить менструальный цикл. Думаю, доктор Робертс пропишет Сандре таблетки.

Вик снова бурчит, но на сей раз как-то неопределенно и неуверенно. У него возникает подозрение, что женская половина их семьи что-то замышляет. А что если истинной целью похода к врачу является подбор противозачаточных препаратов для Сандры? С одобрения Марджори. Он бы этого не одобрил. Неужели Сандра живет половой жизнью? Это в семнадцать-то лет? С кем? Только бы не с тем прыщавым подростком в плаще из запасного комплекта военного обмундирования. Как, кстати, его зовут? Ах да, Клиф. Господи, только бы не с ним. И не с кем-нибудь другим. Вик тут же представляет себе, как его дочь занимается любовью: белые коленки разведены в стороны, на девочке лежит темная тень человеческого тела. Виком овладевают ярость и омерзение.

Поверх края чашки Марджори сверлит мужа полными слез глазами, призывая продолжить разговор о Сандре, но Вик избегает этого. Не сегодня утром, когда впереди столько работы. По правде говоря, лучше вообще никогда. Обсуждение интимной жизни Сандры сразу перейдет в обсуждение их собственной интимной жизни, а точнее, ее полного отсутствия, а Вик предпочитает избегать этой темы. Пусть спящая собака продолжает спать. Вик сверяет показания кухонных часов с наручными и встает из-за стола.

— Поджарить тебе кусочек бекона? — спрашивает Марджори.

— Нет, я уже поел.

— В такое холодное утро лучше съесть горячий завтрак.

— У меня нет времени.

— Почему бы не купить микроволновку? Тогда я смогу мгновенно приготовить тебе бекон.

— А знаешь ли ты,— говорит Вик,— что девяносто шесть процентов микроволновок мира сделаны в Японии, Тайване и Корее?

— У всех наших знакомых они уже есть,— сообщает Марджори.

— Еще бы,— бурчит Вик.

Марджори смотрит на него несчастными глазами, не понимая, к чему он клонит.

— Я думала прицениться сегодня,— говорит она,— после покупки туфель для Сандры.

— И куда ты ее поставишь? — интересуется Вик, оглядывая кухню, и без того перегруженную электроприборами: тостер, чайник, кофеварка, кухонный комбайн, пароварка, жаровня, вафельница…

— Можно убрать пароварку. Мы ею совсем не пользуемся. Микроволновка гораздо нужнее.

— Хорошо, прицениь, но не покупай. Через профсоюз я куплю подешевле.

Марджори сияет. Она улыбается, и на ее припухших после сна щеках, все еще блестящих от ночного крема, появляются две ямочки. Именно они, эти ямочки, привлекли внимание Вика двадцать пять лет назад, когда Марджори работала машинисткой в «Вангард Инжениринг». Теперь они появляются редко, но предвкушение покупки — один из немногих поводов, которые гарантируют их появление.

— Только не рассчитывай, что *я* буду есть то, что в ней приготовлено, — предупреждает Вик.

Ямочки исчезают так же быстро, как солнце прячется за тучу.

— Почему?

— Разве это настоящая готовка? Моя мама перевернулась бы в гробу.

Вик берет «Дейли Мейл» и отправляется в белый туалет, что в дальней части дома, около черного хода. Он предназначен для домработницы, садовника и рабочих. По молчаливому соглашению Вик обычно опорожняет кишечник именно здесь, в то время как Марджори пользуется гостевой уборной. Таким образом, воздух в ванной *en suite* не загрязняется.

Вторую сигарету Вик выкуривает, сидя на унитазе и просматривая «Дейли Мейл». Уэстленд и Хезелтайн по-прежнему на первых страницах. «Пресечь распространение слухов. Мэгги пытается утихомирить враждующих». Вик перебирается на следующие страницы. «Мёрдок сталкивается с разногласиями в Союзе. Призыв имама к молитве заставляет викария говорить о бедламе. Невесту, вступающую во второй брак, ждет сердечный приступ. Мы в элите Лиги Наций». Так, об этом поподробнее, пожалуйста.

«Британия снова попала в число стран с наиболее развитой промышленностью, как было объявлено сегодня. Только Германия, Голландия, Япония и Швейцария могут составить нам конкуренцию по уровню экономического развития, стабильности цен и бездефицитности бюджета, заявляет советник по вопросам экономики доктор Дэвид Ломакс».

«Могут составить нам конкуренцию», вероятно, означает «одерживают победу». И с каких это пор Голландия — промышленная сверхдержава? Если даже и так, это всего лишь мыльный пузырь, выдутый из лживой статистики. Достаточно проехаться по центральным графствам, чтобы понять: если мы входим в суперлигу промышленных держав, значит, кто-то должен был сдвинуть стойку ворот. Вик всей душой поддерживает Британию, но иногда «Дейли Мейл» доходит до столь неистового шовинизма, что даже у него челюсти сводит. Он затягивается и стряхивает пепел между ног. Пепел падает в воду, раздается тихое шипение. «Сто миль на галлон. Семейная машина успешно проходит испытания».

«Британская компания „Лиланд" начала испытания революционно легкого алюминиевого двигателя для семейного автомобиля мирового класса с затратой бензина 1 галлон на 100 миль».

Когда у нас последний раз был алюминиевый двигатель мирового класса? В «хилмане», не так ли? Где они теперь, эти «хилманы» вчерашнего дня? На свалке, все до единого или почти все. Завод в Линвуде превратился в кладбище, между сборочными конвейерами проросла трава, крыши из рифленого железа хлопают на ветру. Машина, которую никто не хотел покупать. Завод, построенный в месте, выбранном по политическим, а не коммерческим соображениям, в сотнях миль от поставщиков необходимых материалов. Вик пролистывает газету до раздела городских новостей. «Как заставить уважать себя».

«Год, провозглашенный Годом Промышленности, начался, как и ожидали, весьма невразумительно. Различные промышленные предприятия, как всегда, поднимают шум вокруг якобы недостаточного уважения, которым пользуются инженеры и вообще инженерное дело».

Эту статью Вик читает со смешанным чувством. Год Промышленности — это, конечно, чушь собачья. А вот недооценка инженеров — чистая правда.

Уборную Вик покидает без двадцати восемь. Он начинает спешить. Размашистым шагом пересекает кухню, где Марджори вяло перекладывает в посудомоечную машину оставшуюся после его завтрака грязную посуду, и взбегает по лестнице. Быстро чистит зубы и причесывается в ванной *en suite*. Потом идет в спальню, где облачается в чистую белую сорочку и костюм. У Вика шесть деловых костюмов, и он их меняет каждый день. Он всегда считал, что пяти вполне достаточно, но вынужден был купить шестой после подпущенной Реймондом шпильки: «Если на тебе шерстяной серый, значит, сегодня вторник». На сей раз очередь темно-синего в полоску. Вик выбирает галстук с диагональными красными, синими и серыми полосами. Всовывает ноги в начищенные до блеска полуботинки. Слишком сильно дергает за потертый шнурок, и тот рвется. Вик, чертыхаясь, просовывает руку в глубь шкафа в поисках старых черных ботинок с подходящими шнурками и натыкается на картонную коробку. В ней новенький радиоприемник с таймером, сделанный в Гонконге, в ярком пластмассовом чехле, упакованный в пенопласт. Вик вздыхает и криво усмехается. Подобные находки редко встречаются в это время года. У Марджори есть дурацкая привычка заранее покупать подарки на Рождество. Она распихивает их, как белочка, по укромным местам, а потом забывает о них.

Когда Вик снова спускается, Марджори бесцельно топчется в прихожей.

— Ну, и для кого это радио?

— Что за радио?

— Я нашел новенькое радио на задворках гардероба.

Марджори всплескивает руками.

— Ох! Я ведь знала, что уже покупала подарок твоему отцу.

— А разве мы ему ничего не подарили?

— Конечно, подарили. Помнишь, ты специально помчался в магазин и купил одеяло с электроподогревом?.. Ничего страшного, часы с радио пригодятся и на будущий год.

— Разве у него нет таких часов? По-моему, мы их дарили ему несколько лет назад.

— В самом деле? — рассеянно бормочет Марджори.— Тогда они пригодятся кому-нибудь из мальчиков.

— Им нужны часы не с радио, а со встроенной бомбой,— говорит Вик и хлопает себя по карманам, проверяя, на месте ли

бумажник, органайзер, ключи, калькулятор, сигареты и за-
жигалка.

Марджори помогает ему надеть пальто из верблюжьей шерсти. Это она уговорила Вика купить его, хотя тот и возражал,
что оно гораздо ниже колен и, по его мнению, подчеркивает
его низкий рост, а кроме того, в нем он смахивает на преуспе-
вающего букмекера.

— Когда тебя ждать? — интересуется Марджори.

— Не знаю. Лучше разогреешь обед, когда я приду.

— Постарайся не задерживаться допоздна.

Она закрывает глаза и подставляет ему лицо. Он чмокает ее
в губы, потом кивает в сторону первого этажа.

— Гони этих бездельников вон из кроватей.

— Когда дети растут, им нужно много спать.

— Господь с тобой, Реймонд уже не растет. Он перестал это
делать несколько лет назад. Но я не удивлюсь, если он отращи-
вает пивное брюшко.

— Но Гэри-то еще растет.

— Проследи, чтобы он сделал домашнее задание.

— Хорошо, дорогой.

Вик совершенно уверен в том, что у нее и в мыслях нет выполнять его распоряжения. Если бы не поездка с Сандрой к
врачу, Марджори, скорее всего, легла бы сейчас в постель, при-
хватив с собой чашку чая и «Дейли Мейл». Несколько недель
назад Вик вернулся домой, едва уехав на работу, — забыл взять
важные документы. Была половина десятого утра, в доме царила полная тишина: трое детей и их мать сладко спали. Не стоит удивляться, что страна летит в тартарары.

Вик проходит через застекленное крыльцо и оказывается на
свежем воздухе. Холодный ветер ерошит ему волосы, и Вик
вздрагивает. Но после спертой духоты уличная прохлада действует освежающе, и по дороге к гаражу Вик делает пару глубо-
ких вдохов. Когда он подходит к гаражу, ворота распахиваются,
словно по волшебству (а на самом деле — по сигналу с пульта
дистанционного управления, который лежит у Вика в кармане). Это маленькое чудо каждый раз вызывает в нем по-детски

буйный восторг. Внутри гаража Вика ждет сияющий «ягуар» с регистрационным номером «VIC100», который стоит рядом с серебристым «метро» Марджори. Вик выводит машину и закрывает гараж очередным нажатием кнопки на пульте. В окне веранды возникает Марджори. Одной рукой она придерживает на груди распахивающийся халат, другой робко машет мужу. Вик умиротворенно улыбается, нажимает на газ и уезжает.

Начинаются самые приятные за весь день полчаса — дорога на работу. Вернее, не совсем полчаса: поездка обычно занимает двадцать четыре минуты, но Вику хотелось бы, чтоб она была долгой. Это мирный промежуток между домашней нервотрепкой и служебными неприятностями, время чистых эмоций, абсолютного самообладания и легкого превосходства. Ведь «ягуар» превосходит любую машину. В этом Вик уверен на все сто. Когда Мидландское Объединение заманило его в «Прингл» на должность исполнительного директора, ему предложили «Ровер 3500 Ванден Плас», но Вик настоял на «ягуаре» — машине, которую обычно дают управляющему группой компаний,— и был очень доволен, когда получил его, хоть и не вполне новый. Конечно, это должна была быть британская машина, ведь компания «Прингл» тесно сотрудничала с местной автомобильной промышленностью, никого ведь не интересует, что Вик ни за что не сел бы за руль иномарки: он возненавидел их лютой ненавистью после того, как в 70-е годы они вторглись на дороги Британии, ознаменовав тем самым начало распада местной экономики. Впрочем, Вик вынужден был признать, что выбор отечественных машин крайне скуден, если ориентироваться на качество первоклассных «мерседесов» и «БМВ». Пожалуй, «ягуар» — единственный автомобиль, глядя на который другие водители перестают снисходительно улыбаться, за исключением разве что «роллс-ройса» или «бентли».

Вик притормаживает на Т-образной развилке, где Эвондейл-роуд сливается с Бартон-роуд,— там уже начинается час пик. Водитель «форда-транзит», хоть и обладает правом первенства, вежливо подает назад, чтобы Вик мог просочиться в левый ряд. Вик кивает в знак благодарности, поворачивает налево, затем снова направо и с привычной легкостью проезжает по широким улицам, по обеим сторонам которых растут деревья. Он огибает Университет, кирпичная часовая башня которого проглядывает поверх деревьев и крыш. Хоть Вик, как говорится, и обивает пороги Университета, внутри он не был ни разу. Но он знает, что это место славится пробками на дороге, по поводу которых частенько сокрушается Марджори (университетский день начинается слишком поздно, а кончается слишком рано, чтобы это обстоятельство создавало неудобства для самого Вика), и мучительно красивыми девушками, недосягаемость которых печалит Вика, когда он наблюдает, как они прохаживаются по вестибюлям, а вечером — по студенческому клубу. Университет с его тяжеловесной архитектурой, тщательно спланированным садово-парковым ансамблем и бдительными охранниками возле каждого входа казался Вику миниатюрным городом-государством, этаким научным Ватиканом. Он старался держаться подальше от Университета, потому что побаивался и одновременно чурался царившего здесь духа демонстративной независимости от грубого и суетного промышленного города, внутри которого и располагался Университет. *Alma mater* Вика, находившаяся в нескольких милях отсюда, была диаметральной противоположностью: закопченное высокое здание, напичканное промышленным и лабораторным оборудованием, окна которого смотрели на железную дорогу с сортировочной станцией и кольцевой развязкой. Бывший в дни молодости Вика Колледжем Новейших Технологий, теперь он увеличился в размерах и получил статус университета, но так и не обзавелся особой атмосферой манерности и жеманства. И правильно сделал. Если колледж становится слишком уж тепленьким местечком, кому захочется покидать его стены и работать всерьез?

Вик огибает здание Университета и сливается с потоком машин, который вяло тянется по Лондон-роуд, к центру города. Это самый медленный участок утреннего путешествия, но «ягуар» все же смиряется с неизбежным, хоть и недовольно ворчит. Вик выбирает кассету и вставляет ее в стереосистему с четырьмя колонками. Голос Керли Саймон заполняет салон. Музыкальные пристрастия Вика отнюдь не широки, зато глубоки. Он предпочитает женские голоса, медленные ритмы и сочные аранжировки напевных мелодий в стиле джаз-соул. Керли Саймон, Дасти Спрингфилд, Роберта Флэк, Диона Уорвик, Дайана Росс, Рэнди Кроуфорд, а с недавних пор — Сейд и Дженнифер Раш. Искусные модуляции этих сладких или хрипловатых голосов, стонущих или шепчущих о женской любви, ее радостях и разочарованиях, успокаивают нервы и поселяют приятную истому в ногах и руках Вика. Ему и в голову не могло прийти включить эти записи дома, на музыкальном центре,— дети засмеют. Это сугубо интимное удовольствие, этакая музыкальная мастурбация, непременный атрибут его дороги на работу. Впрочем, удовольствие было бы куда сильнее, не будь Вик вынужден читать на задних стеклах машин грубые намеки на более широко распространенные виды сексуальных удовольствий. «Молодые фермеры делают это, надевая резиновые сапоги. Любители водных лыж делают это стоя. Просигналь, если делал это прошлой ночью». Это, это, это… Вик сжимает руль с такой силой, что белеют костяшки пальцев. И зачем только порядочные люди прилепляют на стекла такое дерьмо? Должен быть закон, запрещающий делать это.

Вик уже добрался до последнего светофора, за которым начинается череда тоннелей и эстакад. Они без остановки проведут его через центр города. Красная «тойота-селика» пристраивается Вику в хвост, ее водитель выжимает сцепление, и «тойота» вырывается вперед, явно готовясь к марш-броску. Загорается желтый сигнал светофора, и «тойота» срывается с места, демонстрируя Вику надпись на заднем стекле: «Дельтапланеристы делают это в воздухе». Вик законопослушно дожидается зеленого света и резко жмет на акселератор. «Ягуар» только что не взлетает, мгновенно настигает «тойоту» и с легкостью ее обгоняет. По счастливому совпадению, именно в эту минуту Керли Саймон выдает пронзительное крещендо. Вик бросает взгляд в зеркало заднего вида и улыбается. Будет ему наука, как покупать янонские тачки.

Впрочем, не будет ему никакой науки. Вик абсолютно уверен в бессмысленности своей маленькой победы: пятилитровый двигатель против двигателя «тойоты» объемом 1,8. К тому же у него сейчас время снисходительности, обретающейся между домом и работой, время непринужденного движения, смягченного натуральной кожей, время изолированности от городского шума и гари посредством кузова машины, тонированного стекла и чувственной музыки. Длинный нос «ягуара» ныряет в первый тоннель. Внутрь-наружу, вниз-вверх. Вик проезжает по тоннелям, петляет по дорогам, въезжает по асфальтированному пандусу на шестирядную автостраду, возвышающуюся над улочками его детства, как гигантская цементная рука. Каждое утро Вик проезжает над тем кварталом, где жила его бабушка, и над тем, где он вырос. Его овдовевший отец упрямо не уезжает отсюда, словно моряк, не желающий покидать тонущий корабль, несмотря на все попытки Вика убедить его перебраться в другое место. Он целыми днями вздрагивает, глохнет от шума и задыхается от выхлопных газов: автострада проходит в тридцати ярдах от окна его спальни.

Вик сворачивает на автомагистраль, которая ведет на северо-запад, и первые несколько миль дает волю «ягуару» — мчится по крайнему ряду со скоростью девяносто миль, внимательно глядя в зеркало заднего вида. В час пик полиция редко доставляет неприятности водителям, но за потоком машин все же следит. Пейзаж справа и слева абсолютно одинаков и настолько привычен, что Вик его попросту не видит: бесконечная череда домов и заводов, складов и гаражей, железнодорожных линий и канав, груды металлолома и искореженных машин, контейнерные порты и автобазы, башни-холодильники и газометры. Черно-белый пейзаж под низким серым небом, горизонт заволокло серой дымкой.

К этой минуте Вик Уилкокс, если быть точным, уже покинул пределы города Раммиджа и очутился в районе, известном под названием Темный Пригород. Этим прозвищем его наградили потому, что в годы расцвета промышленной революции здесь постоянно висела дымовая завеса и все вокруг было покрыто слоем угольной пыли и копоти. Вик не очень хорошо знает историю этого района, хотя его работа о нем на конкурсе в колледже заняла призовое место. В начале XIX века здесь обнаружили богатые залежи полезных ископаемых: угля, железной руды, известняка. Построили шахты, выкопали карьеры, понатыкали всюду металлургических заводов и внедрили новую технологию: плавку железной руды на коксовом топливе с использованием известняка в качестве флюса. Поля постепенно застроились надшахтными зданиями, литейными цехами, заводами, мастерскими и рядами жалких хибарок для работавших здесь мужчин, женщин и детей,— бестолковая и убогая городская окраина, мрачная днем и пугающая ночью. Писатель Томас Карлайл в 1824 году так описал ее: «Страшное зрелище… над ним постоянно висит густое облако ядовитого дыма… а ночью этот район превращается в подобие вулкана, извергающего огонь из тысячи кирпичных труб». Чуть позже Чарльз Диккенс писал о своей поездке по «долгим милям гаревых дорожек, мимо пылающих печей, ревущих паровых двигателей и такой жуткой грязи, уныния и нищеты, каких мне видеть еще не доводилось». Королева Виктория, когда проезжала через эту местность, задергивала занавески на окне своего купе, чтобы ее взгляд не осквернился уродством и убожеством.

С тех пор и экономика, и внешний вид этого района сильно изменились. Залежи угля и железной руды были выработаны, или их разработка стала невыгодной, и, как следствие, пошла на убыль выплавка. Но те отрасли, в основе которых лежит литье, ковка, инженерные разработки, т. е. все то, что в просторечии называется «металлургия»,— эти отрасли расширялись и множили свои предприятия до тех пор, пока их заводы не сомкнулись стена к стене и не слились с разраставшимися пригородами Раммиджа. В результате сокращения объемов производства в тяжелой промышленности и использования новых источников энергии воздух заметно очистился, хотя теперь атмосферу сильно загрязняют выхлопные газы машин, снующих по дорогам, которыми окружен и прорезан весь этот район. В наши дни Темный Пригород едва ли заметно темнее соседствующего с ним города, да и на пригород он похож мало. Иностранные туристы считают, что этот район получил свое название не из-за загрязненности воздуха, а по внешности большинства его обитателей, иммигрантов из Индии, Пакистана и стран Карибского бассейна, перебравшихся сюда во время промышленного бума 50-х и 60-х годов, когда здесь было навалом рабочих мест. Теперь же именно они и стали основными жертвами безработицы.

Как-то очень уж скоро пришло время съезжать с магистрали и спускаться на улицы поуже, битком набитые светофорами, объездами и развилками. Это Западный Уоллсбери — район, где преобладают мелкие и крупные, старые и новые заводы. Многие из них стоят, другие и вовсе бесхозные — они смотрят на мир сквозь окна с битыми стеклами. В последние годы судебные тяжбы и закрытия заводов опустошили этот район, и его улицы обезлюдели. После того, как в 1979 году пришли к власти тори, которые позволили курсу фунта стерлингов подняться за счет бедственного положения «Норт Си Ойл» в начале 80-х годов и то ли сделали британскую экономику беззащитной перед лицом иностранной конкуренции, то ли (как считают многие) повысили ее эффективность (Вик склоняется к первой точке зрения, но иногда, под настроение, признает и вторую) — так вот, после этого треть инженерных компаний в Вест-Мидландс закрылась. Нет ничего более жалкого и плачевного, чем вид закрывшегося завода. Уж кто-кто, а Вик Уилкокс это знает: в свое время он сам курировал закрытие заводов. Завод подпитывается энергией от собственной работы, воя и грохота станков, лязга металла, беспрерывного движения сборочных конвейеров, быстрой смены бригад, свиста аэродинамических тормозов, рычания моторов подвозящих сырье фургонов — у одних ворот и вывозящих готовую продукцию — у других. Стоит положить всему этому конец, и вокруг становится тихо и пусто. Остается только огромное дряхлое здание, в котором холодно, грязно и неуютно. Будем надеяться, что с «Принглс», как говорят, ничего подобного не случится. Будем надеяться…

Вик уже почти добрался до своего завода. Вот над выцветшей витриной горит алая неоновая надпись «Сауна Сюзанны» — постоянная тема невинных шуток на работе у Вика. Для него самого это всего лишь удобный ориентир. Через сто ярдов он сворачивает на Кони-лейн, минует «Шопфикс», «Изоляционные материалы Аткинсона», «Битомарк», потом едет вдоль железнодорожных рельсов, которые тянутся по краю территории «Принглс», и наконец подъезжает к главному входу. Рельсы длинные, территория большая. В послевоенные годы, лучшие годы «Принглс», на компанию работали четыре тысячи человек. Теперь их меньше тысячи, и большая часть оборудования не используется. В некоторых зданиях и пристройках Вик не бывал ни разу. Дешевле дать им развалиться, чем сносить их.

У шлагбаума Вик нетерпеливо подает сигналы. В окошке появляется лицо охранника и расплывается в обворожительной улыбке. Вик сдержанно кивает в ответ. Небось газету читал, шельмец. Его предшественника по настоянию Вика выгнали перед Рождеством. Неожиданно вернувшись на завод среди ночи, Вик застукал его за тем, что он смотрел телевизор вместо того, чтобы смотреть на экраны мониторов, ведь именно за это ему платят. Судя по всему, этот ничуть не лучше. Может, стоит обратиться в другую охранную фирму? Вик берет себе на заметку: обсудить этот вопрос с Джорджем Прендергастом, директором по персоналу.

Шлагбаум поднимается, и Вик едет к своему персональному месту стоянки — возле главного входа в административное здание. Изучает статистику поездки по дисплею на панели. Расстояние: 9,8 мили. Время: 25 минут 14 секунд. Средний результат для утреннего часа пик. Затраты горючего: 17,26 миль/галлон. Неплохо, но было бы еще лучше, если бы не пришлось поставить на место ту зарвавшуюся «тойоту».

Через вращающуюся дверь Вик проходит в приемную — весьма впечатляющее помещение. В эпоху процветания стены обили светлыми дубовыми панелями. Мебель, впрочем, довольно потертая. Часы на стене — раздражающие глаз, без цифр на циферблате — намекают, что сейчас около половины девятого. Две телефонистки, Дорин и Лесли, снимают пальто, стоя за столом. Обе глуповато улыбаются, поправляя прически и разглаживая юбки.

— С добрым утром, мистер Уилкокс.

— С добрым утром. Как вы думаете, не обзавестись ли нам парой новых стульев?

— Да-да, мистер Уилкокс. Эти ужасно жесткие.

— Я имел в виду не *ваши* стулья, а для посетителей.

— Ох… — Девушки не знают, что ответить. Вик для них все еще мистер Новая Метла, и они его побаиваются. Он проходит в коридор, ведущий в офис, и слышит, как секретарши фыркают, пытаясь подавить смех.

— Доброе утро, Вик.

Его секретарша Ширли улыбается из-за своего стола, очень довольная собой, оттого что оказалась на посту раньше шефа, пусть даже за секунду до его появления она изучала свое лицо, глядя в зеркальце пудреницы. Ширли — женщина зрелого возраста, с пышной прической немыслимо желтого оттенка и с роскошным бюстом, на котором, как на полке, покоятся очки для чтения, свисающие с шеи на цепочке. Вик унаследовал Ширли от своего предшественника, который, очевидно, насаждал здесь непринужденность производственных отношений. Отнюдь не по настоянию нового шефа она стала обращаться к нему просто по имени — «Вик», с чем ему пришлось смириться. Ширли много лет работала на «Принглс», и Вик очень нуждался в ее знаниях и помощи, когда входил в курс дела.

— Доброе утро, Ширли. Сделайте нам по чашечке кофе, ладно?

Рабочий день Вика состоит, кроме всего прочего, из непрерывной череды чашечек растворимого кофе. Он оставляет пальто из верблюжьей шерсти на крючке в прихожей, соединяющей его кабинет с владениями Ширли, и проходит к себе. Снимает пиджак и вешает его на спинку стула. Садится за стол и раскрывает органайзер. Появляется Ширли с кофе и большим альбомом для фотографий.

— Я подумала, вам будет любопытно взглянуть на новые снимки Трейси, — говорит она.

У Ширли есть семнадцатилетняя дочь, возомнившая себя будущей фотомоделью, и Ширли все время подсовывает Вику глянцевые снимки этой сочной девахи. Поначалу он даже заподозрил Ширли в том, что она сводничает, пытается вызвать у него мужской интерес к дочери. Но потом понял, что это простая материнская гордость. Глупая старая ведьма и в самом деле не видит никакой двусмысленности в том, чтобы сделать свою дочь картинкой на стене.

— Да? — говорит Вик, с трудом скрывая раздражение. И, раскрыв альбом, восклицает: — Боже милостивый!

Надутые губки, безвольный подбородок и светлые кудряшки ему прекрасно знакомы, а вот обнаженные тяжелые груди, выпяченные в сторону камеры, словно розовые бланманже, увенчанные вишенками, — это уже что-то новенькое. Вик быстро перелистывает полиэтиленовые страницы.

— Хороши, не правда ли? — с безграничной любовью спрашивает Ширли.

— И вы позволяете так вот фотографировать вашу дочь?

— Разумеется, в моем присутствии. Я была в студии.

— Скажу вам откровенно, — говорит Вик, закрывая альбом и возвращая его Ширли, — *своей* дочери я бы этого не позволил.

— А я не вижу в этом ничего дурного, — отвечает Ширли. — В наши дни топлесс — в порядке вещей. Вам бы посмотреть на родосский пляж прошлым летом. А передачи по телевизору? Если у тебя красивое тело, почему бы этим не воспользоваться? Возьмите хотя бы Сэм Фокс.

— Кто это?

—Она. Саманта Фокс. Вы наверняка знаете!—недоверие заставляет голос Ширли зазвучать на октаву выше.—Фотомодель с Третьей Страницы. Знаете, сколько она заработала в прошлом году?

—Уж точно больше, чем я. И больше, чем «Принглс» заработает в этом году, если вы будете и дальше тратить мое время впустую.

—Ах, вот вы какой! —игриво произносит Ширли, воспринимая выговор шефа как шутку.

—Скажите Брайану, чтобы зашел ко мне.

—Его, наверно, еще нет.

Вик вздыхает, ничуть не удивляясь тому, что его коммерческий директор до сих пор не явился на работу.

—Тогда скажите ему это, как только он придет. А пока займемся бумагами.

Звонит телефон. Вик снимает трубку.

—Уилкокс.

—Вик?

Голос Стюарта Бакстера, председателя «Мидланд Амальгамейтедс Инжениринг», звучит слегка разочарованно. Он наверняка рассчитывал услышать, что мистера Уилкокса еще нет. Тогда он бы попросил передать Вику, чтобы тот перезвонил, таким образом заставив его занять оборонительную позицию, раз глава его, Вика, отделения знает, что Вик пришел на работу позже Стюарта Бакстера. В процессе разговора Вик убедился в том, что причина звонка именно такова: ничего нового Стюарт Бакстер ему не сообщил. В прошлую пятницу между ними состоялся точно такой же разговор—о неутешительных производственных итогах «Принглс» в декабре.

—Ты же знаешь, Стюарт, в декабре всегда бывает спад. Из-за длинных рождественских каникул.

—Даже с учетом этого, Вик, результаты все равно низкие. Сравни хотя бы с прошлым годом.

—А в этом месяце они будут еще ниже, это уже понятно.

—Грустно слышать это от тебя, Вик. Это сильно усложняет мою жизнь.

— У нас не все благополучно с литьем. Воздуходувки постоянно выходят из строя. Я бы купил новую машину, полностью автоматическую, и заменил ею старую систему.

— Слишком дорого. Лучше купить подержанную. Нет смысла вкладывать крупные средства в наш литейный цех.

— У него огромный потенциал. И прекрасные производственные мощности. Они славно работают. В любом случае, дело не в литейке. Мы работаем над новой производственной схемой для всего завода — новым складским учетом, новой снабженческой политикой. Все в компьютере. Но это требует времени.

— А вот времени-то у нас как раз и нет, Вик.

— Совершенно верно. Поэтому не заняться ли нам делами вместо того, чтобы болтать, как две домохозяйки через садовую ограду?

На том конце провода повисло минутное замешательство, потом натужный смешок: Стюарт Бакстер решил не обижаться. Хотя он и без того *уже* обиделся. Может, это глупо, но Вик, кладя трубку, не чувствовал за собой никакой вины. Его работа — сделать компанию «Прингл и сыновья» прибыльным предприятием, а не завоевывать расположение Стюарта Бакстера.

Вик щелкает переключателем на телефоне и просит Ширли, которую он жестом удалил из кабинета, когда позвонил Бакстер, забрать кое-какие бумаги. Он просматривает корреспонденцию, и две вертикальные морщинки по обе стороны носа сближаются, едва он сосредоточивается на именах, цифрах и датах. Вик закуривает сигарету, глубоко затягивается и выпускает из ноздрей две струйки дыма. Небо за окном все еще затянуто тучами, и проникающего через окно тусклого желтоватого света недостаточно, чтобы читать. Вик включает настольную лампу и направляет свет на документы. Через стены и окна доносится приглушенный рокот работающих станков и машин на дороге — умиротворяющие, ласкающие слух звуки кипящей работы.

2

Теперь мы на время покинем Вика Уилкокса и перенесемся на пару часов назад и на несколько миль в сторону, чтобы познакомиться с совершенно другим героем. С героем, который (а вернее, которая), к моему крайнему неудобству, не поддерживает концепцию литературного героя. Иными словами (это ее излюбленное выражение), Робин Пенроуз, преподаватель английской литературы Университета Раммиджа, считает, что «герой» — это буржуазный миф, иллюзия, созданная для поддержания капиталистической идеологии. В качестве доказательства своего суждения она обычно обращает внимание собеседника на то обстоятельство, что расцвет романа (литературного жанра, в котором *par excellence*[1] развита система «героев») в XVIII веке совпал с периодом расцвета капитализма; что победа романа над другими литературными жанрами в XIX веке совпала с победой капитализм; и что уничтожение модернизмом и постмодернизмом классического романа в XX веке совпало с необратимым кризисом капитализма.

Робин совершенно ясно, отчего классический роман был тесно связан с капитализмом. И тот и другой являются выразителями секуляризованной протестантской этики, оба основываются на идее независимости человеческой личности, каковая несет ответственность за свою судьбу, в то же время находясь в ее власти и в постоянном поиске удачи и счастья, соперничая при этом с другими независимыми личностями. Эта точка зрения справедлива по отношению к роману и как к продукту потребления, и как к способу отражения действительности. (Так вещает Робин на своих семинарах.) Иными словами, все это касается и самих романистов, и их героев и героинь. Романист есть не что иное, как капиталист воображения. Он производит продукт, о своем желании приобрести который потребители не догадываются вплоть до его появления на рынке. Далее романист обрабатывает его при финансовой

[1] В особенности (*фр.*).

поддержке поставщика, в данном случае именуемого издателем, и наконец продает свой товар, конкурируя с другими изготовителями сходной продукции. Первый крупнокалиберный английский романист Дэниель Дефо был купцом. Второй, Сэмюэль Ричардсон, печатником. Именно роман стал первым культурным артефактом, выпущенным массовым тиражом. (На этом месте Робин, опершись на кафедру локтями, молча разводит руками: мол, что еще тут скажешь?.. Но ей всегда есть что еще сказать.)

По мнению Робин (или, вернее, тех авторов, которые повлияли на ее точку зрения по этому вопросу), никакого «я», на котором основаны капитализм и классической роман, и в помине нет. Иными словами, не существует единственного и неповторимого духа или субстанции, порождающих самобытность личности. Есть только сугубо субъективное сплетение дискурсов — дискурса власти, секса, семьи, науки, религии, поэзии и т. п. К тому же не существует и автора, иными словами, того, кто порождает литературное произведение *ab nihilo*[1]. Любой текст — продукт интертекстуальности, тонкая паутина аллюзий и цитат из других текстов. То есть, пользуясь знаменитым выражением Жака Деррида (разумеется, знаменитым в среде Робин и ей подобных), *il n'y a pas de hors-texte* — вне текста нет ничего. Нет происхождения, есть только изготовление, и мы устанавливаем свое «я» в языке, на котором говорим. Не «ты есть то, что ты ешь», а «ты есть то, что ты говоришь» или даже «ты есть то, что говорит тобой» — вот аксиоматический базис философии Робин, который, если бы потребовалось дать ему название, она окрестила бы «семиотическим материализмом». Сей термин может показаться несколько мрачным и слегка бесчеловечным («антигуманистическим» — да; бесчеловечным — ни в коем случае, уточняет Робин), немного детерминистским. («Ничего подобного. Субъектом настоящего детерминизма является тот, кто понятия не имеет о дискурсах, его детерминирующих. Или ее», — скрупулезно уточняет Ро-

---

[1] Из ничего (*лат.*).

бин, которая, кроме всего прочего, еще и феминистка.) На самом деле это обстоятельство никак не влияет на ее поведение. У нее самые обычные человеческие чувства, стремления и мечты. Она волнуется, грустит и боится так же, как любой другой человек в нашем несовершенном мире, и испытывает естественное желание попытаться хоть как-то его улучшить. Именно поэтому я и позволил себе сделать ее героиней романа. Она не слишком отличается от Вика Уилкокса, хотя и принадлежит к совсем другой социальной группе.

В этот пасмурный январский понедельник Робин проснулась чуть позже, чем Вик. Ее будильник — купленная в «Среде обитания» старомодная вещица с циферблатом и маленьким медным звоночком на макушке — пробудил ее от глубокого сна в половине восьмого. В отличие от Вика, Робин всегда крепко спит, пока ее не разбудят. И тут же в ее сознание, подобно происходящему с Виком, ворвались поводы для волнений, словно навязчивые больные, которые всю ночь только и ждут, когда доктор начнет прием. Но Робин расправляется с ними умно и решительно. Этим утром она в первую очередь сосредоточилась на том, что сегодня первый день зимнего семестра и она должна прочитать лекцию и провести два семинара. Несмотря на то, что Робин преподает уже восемь лет, любит свою работу, понимает, что отлично с ней справляется и хотела бы по возможности посвятить ей всю жизнь, в начале семестра она всегда испытывает волнение. Впрочем, это нисколько не занижает ее самооценку: хороший преподаватель, как и хороший актер, не должен быть свободен от страха перед сценой. Робин некоторое время сидит в постели — занимается дыхательной гимнастикой и разминкой для мышц живота, чтобы успокоиться. Так ее научили на занятиях йогой. Сегодня упражнения даются ей легко, потому что Чарльз не лежит рядом, не наблюдает за ней и не подкалывает ее своими вопросиками. Вчера вечером он отбыл в Ипсвич, где у него тоже начинается семестр в Саффолкском университете.

Кстати — а кто такой Чарльз? Пока Робин встает и приводит себя в порядок, думая в основном про рабочий роман XIX века, о котором ей предстоит читать лекцию, я расскажу вам о Чарльзе и о других знаменательных страницах биографии Робин.

Она родилась и была наречена Робертой Энн Пенроуз в Австралии, в Мельбурне, около тридцати трех лет назад, но в пять лет покинула эту страну и уехала с родителями в Англию. Ее отец, в то время молодой ученый-историк, после защиты докторской диссертации получил стипендию на изучение в Оксфорде европейской дипломатии XIX века. Вместо того чтобы вернуться в Австралию, он получил место в университете на юге Англии и до сих пор работает там, став уже заведующим кафедрой. Воспоминания Робин о стране, в которой она родилась, крайне смутны. Освежить их у нее не было возможности, поскольку всякое предложение посетить Австралию вызывало у профессора Пенроуза весьма характерную реакцию — его бросало в дрожь.

У Робин было безмятежное детство. Она выросла в красивом, внешне неброском доме с видом на море. Ходила в престижную школу, существовавшую на пожертвования (с тех пор, к ее крайнему неудовольствию, эта школа утратила свою независимость). Робин была старостой, капитаном спортивной команды девочек и закончила школу с отличными результатами. Несмотря на то, что ей было предложено место в Оксбридже, Робин предпочла уехать в Сассекский университет. В 1970-е годы так поступали многие способные молодые люди: новые университеты считались средоточием передовых взглядов и блестящего образования. Под вывеской подготовки диссертации по английской литературе Робин читала Фрейда, Маркса, Кафку и Кьеркегора. В Оксбридже она бы не смогла себе этого позволить. Кроме того, она озаботилась проблемой утраты невинности и в первом же семестре преуспела на этом поприще, причем с легкостью, хоть и без особого удовольствия. Во втором семестре Робин проявила безрассудную неразборчивость в связях, а в третьем познакомилась с Чарльзом. (Робин сбрасывает ногой пуховое одеяло и встает с постели. Некоторое время она стоит на полу в длинной белой ночной рубашке от Лауры Эшли, почесывает ягодицы через тонкий батист и зевает. Потом идет к окну по коврикам, расстеленным на сосновом лакированном паркете, отодвигает занавеску и выглядывает наружу. Смотрит вверх, на мчащиеся по небу серые тучи. Потом вниз, на вереницу садиков, на опрятные прудики с золотыми рыбками-карасиками и на ярко раскрашенные детские площадки, на соседние садики и площадки—невзрачные и заброшенные, где все поломано и обшарпано. Это идущая вверх оживленная улица с коттеджами XIX века, гордые владельцы которых, принадлежащие к среднему классу, живут плечом к плечу с менее опрятными и менее богатыми представителями рабочего класса. Окно дребезжит от резкого порыва ветра, и Робин поеживается. Она не стала вставлять двойные рамы, чтобы сохранить архитектурную целостность дома. Обхватив себя руками за плечи, она добирается до двери, перепрыгивая с коврика на коврик, словно исполнитель шотландских народных танцев, и попадает в ванную, где и окна поменьше, и заметно теплее.)

Сассекский кампус с его отменно гармоничной архитектурой в модернистско-палладианском стиле элегантно раскинулся у подножия Саут-Даунс, в нескольких милях от Брайтона. Архитекторы любовались им, а вот молодежь, приехавшая сюда учиться, бывала несколько сбита с толку. Еле-еле вскарабкавшись по крутому склону горы прямо от железнодорожной станции, вы испытывали откровенно кафкианские ощущения, потому что попадали в необозримую и впечатляющую декорацию: явно объемные здания казались плоскими, будто бы нарисованными, и реальность словно убегала прочь тем быстрее, чем старательнее ты пытался ее догнать. Отрезанные от привычного общения со взрослым миром, свободные в этом мире Вседозволенности от любых запретов, студенты имели обыкновение дичать, с головой окунались в беспорядочную половую жизнь, баловались наркотиками или впадали в тихое помешательство. Поколение Робин, попавшее в университет в начале 1970-х годов, сразу же по окончании героического периода студенческой борьбы за самоуправление, было подавлено тем обстоятельством, что опоздало родиться. На их долю не осталось никаких важных прав, за которые стоило бы бороться. Не осталось запретов, чтобы их сокрушать. Студенческие демонстрации довели беспричинную озлобленность до крайности. Им помогли студенческие партии. В этой обстановке утонченные и ранимые молодые люди с развитым инстинктом самосохранения искали себе постоянного партнера. Живя в том, что их родители именовали грехом, они шли в этом мятеже до конца, в то же время наслаждаясь своей защищенностью и взаимной поддержкой, которую давал старомодный брак. В Сассексе на каждом шагу попадались держащиеся за руки парочки и полиэтиленовые сумки-пакеты, в которых с равным успехом могли оказаться как белье из прачечной или продукты, так и книги или революционные памфлеты. Одной из таких пар были Робин и Чарльз. В один прекрасный день Робин огляделась и выбрала его. Он был умен, привлекателен и, как подумалось Робин, по-видимому, надежен (во всяком случае, он не давал поводов усомниться в этом). Да, он учился в закрытой школе для мальчиков, но быстро наверстал упущенное.

(Задрав на бедра белую ночную рубашку, Робин усаживается на унитаз и писает, попутно прокручивая в голове сюжет «Мэри Бартон» (1848), принадлежащей перу миссис Гаскелл. Встав с унитаза, она стягивает рубашку через голову и залезает в ванну, не спуская воду в унитазе, поскольку это отразится на температуре воды из душа, которой она как раз и собирается ополоснуться. Принимая душ, Робин прощупывает грудь, проверяя, нет ли уплотнений. Вылезает из ванны, вытирается полотенцем в одной из неуклюжих и двусмысленных поз, столь любимых художниками-импрессионистами и так раскритикованных искусствоведами-феминистками, которыми восхищается Робин. Она высока и женственна, тонка в талии, с аккуратными круглыми грудками, с чуть тяжеловатыми бедрами и ягодицами.)

На второй год совместной жизни Робин и Чарльз покинули кампус и переехали в город, в небольшую квартирку в Брайтоне, откуда до университета ходит поезд. Робин приняла деятельное участие в студенческом движении. Успешно доросла до вице-президента Студенческого союза. Организовала ночной телефон доверия для студентов, разочарованных учебой или личной жизнью. Она часто выступала в Дискуссионном Клубе с речами в защиту прогресса: абортов, прав животных, государственного образования и ядерного разоружения. Чарльз вел более тихий, уединенный образ жизни. Он поддерживал чистоту в квартире, пока Робин занималась благими деяниями. Чашка какао или тарелка супа всегда были наготове к триумфальному возвращению усталой Робин. В конце первого семестра третьего курса Робин отказалась от всех нагрузок, дабы посвятить себя подготовке к выпускным экзаменам. Они с Чарльзом трудились в поте лица, причем без всякого намека на соперничество, хотя должны были сдавать один и тот же материал. На экзаменах Робин получила наивысший балл. Ей даже неофициально намекнули, что ее оценки — лучшие за всю короткую историю университета. Чарльз пришел к финишу вторым. Он не завидовал, потому что привык жить в тени достижений Робин. К тому же его результаты были достаточно хороши, чтобы обеспечить ему (как Робин обеспечила себе) государственную стипендию на обучение в аспирантуре. Основной целью обоих были исследования и научная карьера. Они и в самом деле не помышляли об ином.

Они привыкли к жизни в Брайтоне и не видели смысла срываться с места, но один из научных руководителей отвел их в сторону и сказал:

— Здешняя научная библиотека бедновата и вряд ли станет лучше. Поезжайте-ка вы в Оксбридж.

Он знал, что говорил: после нефтяного кризиса 1973 года не хватало денег на то, чтобы содержать все университеты на должном уровне, к которому они так привыкли в бурные шестидесятые. Однако мало кто понял это так быстро.

(В халате поверх белья и в шлепанцах на босу ногу Робин спускается по короткой темной лестнице на первый этаж и попадает в тесную и чудовищно неопрятную кухню. Она зажигает газ и готовит себе завтрак: мюсли, тосты и кофе без кофеина. Она размышляет о композиции «Сибиллы, или Двух наций» (1845) Дизраэли, но звук шлепнувшейся на коврик «Гардиан» заставляет ее броситься к входной двери.)

Итак, Робин и Чарльз отправились в Кембридж, чтобы стать докторами философии. Чудесное это было время — аспирантура на английском факультете. Новые идеи, завезенные из Парижа самыми отчаянными молодыми преподавателями, сверкали, как огоньки на болоте: структурализм и постструктурализм, семиотика и деконструктивизм, новые веяния, психоанализ и марксизм, лингвистика и литературная критика. Наиболее консервативные мэтры встретили в штыки эти идеи и их поборников, видя в них угрозу укоренившимся ценностям и методам изучения литературы. Полем битвы стали семинары, лекции, заседания кафедр и страницы научных журналов. Это была революция. Гражданская война. Робин очертя голову ввязалась в баталию. Разумеется, на стороне радикалов. Казалось, вернулись 60-е годы, но теперь все по-новому, в более строгом, научном ключе. Робин подписалась на журналы «Поэзия» и «Тел Квел», чтобы первой на Трампингтон-роуд узнавать самые свежие мысли Ролана Барта и Юлии Кристевой. Ее разум с трудом продирался сквозь лабиринты сентенций Жака Лакана и Жака Деррида — доходило до покрасневших глаз и головной боли. Она сидела на лекциях в поточных аудиториях и согласно кивала, когда «младотурки» опровергали роль автора, роль личности, идею создания единого недвусмысленного литературного произведения. Все это занимало уйму времени и отодвигало на второй план работу Робин над рабочим романом XIX века, которую, кстати, необходимо было пересмотреть с учетом новейших теорий.

Чарльз не был ярым сторонником новой волны. Да, он поддерживал ее — иначе они с Робин вряд ли могли бы сосуществовать, — но довольно сдержанно. Он выбрал тему диссертации — «Идея величия в романтической поэзии», которая традиционалистам казалась ободряюще серьезной, а «младотуркам» — обескураживающе пустой. При этом ни те ни другие ничего толком обо всем этом не знали, а посему Чарльза оставили в покое, наедине с его исследованиями. Диссертацию он написал в срок, обрел докторскую степень, и ему посчастливилось заполучить курс лекций на факультете сравнительного литературоведения Саффолкского университета. Сам Чарльз окрестил этот курс (с вполне оправданной долей преувеличения) «последней в столетии новой работой по романтизму».

(Робин пробегает глазами по заголовку на первой полосе «Гардиан» — «Лоусон втянут в драку в Уэстленде»,— но не задерживается на тексте под ним. Ей вполне достаточно знать, что дела у миссис Тэтчер с ее партией тори плохи; подробности уэстлендской истории находятся за пределами интересов Робин. Она пролистывает «Гардиан» до женской странички. Там напечатаны комиксы, остроумно высмеивающие либералов среднего класса и среднего возраста; статья о противозаконности Билля в защиту нерожденных детей; материал о борьбе за свободу женщин Португалии. Эти статьи Робин читает завороженно, с неподдельным интересом, подобным тому, с каким в детстве она глотала рассказы Энид Блайтон. Колонка под названием «Бюллетень» сообщает ей, что на этой неделе в Лондоне пройдет встреча, на которой Мэрилин Френч будет обсуждать с аудиторией свою новую книгу «За пределами власти: Женщины, мужчины и мораль». Робин уже не впервые посещает мысль, что это ужасно—жить вдали от цивилизации, где все время происходят захватывающие события. Эта мысль напоминает ей, почему собственно она живет в Раммидже. Она складывает грязную посуду в раковину, где уже лежат тарелки, оставшиеся после ужина, и торопливо поднимается наверх.)

Успех Чарльза, нашедшего работу, вызвал у Робин первую вспышку ревности, первый приступ раздражения, который едва не испортил их отношений. Она привыкла к роли лидера, всегда была любимицей учителей, победительницей всяческих соревнований. Срок ее гранта истек, а докторская диссертация все еще не была закончена. Однако Робин намеревалась подняться выше Саффолкского университета с его репутацией прибежища студенческого варварства. Ее научный руководитель и друзья с факультета убедили Робин, что она сможет получить место в Кембридже, если задаться такой целью. И она задавалась ею два года, существуя на жалованье куратора выпускного курса и на то, что подкидывал отец. В конце концов она дописала диссертацию и получила степень доктора философии. Потом успешно завершила постдокторские научные исследования в одном из самых затрапезных женских колледжей. Это заняло всего три года, но стало многообещающим шагом на пути к искомому назначению. Затем Робин получила контракт на превращение ее исследований рабочего романа в книгу и с энтузиазмом приступила к выполнению поставленной задачи. Ее личная жизнь почти не изменилась. Чарльз по-прежнему жил с ней в Кембридже, продолжал мотаться на машине в Ипсвич, где вел свои занятия, и пару раз в неделю оставался там ночевать.

А в 1981 году на английском факультете Кембриджа началось самое настоящее светопреставление. Невероятная шумиха, поднятая вокруг увольнения молодого преподавателя, связанного с прогрессивной оппозицией, открыла старые и нанесла новые раны на тело этого толстокожего сообщества. Закадычные верные друзья порывали друг с другом, появлялись новые непримиримые враги. Происходил обмен оскорблениями и клеветническими пасквилями. Робин чуть не слегла от возбуждения и возмущения. За несколько недель дискуссия в прессе обрела национальный и даже международный размах. Газеты упивались пикантными подробностями из жизни основных участников конфликта и только запутывали дело, пытаясь выяснить, чем структурализм отличается от постструктурализма. Робин казалось, что теория критики наконец заняла подобающее ей место в центре сцены театра истории, и была готова сыграть свою роль в этом драматическом действе. Она подала заявку на участие в диспуте, который проходил на Ученом совете университета. Речь шла о положении дел на английском факультете. В «Вестнике Кембриджского университета» от 18 февраля 1981 года вы найдете ее исполненный страсти призыв к коренной теоретизации учебной программы. Мелким шрифтом он занимает полторы колонки, втиснутые между статьями двух зубров университетской профессуры.

(Робин расправляет простыню на кровати, встряхивает и стелет одеяло. Садится за туалетный столик, энергично расчесывает волосы — копну медных кудрей, причем кудрей естественного происхождения и жестких, как стальная проволока. Можно было бы сказать, что кудри — ее главное украшение, хотя Робин тайком мечтает о чем-нибудь более скромном и послушном, о волосах, которые можно причесать и уложить по-разному, в зависимости от настроения: стянуть на затылке в тугой пучок, как у Симоны де Бовуар, или позволить им спадать на плечи пышным облаком в стиле прерафаэлитов. Но увы, она ничего не может поделать со своими кудрями, разве что снова и снова безжалостно укорачивать их, подчеркивая тем самым, насколько они не соответствуют ее характеру. Ее тип лица вполне позволяет носить короткую стрижку, хотя законченные педанты сказали бы, что серо-зеленые глаза Робин слишком близко посажены, а нос и подбородок на сантиметр крупнее, чем Робин хотелось бы. Теперь она втирает в кожу лица увлажняющий крем, чтобы защитить ее от вредного воздействия влажного морозного воздуха, мажет губы гигиенической помадой и наносит на веки немножко зеленых теней, обдумывая вопрос о смене точек зрения в романе Чарльза Диккенса «Тяжелые времена» (1854). Ее немудреная косметическая программа закончена, Робин надевает плотные темно-зеленые колготки, широкую твидовую юбку коричневого цвета и толстый, крупной вязки свитер из оранжевой, зеленой и коричневой пряжи. Обычно Робин предпочитает свободную одежду темных тонов из натуральных тканей, чтобы не делать свое тело объектом сексуального внимания. Кроме того, такой покрой маскирует маленький размер груди и довольно широкие для ее роста бедра. Таким образом, удовлетворены и мировоззрение, и тщеславие. Стоя у окна, Робин созерцает свой образ в длинном зеркале и приходит к выводу, что результат чуть мрачноват. Она роется в шкатулке с брошками, бусами и серьгами, перемешанными со значками, выражающими поддержку самым разным общественным движениям — «В поддержку шахтеров», «Боремся за рабочие места», «За легализацию марихуаны», «Право выбора для женщины»,— и останавливается на серебряной брошке с изящно переплетенными символами Национал-демократической партии и инь. Прикалывает ее на грудь. Достает из нижнего ящика гардероба модные высокие ботинки темно-коричневой кожи и присаживается на край кровати, чтобы обуться.)

Когда кембриджская буря все же утихла, стало понятно, что победу одержали реакционеры. Университетская комиссия провела расследование по поводу увольнения молодого преподавателя и вынесла вердикт: административного злоупотребления не было допущено. Преподаватель же уехал, чтобы занять более доходное и престижное место в каком-то другом университете. Его друзья и сторонники притихли либо уволились и отправились работать в Америку. Один из представителей второй группы, напившись на собственных проводах, посоветовал Робин тоже сматываться из Кембриджа.

— Эта шарашка выдохлась,— заявил он, имея в виду, что Кембридж многое потеряет с его уходом.— Во всяком случае, ты никогда не получишь здесь работу. Ты замазана, Робин.

И Робин решила, что не станет проверять правоту его слов. Ее исследовательская практика подходила к концу, и ей не улыбалась перспектива еще год «задаваться целью», будучи внештатным куратором выпускников и живя на то, что подкидывают родители. Она стала искать работу за пределами Кембриджа.

Но работы не было. Пока Робин увлекалась проблемами современного литературоведения и их влиянием на английский факультет Кембриджского университета, консервативное правительство миссис Тэтчер, избранное в 1979 году и получившее от избирателей наказ сократить расходы на общественные нужды, взялось за потрошение системы высшего образования. Все университеты пришли в смятение, столкнувшись с резким сокращением государственных ассигнований. Вынужденные уменьшить преподавательский состав аж на двадцать процентов, они пытались уговорить как можно большее число сотрудников поскорее выйти на пенсию и заморозили все вакансии. Робин считала, что ей крупно повезло: она получила работу на семестр в одном из лондонских колледжей и должна была заменить женщину, ушедшую в декретный отпуск. Потом был ужасный период: почти на год Робин осталась без работы и каждую неделю тщетно штудировала страницы приложения к «Таймс» в поисках вакансии лектора по английской литературе XIX века.

Мысль о том, чтобы посвятить себя ненаучной карьере, которой раньше у Робин даже не возникало, теперь приходила все чаще, вызывая страх, смятение и растерянность. Конечно, теоретически она знала о том, что можно жить и вне университетов, но совершенно не представляла себе этой жизни, как, впрочем, и Чарльз, и родители Робин. Ее младший брат Бэзил, учившийся на последнем курсе Оксфорда, поговаривал о том, чтобы найти работу вне университета, но Робин считала, что это пустые разговоры, порожденные либо страхом перед экзаменами, либо комплексом профессорского сынка. Когда она представляла себе, что работает в каком-нибудь офисе или банке, у нее в голове тут же возникала пустота. Как будто сломался проектор, и перед тобой пустой белый экран. Впрочем, можно было пойти преподавать в школу, но для этого нужно пройти мучительную процедуру получения сертификата. Или работать в частном секторе, но на это у Робин имелись возражения идеологического характера. И уж как пить дать, преподавание английской литературы в школе ежедневно напоминало бы Робин о том, насколько приятнее учить тому же самому взрослых людей.

В 1984 году, когда Робин уже начала впадать в отчаяние, появилась вакансия в Раммидже. Профессор Филипп Лоу, глава Английской кафедры, был избран деканом Факультета Изящных Искусств сроком на три года. И поскольку появление новых обязанностей, добавившихся к делам по заведованию кафедрой, почти лишило его возможности заниматься с выпускниками, ему по традиции разрешалось временно назначить на это место преподавателя из числа сотрудников с низкой зарплатой. Такое назначение получило изящное название «утешение декана». Было объявлено, что Раммиджу на три года требуется лектор по английской литературе. Робин подала заявку, пришла на собеседование вместе с четырьмя такими же отчаявшимися и высококвалифицированными кандидатами и получила это место.

Победа! Ликование! Глубочайшие вздохи облегчения. Чарльз встречал Робин у поезда из Раммиджа, держа в руках бутылку шампанского. Предстоящие три года казались достаточным сроком для того, чтобы купить в Раммидже маленький домик (отец Робин выделил деньги на задаток), а не снимать его. Кроме того, Робин была почти уверена в том, что так или иначе она сумеет закрепиться в Раммидже по истечении ее временного назначения. Уж за три-то года она себя проявит. Робин знала, что она хороший преподаватель, а незадолго до описываемых событий пришла к выводу, что она лучше большинства своих коллег — более инициативна, более энергична, более плодовита. Когда Робин появилась в Раммидже, на ее счету было несколько статей и обзоров, опубликованных в научных журналах, а вскоре ее слегка переработанные тезисы появились и в другом престижном издании. Публикация называлась «Рабочая муза: Повествование и конфликт в рабочем романе» (заголовок был навязан издателями, а подзаголовок Робин придумала сама) и представляла собой восторженный, хоть и несколько сумбурный материал обзорного характера. Издатели заказали Робин книгу под условным названием «Домашние ангелы и несчастные женщины: Женщина как признак и продукт викторианской прозы». Робин была известным и добросовестным преподавателем, на чьи факультативы по женской прозе записывалось рекордное число студентов. Она умело справлялась и с административными обязанностями. Ее попросту не отпустят, когда пройдут эти три года, разве не так?

(Робин идет в длинную узкую комнату, образованную за счет сноса перегородки между передней и дальней гостиными ее маленького дома. Эта комната служит кабинетом. Здесь повсюду лежат книги, журналы и газеты — на полках, на столах, на полу. На стенах плакаты и репродукции картин современных художников. На камине — горшки с цветами. На письменном столе — компьютер и монитор, а рядом с ними — стопки распечаток первых глав «Домашних ангелов и несчастных женщин». Робин пробирается по комнате к столу, осторожно ступая между книгами, старыми номерами «Вопросов критики» и «Журнала для женщин», между альбомами Баха, Филиппа Гласса и Фила Коллинза (ее музыкальные вкусы эклектичны), между оказавшимися здесь стаканом из-под вина и кофейной чашкой. Робин поднимает с пола кожаную сумку и начинает заполнять ее предметами, которые ей сегодня понадобятся: сильно замусоленными, с пометками, аннотированными изданиями «Ширли», «Мэри Бартон», «Севера и юга», «Сибиллы», «Феликса Холта» и «Тяжелых времен»; конспектами своих лекций — рукописного текста, до того исчерканного и исправленного разноцветными чернилами, что первоначальный вариант практически не читается; толстой пачкой студенческих работ, изученных за время рождественских каникул.

Вернувшись на кухню, Робин включает центральное отопление и проверяет, хорошо ли заперта задняя дверь. В прихожей она наматывает на шею длинный шарф, надевает стеганую кремовую куртку с широкими плечами и вшивными рукавами, выходит через парадную дверь. Возле дома припаркована машина — шестилетний красный «рено» с желтой наклейкой на заднем стекле: «Британии нужны ее университеты». Раньше это была вторая машина родителей Робин, потом мама заменила ее на новую, а эту они за смехотворные деньги продали дочери. У машины прекрасный ход, но аккумулятор уже слабоват. Робин поворачивает ключ зажигания и, затаив дыхание, прислушивается к бронхитному свисту стартера. Потом облегченно вздыхает: мотор заработал.)

Когда истек первый год работы в Раммидже, трехлетний срок уже не казался таким уж долгим. И хотя Робин была довольна тем, что коллеги ее ценили, в университете в те дни продолжали говорить о грядущих сокращениях, о том, что придется затянуть пояса, и о том, что на одного преподавателя приходится все больше студентов. И все-таки Робин была исполнена надежды. Даже переполнена ею. Она свято верила в свою звезду. Однако будущая карьера по-прежнему беспокоила ее больше, чем что-либо другое, поскольку дни и недели срока ее пребывания в Раммидже таяли со скоростью счетчика такси. Вторым поводом для беспокойства были ее отношения с Чарльзом.

А что, собственно, представляли из себя эти отношения? Трудно объяснить. Они не были похожи на брак и еще меньше — на супружество в его общепринятом виде: семейный очаг, привычка, преданность. Было время, еще в самом начале их кембриджского периода, когда блестящий и привлекательный студент из Йеля стал для Робин завидной партией, и она была буквально ослеплена и восхищена им. Он добивался ее благосклонности при помощи гремучей смеси свежего постфрейдовского жаргона и потрясающе откровенных сексуальных предложений, и поэтому она никогда не знала наверняка, говорит он о символическом лакановском фаллосе или о своем собственном. Но в конце концов Робин пришла в себя и удовлетворилась молчаливой и слегка укоризненной фигурой Чарльза, маячившей на самом краю ее поля зрения. Робин была слишком честна, чтобы обманывать его, и слишком благоразумна, чтобы променять его на любовника, чей интерес к ней мог оказаться кратковременным.

Когда Чарльз получил место в Саффолке, и те и другие родители стали настоятельно советовать им пожениться. Чарльз только этого и хотел. Робин же с негодованием отвергла предложение.

— На что ты намекаешь? — спрашивала она свою мать.— На то, что я поеду в Ипсвич и буду вести хозяйство Чарльза? Наплюю на докторскую степень и посвящу себя мужу и детям?

— Ну что ты, дорогая,— отвечала мама.— Почему бы тебе не сделать карьеру? Если, конечно, ты этого хочешь.

Последнюю фразу ей удалось наполнить искренним жалобным непониманием. Мать Робин никогда не помышляла о карьере и самовыражалась на поприще папиной машинистки и лаборантки, посвящая этому время, остававшееся от садоводства и домашнего хозяйства.

— Именно этого я и хочу,— сказала Робин так решительно, что мама раз и навсегда закрыла тему.

В семье у Робин была репутация человека с сильным характером или, как скептически отзывался о ней брат Бэзил, «командирши». Родственники любили вспоминать историю из ее австралийского детства, которую считали пророческой. Робин было три года, когда ей силой характера удалось уговорить дядю Уолтера, который повез ее по магазинам, опустить все имевшиеся у него деньги в ящик для пожертвований у мальчикакалеки. В результате дядюшке было так стыдно признаться родственникам в своем безрассудстве, что он не смог занять у них денег, и по дороге домой, на овцеводческую ферму, у него кончился бензин. Нужно ли говорить, что Робин истолковывала эту анекдотическую историю самым лестным для себя образом — как прелюдию к ее последующему участию в прогрессивном движении.

Чарльз нашел в Ипсвиче *pied-à-terre*[1], но его книги и большая часть вещей оставались в Кембридже. Конечно, теперь они виделись реже, но Робин считала, что это вовсе не повод для расстройства. Она ждала, не умрут ли их отношения медленной и естественной смертью. И гадала, не благоразумнее ли поскорее их прекратить? В один прекрасный день она спокойно и обоснованно высказала эти соображения в присутствии Чарльза, который столь же спокойно и обоснованно с ней согласился. Он сказал, что хотя лично его все устраивает, он понимает ее сомнения. Возможно, им следует пожить отдельно, и тогда все решится само собой, так или иначе.

(Робин едет на красном «рено» по юго-западным пригородам Раммиджа, то по течению потока машин, то против. Час

---

[1] Временное пристанище (*фр.*).

пик уже почти миновал. В двадцать минут десятого Робин въезжает на широкую трехрядную дорогу возле Университета. Едет кратчайшим путем — по Эвондейл-роуд, и проезжает мимо пятикомнатного особнячка Вика Уилкокса, даже на взглянув на этот дом, потому что Вика она знать не знает. Тем более что его дом ничем не отличается от других современных построек этого престижного района: красный кирпич и белая краска. «Георгианские» окна, гудронная дорожка и двойной гараж, а над парадной дверью — система охранной сигнализации.)

Итак, Чарльз перевез в Ипсвич свои книги и прочее барахло. Робин нашла это крайне неудобным, потому что привыкла пользоваться его книгами, а иногда и свитерами. Конечно, они остались друзьями и часто перезванивались. Иногда встречались на нейтральной территории, в Лондоне — вместе завтракали или ходили в театр, — и оба с трепетом ждали этих встреч как особо сладкого, запретного удовольствия. Ни тот ни другой не предпринимали попыток завязать новые отношения, поскольку обоим было в общем-то все равно. Они люди занятые, поглощенные профессией: Робин преподавала и трудилась над диссертацией, Чарльз все свое время отдавал новой работе. Мысль о том, чтобы подстраиваться под партнера, жить его интересами и делать то, что нужно ему, у обоих вызывала раздражение. Ведь нужно прочитать столько книг и журналов, обдумать столько увлекательных вопросов!

Конечно, существует еще и секс. Он интересовал их обоих, они любили поболтать на эту тему, но, честно говоря, обсуждение процесса интересовало их куда больше, чем сам процесс, а насколько часто он происходит, не интересовало вовсе. Физическое вожделение быстро перегорело еще в студенческие годы. Осталось только то, что Д. Г. Лоуренс назвал «сексом в голове». Автор вложил в эти слова уничижительный смысл, но для Робин и Чарльза Лоуренс был фигурой настолько затейливой и непостижимой, что его яростная полемика их не интересовала. Где же еще может заниматься сексом разумное существо, если не в голове? Сексуальные желания — это игра символов, бесконечная отсрочка и подмена предвкушаемого удовольствия, которое прерывается в момент грубого совокупления. Чарльз не был любовником-повелителем. Спокойный и обходительный, с осторожными кошачьими движениями, он, видимо, считал занятия сексом особой формой исследовательской работы. Он продлевал и растягивал любовную прелюдию настолько, что в середине ее Робин начинала дремать, а очнувшись с чувством вины, обнаруживала, что Чарльз нависает над ее телом и ощупывает его так старательно, словно перебирает каталожные карточки.

Во время их испытательной разлуки Робин втянулась в работу Женской группы Кембриджа, которая регулярно собиралась в непринужденной обстановке и обсуждала вопросы женского творчества и феминистского литературоведения. Своего рода символом веры в этом кругу было убеждение, что женщины должны освободиться от опеки мужчин в сексуальной сфере. Иными словами, насаждаемое литературой, кино и телевидением мнение, что женщина без мужчины неполноценна, в корне неверно. Женщина может любить другую женщину либо саму себя. Несколько активисток Группы были лесбиянками или пытались ими стать. Робин не сомневалась в том, что она таковой не является, но ей нравилась теплая и дружеская атмосфера Группы, объятия и поцелуи, сопровождавшие все встречи и расставания. Словно оттого, что ее тело истосковалось по настоящим ощущениям, Робин была готова создать их своими руками, без стыда или греха, теоретически оправданная трудами радикальных французских феминисток, таких как Элен Сиксу и Люс Ирригарэ, которые очень выразительно описали радости женской мастурбации.

У Робин в тот период было два опыта гетеросексуальной связи, оба на одну ночь, после основательной попойки и крайне неудовлетворительные. Она не обзавелась новым любовником-сожителем, и насколько могла судить, Чарльз тоже не нашел новой партнерши. Таким образом, встал вопрос: зачем, собственно, они расстались? Это привело только к бесконечным тратам на телефонные разговоры и билеты до Лондона.

Чарльз перевез обратно в Кембридж свои книги и свитера, и все вернулось на круги своя. Робин продолжала отдавать львиную долю времени и энергии Женской группе, Чарльз не возражал. В конце концов он ведь тоже считал себя феминистом.

Так прошло два года, и тут Робин получила место в Раммидже. Им снова пришлось разъехаться. Каждый день мотаться из Раммиджа в Ипсвич или *vice versa* [1] было совершенно невозможно. На машине ли, на поезде, эта дорога — самая неудобная и утомительная на Британских островах. Робин решила, что сама судьба дарит ей шанс снова, и на сей раз уже окончательно, порвать с Чарльзом. Как бы он ей ни нравился, как бы она без него ни скучала, все равно ей казалось, что их отношения зашли в тупик. Ничего нового в них уже не будет, а их наличие не позволяло получить чего-либо нового от отношений с кем-либо другим. Сойтись снова было ошибкой, следствием их незрелости и порабощенности Кембриджем. Да (Робин даже поразилась гениальности своей догадки), именно Кембридж снова свел их. Они с Чарльзом погрязли в нем, в его слухах, сплетнях и интригах, и хотели проводить как можно больше времени вместе, сравнивая свои впечатления, обмениваясь мнениями: кто был там-то, кого не было, что сказал А. в разговоре с Б. по поводу книги В. о творчестве Г. Да, Робин смертельно устала от Кембриджа, от красоты его архитектуры, наполненной суетностью и паранойей, и была рада променять эту оранжерейную атмосферу на живой, хотя и пропахший дымом воздух Раммиджа. А разрыв с Кембриджем подразумевал окончательный разрыв с Чарльзом. Она сообщила Чарльзу о своих выводах, и он с обычным для него спокойствием согласился с Робин. Позже она даже заподозрила его в том, что он с самого начала рассчитывал на нее в принятии этого решения, а потому не возражал.

Раммидж стал для Робин новой жизнью, с чистого листа. Частенько мелькала мысль о том, что в этой новой жизни должен появиться и новый мужчина. Однако никто не заявлял о

---

[1] Наоборот (*лат.*).

себе. Все мужчины вокруг были или женатыми, или геями, или учеными, а у Робин не было ни времени, ни сил на поиски далеко от дома. Она подолгу и серьезно готовилась к занятиям, писала статьи, трудилась над «Домашними ангелами и несчастными женщинами», старалась стать незаменимой для факультета. Она жила полной и счастливой, но, увы, несколько одинокой жизнью. Поэтому время от времени она снимала телефонную трубку и набирала номер Чарльза. А однажды не выдержала и пригласила его на выходные. Робин имела в виду исключительно платонический визит — в ее домике имелась спальня для гостей. Тем не менее, они оказались в одной постели, что было вполне закономерно и неизбежно. Как же это хорошо, когда кто-то ласкает твое тело, наполняя его приятной истомой, и не надо делать это самой! Она уж и забыла, как это приятно. К тому же ей показалось, что они с Чарльзом незаменимы друг для друга. А если избегать столь напыщенных выражений, они дополняют один другого.

Они не вернулись к «сожительству» даже в том смысле, который вкладывают в это слово многие университетские пары, разделенные работой в разных городах. Чарльз приезжал к Робин в качестве гостя, а уезжая, не оставлял своих вещей. Но спали они во время его визитов неизменно вместе. Вне всякого сомнения, это были странные отношения. Не брак, не сожительство и не роман. Скорее развод, в котором обе стороны готовы встречаться для общения и плотских удовольствий, не связывая друг друга никакими узами. Робин и сама не понимает — то ли это очень современные независимые отношения, то ли чистой воды разврат.

Вот какие мысли беспокоят Робин Пенроуз, когда она въезжает в университетские ворота, кивая и улыбаясь охраннику в маленькой стеклянной будке. Лекция по рабочему роману, ее профессиональное будущее и отношения с Чарльзом — скорее в порядке поступления, чем в порядке важности. На самом-то деле все, что касается Чарльза, вряд ли может считаться поводом для беспокойства. А предстоящая лекция, в этом Робин уверена, есть проблема привычная и сугубо техническая. Дело не в том, что она не знает, о чем говорить. Дело в том, что ей не хватит времени сказать все, что она хочет сказать. В конце концов, рабочим романом XIX века она занимается уже лет десять, и даже после публикации книги у нее продолжают накапливаться новые мысли и догадки на сей счет. У Робин есть ящички, битком набитые каталожными карточками с различными записями. Скорее всего, она знает о рабочем романе XIX века больше всех на свете. Как вместить все ее знания в пятидесятиминутную лекцию для студентов, которые вообще ничего об этом не знают? Тут научные соображения вступают в противоречие с педагогическими. Больше всего на свете Робин любит разобрать текст на мелкие детали, исследовать все бреши и лакуны, обнаружить то, что в нем *не* сказано, разоблачить идеологическое вероломство и вычленить из текста семиотические коды и литературные традиции. Студенты же хотят от Робин, чтобы она предоставила в их распоряжение основные факты, которые позволят им читать романы как результат простого, незамысловатого отражения «действительности» и писать о них простые, незамысловатые рефераты.

Робин паркирует машину на одной из университетских стоянок, берет с переднего сиденья сумку от «Глэдстоуна» и направляется к Английской кафедре. Ее походка нетороплива и изящна. Она гордо держит голову, и золотисто-рыжие кудри подобны фонарю, горящему в сером утреннем тумане. Глядя на то, как Робин идет по кампусу, улыбаясь знакомым, на ее горящие глаза, никогда не подумаешь, что ее терзают какие-то волнения. Впрочем, она действительно относится к этим волнениям не очень серьезно. Она молода, уверена в себе и ни о чем не жалеет.

Робин входит в холл. На лестницах и в коридорах — толпы студентов. Воздух наполнен их криками и смехом — они приветствуют друг дружку в первый день нового семестра. Перед дверью кафедры Робин встречает Боба Басби, представителя кафедры в местном комитете Ассоциации университетских преподавателей. Он прикалывает листок бумаги к доске объявлений. Заголовок гласит: «В среду, 15 января,— однодневная забастовка». Расстегивая куртку и разматывая шарф, Робин читает через плечо Боба: «День активных действий… протест против сокращений… понижения зарплаты… пикеты будут выставлены у каждого входа в Университет… добровольцы могут записаться у представителя кафедры… остальных просят в этот день не появляться на кампусе».

— Боб, запишите меня в пикеты,— просит Робин.

Боб Басби, у которого никак не получается вытащить кнопку из доски, поворачивается к Робин и шевелит черной бородой.

— Шутите? Вам бы не стоило.

— Почему?

— Ну… понимаете, вы молодой преподаватель, на временной работе…— Боб Басби явно смущен.— Если вы воздержитесь, вас никто не упрекнет.

Робин возмущенно фыркает.

— Но это же дело принципа!

— Хорошо, я вас запишу,— соглашается Боб и снова принимается за кнопку.

— Доброе утро, Боб! Доброе утро, Робин!

Оба поворачиваются к Филиппу Лоу, который, судя по всему, только что появился: на нем довольно неопрятная куртка с капюшоном, в руках потрепанный портфель. Это высокий, худой и сутулый мужчина с серебристой сединой, с залысинами на висках и спадающими на спину прядями. Говорят, когда-то он носил бороду, и с тех пор все время ощупывает подбородок, как будто пытается ее найти.

— Привет, Филипп,— откликается Боб Басби.

Робин тоже чуть не сказала «привет». Она до сих пор не может решить, как обращаться к заведующему кафедрой. «Филипп» — слишком фамильярно, «профессор Лоу» — слишком официально, «сэр» — до невозможности раболепно.

— Как каникулы? Хорошо отдохнули? Готовы к битвам? Ну, и славно.— Филипп Лоу обрушивает на них поток банальностей, не рассчитывая услышать что-либо в ответ.— Это о чем,

Боб?—Его лицо вытягивается по мере того, как он читает объявление.—Неужели ты думаешь, что от забастовки будет хоть какая-то польза?

—Будет, если все ее поддержат,— отвечает Боб Басби.— Включая тех, кто голосовал «против».

—Одним из них был я и не скрываю этого,— говорит Филипп Лоу.

—Но почему? — смело вмешивается в разговор Робин.— Мы просто *обязаны* действовать, чтобы прекратить сокращения, а не сидеть сложа руки, как будто это неизбежность. Нужно протестовать.

—Согласен,— кивает Филипп Лоу,—но я сомневаюсь в эффективности забастовки. Кто ее заметит? Мы же не водители автобусов и не авиадиспетчеры. Боюсь, что большинство населения запросто обойдется один день без университетов.

—Зато все заметят пикет,—возражает Боб Басби.

—Да, очень сложный сюжет,— соглашается Филипп Лоу.

—Пикет. Я говорю, все заметят пикет,— почти кричит Боб Басби, пытаясь перекрыть стоящий в коридоре гул голосов.

—Гм… выставляем пикеты, да? Если уж делать, то по-большому.— Филипп Лоу мотает головой и выглядит довольно жалким. Потом украдкой бросает взгляд на Робин.—У вас есть свободная минутка?

—Да, конечно,— кивает та и идет вслед за ним в кабинет.

—Хорошо отдохнули? — снова спрашивает Лоу, стягивая с себя куртку.

—Да, спасибо.

—Присаживайтесь. Ездили куда-нибудь? В Северную Африку? Или занимались зимними видами спорта? — Он ободряюще улыбается ей, словно намекая, что его очень обрадует положительный ответ.

—Господи, нет, конечно.

—Я слышал, в январе очень дешево съездить в Гамбию.

—Даже если бы у меня были деньги, я бы не смогла выбраться,— отвечает Робин.— Нужно было проверить кучу работ. А всю прошлую неделю я ездила на интервью.

— Да, да, конечно.

— А вы?

— Ну… я… я больше этим не занимаюсь. Конечно, я привык…

— Да нет же,— улыбается Робин,— я хотела спросить, ездили ли вы куда-нибудь?

— А-а… Меня приглашали на конференцию во Флориду,— мечтательно произносит Филипп Лоу,— но я не смог договориться об оплате дорожных расходов.

— Господи, стыд и позор,— говорит Робин, не будучи в состоянии изобразить искреннее сопереживание.

По словам Руперта Сатклифа, старшего преподавателя кафедры, и согласно главной теме сплетен, еще совсем недавно Филипп Лоу все время путешествовал по миру, летая с одной конференции на другую. Теперь ему словно подрезали крылья.

— И правильно сделали,— заявлял Руперт Сатклиф.— Я считаю, что все эти конференции — пустая трата времени и денег. Вот я ни разу не был ни на одной международной конференции.

Робин вежливо кивала в знак согласия с его неприятием конференций, а сама думала, что Руперт Сатклиф, видимо, не страдал от избытка приглашений.

— Кстати,— продолжал Сатклиф,— по-моему, его удерживает здесь вовсе не отсутствие финансов. Подозреваю, что Хилари объявила ему ультиматум.

— Миссис Лоу?

— Ну да. Во время поездок он обычно пускался во все тяжкие. Пожалуй, я должен вас предупредить: Лоу питает слабость к женскому полу. Кто предостережен, тот вооружен.

С этими словами Сатклиф потер нос указательным пальцем, в результате чего очки съехали набок и рухнули в чашку с чаем. Тот разговор происходил в профессорской вскоре после приезда Робин в Раммидж. Теперь, глядя на сидящего перед ней Филиппа Лоу, Робин никак не могла узнать в нем закоренелого бабника из рассказа Руперта Сатклифа. Лоу выглядел усталым, изможденным и слегка потрепанным. Интересно, зачем он пригласил ее в кабинет? Он нервно улыбается ей и ощупывает несуществующую бороду. И вдруг атмосфера накаляется.

—Я хотел вам сказать, Робин… Как вы знаете, ваша должность временная.

Сердце Робин трепещет в надежде.

—Да,—отвечает она и сжимает руки в замок, чтобы не тряслись.

—Только на три года. Второй из них наполовину позади, и с сентября начнется последний, третий.—Он описывает ситуацию медленно и подробно, как будто Робин может чего-то не помнить.

—Да.

—Я хотел сказать вам, что будет очень обидно потерять такого великолепного преподавателя. Вы настоящий клад для нашей кафедры, хотя и работаете здесь всего ничего. Это действительно так.

—Спасибо,— хмуро произносит Робин, разнимая руки.— Но?

—Что «но»?

—Мне показалось, вы собирались сказать еще что-то, начинающееся с «но».

—А-а… Э-э… Ну да. Я хотел сказать, что у меня… у нас не будет претензий, если вы уже сейчас начнете подыскивать себе работу.

—Другой работы нигде нет.

—Ну, в данный момент, может быть, и нет. Но кто знает, не появится ли она к концу года? Если да, то вам, пожалуй, нужно будет занять это место. Я хочу сказать, что вы не должны чувствовать себя обязанной отработать здесь полностью все три года. Хотя нам будет очень жалко терять вас,— в который раз повторяет Лоу.

—Иными словами, у меня нет шансов остаться здесь по истечении трехлетнего срока.

Филипп Лоу разводит руками и пожимает плечами.

—Увы, никаких, насколько я могу судить. Университет еле-еле сводит концы с концами. Поговаривают о новой волне сокращений. Даже если кто-то из членов кафедры уволится или умрет, даже если вы сподобитесь договориться о замене с одним из нас,— он смеется, давая понять, что это шутка, и при этом обнажает щербатые пожелтевшие зубы, торчащие в разные стороны, как могильные плиты на заброшенном погосте,—даже в этом случае я очень сомневаюсь в том, что мы сможем утвердить замену. Будучи деканом, я прекрасно осведомлен о финансовых затруднениях Университета. Каждый день ко мне приходят завкафедрами, жалуются на недостаток средств и просят о заменах или новых назначениях. Мне ничего не остается, кроме как объяснять им, что единственный способ добиться нашей цели — это прекратить работать вообще. Молодым людям в вашем положении сейчас приходится несладко. Поверьте, я вам очень сочувствую.

Он протягивает руку и кладет ее поверх рук Робин. Она смотрит на три руки с таким безразличием, словно это не живые руки, а натюрморт. Может, этот жест—всего лишь домашняя заготовка? Или где-то здесь, в кабинете, находится диванчик, на котором происходят утверждения в должности? Судя по всему, нет, потому что Филипп Лоу сразу же убирает руку, встает и подходит к окну.

—Должен сказать, быть деканом в наши дни—сомнительное удовольствие. Только и делаешь, что приносишь людям дурные вести. Еще Шекспир заметил, что «дурные вести нередко вестнику грозят бедой...»

—«...когда он их несет глупцу иль трусу» [1],— Робин цитирует следующую строку из «Антония и Клеопатры», но, к счастью, Филипп Лоу ее не слышит. Он задумчиво смотрит в окно, на центральную площадь кампуса.

—Порой мне кажется, что к моменту моего выхода на пенсию я проживу полный жизненный цикл вместе с послевоенным высшим образованием. Когда я сам был студентом, провинциальные университеты наподобие Раммиджа только вставали на ноги. В шестидесятые годы я видел, как они росли,

[1] Шекспир. Антоний и Клеопатра. *Пер. Мих. Донского.*

крепли, строились. Вы, наверно, не поверите, но тогда мы в основном жаловались только на шум со строительных площадок. А теперь все стихло. Не за горами тот день, когда к нам пришлют бригады для сноса.

— Тогда я тем более не понимаю, почему вы не поддерживаете забастовку, — бурчит Робин. Но Филипп Лоу, видимо, решает, что она сказала что-то другое.

— Совершенно верно. Это сродни теории «большого взрыва» Вселенной. Говорят, что в определенный момент она перестанет расширяться и снова начнет сжиматься до первоначального размера. Отчет Роббинса стал нашим «большим взрывом». Мы начали сжиматься.

Робин тайком поглядывает на часы.

— А может, мы угодили в черную дыру, — продолжает Филипп Лоу, увлеченный полетом своей астрономической фантазии.

— Прошу меня извинить, — перебивает Робин, вставая со стула, — но мне нужно подготовиться к лекции.

— Да, да, конечно. Прошу прощения.

— Ничего страшного, просто я…

— Да, да, это моя вина. Не забудьте сумочку.

С улыбками, кивками и явным облегчением от того, что неприятный разговор позади, Филипп Лоу провожает Робин до двери своего кабинета.

Боб Басби все еще возится у доски объявлений, прикалывая старые бумажки вокруг новой. Он похож на садовника, пересаживающего цветы на клумбе. Увидев Робин, Боб с любопытством смотрит на нее, вскинув брови.

— Не кажется ли вам, что Филипп Лоу туговат на ухо? — спрашивает Робин.

— Ну да. И в последнее время стало гораздо хуже, — кивает Боб Басби. — Это такая высокочастотная глухота. Гласные он слышит, а согласные — нет. И старается по гласным догадаться о том, что ему говорят. Частенько ему мерещится то, что он хотел бы услышать.

—От этого разговор напоминает стрельбу наугад,— говорит Робин.

—Вы говорили о чем-то важном?

—Нет, о пустяках,— отвечает Робин, потому что не хочет делиться с Бобом Басби своим разочарованием. Вместо этого она невозмутимо улыбается и проходит мимо.

Перед дверью ее кабинета притулились у стенки несколько студентов, кто-то даже сидит на полу. Подойдя, Робин насмешливо смотрит на них, потому что прекрасно знает, зачем они явились.

—Привет,—здоровается она сразу со всеми, одновременно вылавливая в кармане куртки ключ от кабинета.—Кто первый?

—Я,— откликается симпатичная темноволосая девушка, одетая в джинсы и безразмерную мужскую рубашку, похожую на блузу художника. Вслед за Робин она заходит в кабинет. Здесь все так же, как и у Филиппа Лоу, только комната поменьше. Она даже слишком мала для всей той мебели, которая в нее втиснута: письменный стол, книжные шкафы, каталожные ящики, журнальный столик и с десяток жестких стульев. На стенах плакаты самых разных движений — ядерного разоружения, борьбы за свободу женщин, движения в защиту китов—и огромная репродукция «Леди Шелотт» Данте Габриэля Россетти, которая кажется здесь совершенно неуместной, пока вы не услышите объяснение Робин: она являет собой ярчайший образец мужского представления о женственности.

Девушка по имени Мерион Рассел сразу же берет быка за рога:

—Мне нужно продлить срок написания курсовой работы.

Робин тяжело вздыхает.

—Я так и думала.

Мерион постоянно опаздывает с курсовыми, хотя и не без причины.

—Понимаете, я в каникулы работала на двух работах: днем на почте, а по вечерам в пабе.

Мерион не получает стипендию, потому что ее родители весьма обеспеченные люди, но живут они отдельно не только друг от друга, но и от дочери. Поэтому Мерион вынуждена подрабатывать то там, то тут.

— Вы же знаете, что для продления срока нужна причина медицинского характера.

— А я страшно простыла сразу после Рождества.

— Справки у вас, конечно, нет.

— Нет.

Робин опять вздыхает.

— Сколько вам нужно времени?

— Дней десять.

— Могу дать неделю,— говорит Робин, выдвигает ящик стола и достает нужный ей бланк.

— Спасибо. В этом семестре я постараюсь не опоздать. Нашла хорошую работу.

— Хорошую—это как?

— Часов меньше, а денег больше.

— И что это за работа?

— Ну, это… типа фотомодели.

Робин перестает писать и впивается в Мерион пронзительным взглядом.

— Надеюсь, вы отдаете себе отчет в своих действиях?

Мерион хихикает.

— Ой, это совсем не то, что вы подумали.

— А что я подумала?

— Ну, то самое. Порнуха.

— Уже легче. И что же тогда?

Мерион опускает глаза и слегка краснеет.

— Ну, это нижнее белье.

Перед глазами Робин встает очень зримый образ собеседницы, которая сейчас одета вполне мило и практично. Робин представляет ее затянутой в латекс и нейлон, с полным фетишистским набором—браслетами, панталонами, подвязками и чулочками,— в который галантерейная промышленность пытается упаковать женское тело и выставить его в модных магазинах на обозрение вожделеющих мужчин и безжалостных женщин. На Робин накатывает волна сочувствия, смешанная с запоздалой жалостью к себе. Ей мерещится тайный государственный заговор с целью эксплуатации и притеснения молодых женщин. Начинает давить в груди, на глаза наворачиваются слезы. Робин встает и заключает обалдевшую Мерион Рассел в свои объятия.

— Даю вам две недели,— наконец объявляет она, садится и шумно сморкается.

— Ой, Робин, спасибо вам! Это просто потрясающе.

К следующему просителю, молодому человеку, который в канун Нового года упал с мотоцикла и сломал лодыжку, Робин не столь добра. Но даже наименее достойный из страждущих получает отсрочку на несколько дней, ибо Робин старается вместе со студентами противостоять оценивающей их системе, хотя сама и является частью этой системы. Наконец уходит последний проситель, и Робин может подготовиться к одиннадцатичасовой лекции. Она открывает сумку, достает из нее папку с конспектами и принимается за работу.

3

Университетские часы бьют одиннадцать, их бой сливается с голосами других часов, вблизи и вдалеке. В Раммидже и его окрестностях все люди работают. Или не работают, ведь всякое бывает.

Робин Пенроуз держит путь в лекционную аудиторию «А» — по коридорам и лестницам, наводненным студентами, которые переходят из одного класса в другой. Они проходят мимо нее, как волны мимо величественного корабля. Робин улыбается тем, кого узнает. Некоторые пристраиваются ей в хвост и идут в ту же аудиторию, поэтому вскоре она оказывается во главе процессии — эдакий дудочник Браунинга в женском обличье. Она несет под мышками конспект лекции и связку книг, из которых будет зачитывать иллюстрирующие ее рассказ цитаты. Ни один из студентов мужского пола не предлагает ей свою помощь. Галантность теперь не в моде. Робин настроена против нее по идеологическим соображениям, а другие студенты расценили бы эту галантность как подхалимаж.

Вик Уилкокс беседует со своим коммерческим директором, Брайаном Эверторпом, который только в половине десятого откликнулся на просьбу перезвонить и стал жаловаться на дорожные пробки. Вик в тот момент диктовал письма и назначил ему зайти в одиннадцать. Эверторп — крупный мужчина (что само по себе уже не внушает Вику симпатии) с кустистыми бакенбардами и бородкой военного летчика. На нем костюм-тройка, на живот свисает цепочка от часов. Эверторп — старейший и самый услужливый сотрудник из унаследованной Виком команды.

— Тебе, как и мне, нужно жить в городе, Брайан,— говорит Вик,— а не в тридцати милях.

— Ах, ты же знаешь, какова моя Берил,— отвечает Брайан Эверторп с улыбкой, задуманной как печальная.

Вик понятия не имеет, какова его Берил. Он никогда ее не видел, знает только, что это вторая жена Эверторпа, она же его бывшая секретарша. Насколько ему известно, образ Берил возникает, исключительно когда нужно оправдать опоздания Эверторпа. «Берил сказала, что детям нужен свежий воздух. Берил нездоровилось сегодня утром, пришлось везти ее к доктору. Берил просила извиниться—она забыла передать мне ваше сообщение». Настанет день, причем очень скоро, когда Брайану Эверторпу придется понять разницу между женой и работодателем.

В кафе, расположенном в торговом центре Раммиджа, Марджори и Сандра Уилкокс потягивают кофе и обсуждают, какого цвета туфли нужно купить Сандре. Стены кафе отделаны цветным стеклом, из колонок на потолке льется мягкая синкопированная мелодия.

— Мне кажется, бежевые,— предлагает Марджори.

— Или те светло-оливковые,— добавляет Сандра.

В торговом центре полным-полно тинейджеров, которые собираются группами, курят, сплетничают, смеются, в общем тусуются. Они разглядывают товары в светящихся витринах, слоняются по бутикам, но ничего не покупают. Некоторые заглядывают в кафе, где сидят Марджори и Сандра.

— Ох уж эти дети, — неодобрительно говорит Марджори. — Небось прогуливают.

— Скорее живут на пособие, — отвечает Сандра, с трудом сдерживая зевоту, и рассматривает себя в зеркале, висящем за спиной у матери.

Робин раскладывает на кафедре конспекты лекций и ждет, когда рассядутся опоздавшие. В поточной аудитории барабанным боем отдается болтовня сотни с лишним студентов, которые разговаривают одновременно, как будто только что дорвались друг до друга после одиночного заключения. Робин стучит карандашом по кафедре и прочищает горло. Наступает мертвая тишина, сотня лиц — любопытных, выжидающих, угрюмых и равнодушных — поворачивается к ней. Эти лица похожи на пустые блюдца, которые ждут, чтобы их наполнили. Лица Мерион Рассел среди них нет, и Робин становится немного обидно — вот ведь неблагодарность.

— Я просмотрел твой отчет подотчетных сумм, Брайан, — говорит Вик, перелистывая небольшую стопку счетов и квитанций.

— И что? — переспрашивает Брайан Эверторп и слегка цепенеет.

— Он очень скромный.

Эверторп расслабляется.

— Спасибо.

— Я сказал это не в качестве комплимента.

— Извини. — Эверторп озадачен.

— Я считаю, что коммерческий директор такой крупной фирмы должен требовать вдвое больше за сверхурочную ночную работу.

—Видишь ли, Берил не любит оставаться одна на ночь.

—Но ведь с ней ваши дети.

—Только не во время учебы, старина. Мы отправляем их в школу. Приходится так делать, ведь живем-то в глубинке. Поэтому я предпочитаю возвращаться домой после встреч с клиентами, даже если ехать очень далеко.

—Пробег у твоего автомобиля тоже весьма скромный, так ведь?

—Разве?—Брайан Эверторп снова цепенеет, потому что начинает понимать, куда ветер дует.

—В сороковые и пятидесятые годы девятнадцатого века,—рассказывает Робин,—в Англии было опубликовано множество романов, которые имели явное сходство. Реймонд Уильямс назвал их «промышленными» или «рабочими романами», ибо в них затрагивались социальные и экономические проблемы, порожденные Промышленной революцией, а иногда описывалось и промышленное производство. В то время их нередко именовали «романами о положении в Англии», поскольку в них прямо говорилось о положении нации. В этих романах герои обсуждают главные общественные и экономические вопросы так же запросто, как и любовь, брак, рождение детей. Они делают карьеру, обретают или теряют свое счастье, в общем, занимаются тем же, чем и персонажи светского романа. Рабочий роман породил отличительную черту английской художественной литературы, которая свойственна и современной прозе. Ее можно обнаружить, к примеру, у Лоуренса или Форстера. И нет ничего удивительного в том, что впервые это явление возникло именно в так называемые «голодные сороковые». К пятидесятым годам девятнадцатого века Промышленная революция уже полностью разрушила традиционную структуру английского общества, доведя количество богатых людей до единиц, а бедных—до миллионов. Крестьяне, которых проведенные в конце восемнадцатого и начале девятнадцатого века огораживания земель лишили средств к существованию, перекочевали в города Центральных и Северных графств, где *laisser-faire*[1] вынуждала их работать с утра до ночи в ужасных условиях и за гроши. А как только рыночная экономика стала угасать, все они остались без работы. Попытке рабочих защитить свои права, организовав профсоюзы, яростно воспротивились работодатели. С еще более стойким сопротивлением они столкнулись, когда пытались примкнуть к чартистскому движению.

Робин поднимает глаза от конспектов и оглядывает аудиторию. Некоторые студенты судорожно записывают каждое слово, другие вопросительно смотрят на нее и покусывают авторучки. А те, кому в самом начале было явно скучно, теперь или смотрят в окно, или старательно выцарапывают на казенной мебели свои инициалы.

— Программа чартистов призывала к всеобщему избирательному праву для мужчин. Даже самым отпетым радикалам не приходило в голову, что может существовать всеобщее избирательное право *для женщин*.

На эти слова реагируют все студенты, даже те, которые только что смотрели в окно. Они улыбаются, кивают или одобрительно хмыкают и присвистывают. Этого-то они и ждут от Робин Пенроуз. Даже парень-регбист с последнего ряда был бы разочарован, не позволяй она себе время от времени подобных высказываний.

Вик Уилкокс просит Брайана Эверторпа остаться на его совещание с инженерами технического и производственного отделов. Приглашенные заходят в кабинет и рассаживаются вокруг длинного дубового стола. Это мужчины в однотипных костюмах, из нагрудных карманов которых торчат авторучки и карандаши. Они слегка робеют в присутствии начальства. Вик устраивается во главе стола, справа от него стоит чашка остывшего кофе. Он раскрывает папку с распечатками документов.

— Кто-нибудь знает,— спрашивает он,— сколько видов различной продукции выпустила наша фирма в прошлом году?—

---

[1] Свобода предпринимательства (*фр.*).

71

Тишина.— Девятьсот тридцать семь видов. Я считаю, что это примерно на девятьсот больше, чем нужно.

— Вы имеете в виду наименования, а не продукцию, не так ли?— смело переспрашивает инженер технического отдела.

— Хорошо, пусть будут наименования. Но каждое новое наименование означает, что мы должны заморозить производство, сменить или обновить оборудование, остановить конвейер, и тому подобное. На это уходит время, а время — деньги. К тому же, когда переоборудование почти завершено, обычно выясняется, что операторы в чем-нибудь ошиблись. Затраты снова возрастают. Вы согласны со мной?

— В истории чартистского движения было два кульминационных момента. Первый — представление Парламенту в 1839 году Народной Хартии с миллионами подписей. Ее отклонение привело к целым сериям забастовок и демонстраций, а стало быть — репрессивных мер со стороны правительства. На этой почве произросли «Мэри Бартон» миссис Гаскелл и «Сибилла» Дизраэли. Второй — представление в 1848 году следующей петиции, породившей «Элтона Локка» Чарльза Кингсли. В 1848 году повсюду в Европе вспыхивали революции, и многие англичане опасались, что чартизм тоже спровоцирует революцию, а то и террор в их стране. Поэтому в литературе описываемого периода воинственность рабочего класса трактуется как угроза общественному порядку. Это в полной мере относится и к роману Шарлотты Бронте «Ширли» (1849). Хоть он и был написан в эпоху Наполеоновских войн, его трактовка восстания луддитов косвенным образом комментирует более злободневные события.

Трое молодых чернокожих в безразмерных разноцветных вязаных кепи, сидящих на головах, как бабы на чайник, прилипают к витринному стеклу кафе и пальцами выбивают на нем дробь в ритме рэгги, пока менеджеры их не отгоняют.

— Я слышала, что в выходные опять была потасовка в Ангелсайде,— говорит Марджори, изящной салфеточкой стирая с губ молочную пену от каппучино.

Ангелсайд — это черное гетто Раммиджа, где безработица среди молодежи достигает восьмидесяти процентов, а беспорядки практически не прекращаются. В это утро, как обычно, возле отдела социального обеспечения Ангелсайда выстроилась длиннющая очередь. Единственная работа, которую можно получить в Ангелсайде,— это проводить собеседование в том же отделе соцобеспечения, где мебель привинчена к полу на случай, если клиент попытается с ее помощью покалечить сотрудника.

— А может, цвета устричной раковины,— задумчиво произносит Сандра.— Они подойдут к моим розовым брюкам.

— Мое мнение таково,— заявляет Вик.— В последнее время мы производили слишком много разнообразных вещей, которые почти не пользуются спросом. Нужно перестроиться. Предлагать узкий ассортимент проверенной временем продукции по разумным ценам. И заставить покупателей спланировать их систему вокруг *нашей* продукции.

— А им-то это зачем? — спрашивает Брайан Эверторп, раскачиваясь на стуле и заложив большие пальцы рук в карманы пиджака.

— Затем, что продукция станет дешевле, качественнее и надежнее,— объясняет Вик.— Если им понадобится от нас что-нибудь особенное — милости просим, но спецзаказ должен быть либо очень крупным, либо дорогостоящим.

— А если они не захотят играть по новым правилам? — не унимается Брайан Эверторп.

— Пусть обращаются в другое место.

— Мне это не по душе,— говорит Эверторп.— Вслед за мелкими заказами приходят крупные.

Все остальные во время этого спора вертят головами влево-вправо, как зрители на теннисном матче. Вид у них завороженный, но слегка испуганный.

— Вот уж чему не верю, Брайан,— возражает Вик.— Зачем делать крупный заказ, если можно обойтись мелким и не увеличивать расходы?

— Я говорю о репутации,— поясняет Брайан Эверторп.— Девиз «Принглс» гласит…

— Я знаю, Брайан,— перебивает Вик Уилкокс.— *Если это можно сделать, «Принглс» сделает.* Что ж, я предлагаю новый девиз: *Если это выгодно, «Принглс» сделает.*

— Мистер Грэдграйнд в «Тяжелых временах» является воплощением духа промышленного капитализма, как Диккенс его себе представлял. Философия этого героя утилитарна. Он презирает чувства и воображение, верит только Фактам. Кроме всего прочего, в романе показаны чудовищные последствия этой философии для детей самого мистера Грэдграйнда — Том становится вором, а Луиза чуть не ступила на путь прелюбодейства — и для жителей Кокстауна, безотрадного городишки, по которому «пролегало несколько больших улиц, очень похожих одна на другую, населенных столь же похожими друг на друга людьми, которые все выходили из дому и возвращались домой в одни и те же часы, так же стучали подошвами по тем же тротуарам, идя на ту же работу, и для которых каждый день был тем же, что вчерашний и завтрашний, и каждый год — подобием прошлого года и будущего»[1]. Этому безрадостному и цикличному образу жизни противопоставлен цирк с его непосредственностью, благородством и творческим воображением. «Видите ли, хударь, говорит мистеру Грэдграйнду шепелявый владелец цирка, людям нужны развлечения»[2]. И только Сесси, презираемая всеми дочь циркового наездника, удочеренная Грэдграйндом, вносит в его жизнь искупление. Основная мысль романа предельно ясна: безрадостность труда в условиях промышленного капитализма можно преодолеть лишь добротой, любовью и игрой воображения, носителями которых в романе являются Сесси и цирк.

[1] Ч. Диккенс. Тяжелые времена. *Пер. В. Топер.*

[2] Там же.

Робин выдерживает паузу, чтобы судорожно строчащие авторучки успели записать ее рассуждение, а заодно и для того, чтобы усилить впечатление от следующего пассажа.

—Разумеется, такое прочтение абсолютно неадекватно. Идеология самого Диккенса пронизана противоречиями.

Те студенты, которые не отрываясь записывали каждое слово, теперь подняли глаза и криво усмехаются, глядя на Робин Пенроуз. Они чувствуют себя жертвами удачного розыгрыша, откладывают авторучки и разминают пальцы, пока она молчит и перелистывает конспекты, готовясь к следующему действию своего спектакля.

На Эвондейл-роуд сыновья Уилкокса наконец пробудились от сна и наслаждаются бесконтрольной властью над домом. Гэри на кухне пожирает полную миску кукурузных хлопьев, читает «Домашний компьютер», прислонив его к бутылке молока, и слушает через холл и две открытых двери запись «UB40», которая на всю мощь орет из музыкального центра на веранде. В спальне Реймонд мучает электрогитару, включенную в огромный, как поставленный на попа гроб, усилитель. Парень ласково улыбается, когда его гитара «заводится» от усилителя, издавая завывания и стоны. Весь дом гудит и вибрирует, как улей. Какой-то торговец несколько минут трезвонит в дверь и уходит, отчаявшись.

—Интересно отметить, что очень много рабочих романов было написано женщинами. Идеологическое неприятие промышленной революции либеральными гуманистами среднего класса приобретает у них специфический сексуальный характер.

При слове «сексуальный» по рядам молчаливых слушателей пробегает волна заинтересованности. Поднимают глаза и усаживаются поудобнее те, кто дремал или выцарапывал на крышке стола свои инициалы. А те, кто записывал, продолжают писать с еще большим остервенением. Прекращается покашливание, посапывание и шарканье ног. Робин продолжает, и единственным звуком, примешивающимся к звуку ее голоса, становится шелест исписанных ею листов формата А4, которые она вынимает из стопки.

—Вряд ли необходимо подчеркивать, что промышленный капитализм по сути своей фаллоцентричен. Изобретатели, инженеры, владельцы заводов и банкиры, питающие и поддерживающие его,—все они представители мужского пола. А наиболее привычный метонимический признак промышленности— заводская труба—есть не что иное, как метафора фаллического символа. Характерным описанием промышленного или городского пейзажа в литературе девятнадцатого века было следующее: пронзающие небо толстые трубы, извергающие струи черного дыма; здания содрогаются от ритмичных толчков мощных двигателей; поезд безудержно несется по тихим пригородам. Все это пропитано мужской сексуальностью доминирующего и деструктивного типа.

Таким образом, для женщин-романисток промышленность привлекательна по многим причинам. На уровне сознания это другой, чуждый, мужской деловой мир, в котором им нет места. Разумеется, я сейчас говорю о женщинах, принадлежащих к среднему классу, ибо все романистки того времени вышли именно из него. На уровне же подсознания —это желание излечиться от своей кастрированности, от чувства нехватки чего-то необходимого.

Некоторые студенты при слове «кастрированность» поднимают глаза, восхищаясь ледяным спокойствием, с которым его произносит Робин. Так восхищаются искусным парикмахером, манипулирующим остро отточенной бритвой.

—Все это отчетливо прослеживается на примере романа миссис Гаскелл «Север и Юг». Маргарет, благовоспитанная молодая героиня, уроженка юга Англии, по причине тяжелого материального положения отца вынуждена переехать в городок Милтон, очень напоминающий Манчестер. Там она знакомится с человеком по фамилии Торнтон. Этот чистейшей воды капиталист свято верит в законы спроса и предложения. Он ни капельки не сочувствует рабочим, когда дела их плохи и заработки низки. Но он и сам не ждет сочувствия, оказавшись на грани разорения. Поначалу Маргарет испытывает отвращение к жесткой производственной этике Торнтона, но когда бастующие рабочие становятся опасны, она импульсивно пытается спасти ему жизнь, тем самым обнаруживая неосознанную тягу к этому мужчине, равно как и инстинктивную классовую лояльность. Маргарет находит друзей среди рабочих и сочувствует их страданиям, но в решающий момент принимает сторону хозяина. Интерес, который Маргарет испытывает к заводу и к процессу производства (по мнению ее матери — гадкому и отвратительному), есть не что иное, как замещение ее тайного эротического интереса к Торнтону. Это отчетливо видно из разговора Маргарет с матерью, которая сетует на то, что дочка стала пользоваться заводским жаргоном. Маргарет возражает:

«—Раз я живу в заводском городе, я должна говорить на заводском языке, если мне этого хочется. Зачем мне путать тебя, мамочка, тысячами слов, которых ты никогда в жизни не слыхала? Ни за что не поверю, будто ты знаешь, что такое „большой прибор".

—Не знаю, деточка. Знаю только, что звучит это вульгарно. И мне бы впредь не хотелось слышать, как ты это произносишь».

Робин отрывается от томика «Севера и Юга», отрывок из которого она только что прочитала, и окидывает аудиторию холодным взглядом серо-зеленых глаз.

—Думаю, мы с вами отлично знаем метафорическое значение слова «прибор».

Аудитория задорно хихикает, и авторучки царапают по бумаге быстрее прежнего.

—Есть еще вопросы?—спрашивает Вик и смотрит на часы.

—Только один,—откликается Берт Брэддок, директор по производству.—Если мы рационализируем производство так, как вы предлагаете, грозит ли это сокращением штатов?

— Нет,— отвечает Вик, глядя Брэддоку прямо в глаза.— Рационализация означает рост продаж. В итоге нам понадобится не меньше, а больше людей.

В итоге — возможно, если все пойдет по плану. Но Брэддок не хуже Вика знает, что на первых порах сокращения не избежать. Замены сотрудников в ходе работы — обычное дело, и это позволяет Берту Брэддоку урезонивать обеспокоенных начальников цехов, когда она начинают задавать щекотливые вопросы.

Вик заканчивает совещание, и когда все уходят, встает и потягивается. Потом подходит к окну и поигрывает пластинками жалюзи. Он смотрит на стоянку, где пустые машины, как терпеливые собаки, ждут своих хозяев, и прикидывает, удачно ли прошло совещание. На столе верещит переговорное устройство.

— Звонит Рой Макинтош из «Рэгкаст»,— сообщает Ширли.

— Соедините.

Рой Макинтош — коммерческий директор местного литейного завода, много лет снабжающего «Принглс» своей продукцией. Он только что узнал, что «Принглс» не возобновила заказ, и звонит справиться о причине.

— Видимо, кто-то перебежал нам дорогу,— говорит он.

— Нет, Рой,— отвечает Вик.— Мы теперь сами себя снабжаем.

— За счет вашего старого литейного цеха?

— Мы его модернизировали.

— Давно следовало…— в голосе Роя Макинтоша чувствуется недоверие. После непродолжительной паузы он как бы между прочим замечает: — Пожалуй, я как-нибудь подскочу к вам. Хотелось бы взглянуть на ваш литейный.

— Конечно.— Вику только этого не хватало, но протокол требует положительного ответа.— Пусть ваша секретарша согласует это с моей.

Вик выходит в кабинет Ширли, на ходу натягивая пиджак. Над столом Ширли нависает Брайан Эверторп. При виде босса он смущенно выпрямляется. Явно жаловался на начальство.

—А-а, Брайан. Ты еще здесь?

—Уже ухожу.

Льстиво улыбаясь, он застегивает пиджак на толстом брюшке и выскальзывает из кабинета.

—Рой Макинтош желает осмотреть литейный. Когда позвонит его секретарша, оттяните визит настолько, насколько возможно. Не хочу, чтобы весь мир узнал о наших мощностях.

—Поняла,— кивает Ширли и делает пометку в своих бумагах.

—Я сейчас иду туда, повидать Тома Ригби. По пути загляну в механический цех.

—Хорошо,— отвечает Ширли и понимающе улыбается. О частых и беспричинных походах Вика в этот цех всем известно.

Мерион Рассел, студентка Робин, в длинном черном пальто свободного покроя и с сумкой-пакетом в руке, торопливо входит в огромное здание посреди коммерческого центра Раммиджа и расспрашивает у охранника, куда ей пройти. Тот осматривает содержимое сумки, ухмыляется и направляет девушку к лифтам. Она поднимается на седьмой этаж и идет по застланному ковром коридору, пока не доходит до комнаты с приоткрытой дверью. Оттуда доносятся мужские голоса, смех и хлопки пробок от шампанского. Мерион Рассел стоит у двери и осторожно заглядывает внутрь. Так вор оценивает обстановку: легко ли проникнуть в помещение и можно ли в случае чего быстро убежать. Довольная результатами, она идет дальше — в женский туалет. Перед зеркалом над раковиной наносит на лицо пудру и румяна, тени и помаду, расчесывает волосы. Потом запирается в одной из кабинок, ставит пакет на сиденье унитаза и достает из него орудия своего труда: красную атласную грацию с резинками для чулок, кружевные черные трусики, черные ажурные чулки и лакированные туфли на шпильке.

—Авторы рабочих романов не были способны разрешить средствами литературы те противоречия, которые завладели обществом. В то самое время, когда они писали об этих проблемах, Маркс и Энгельс сочиняли свои новаторские писания, в которых обосновывалась неизбежность политического решения этих проблем. Но романисты слыхом не слыхивали о Марксе с Энгельсом. А если бы услышали о них и их идеях, пожалуй, пришли бы в ужас, почувствовав угрозу их собственному привилегированному положению. При всем их возмущении нищетой и эксплуатацией, порожденными промышленным капитализмом, романисты по сути и сами являлись капиталистами, получающими прибыль от хорошо налаженного производства литературной продукции.

Часы на башне кампуса бьют двенадцать, и их приглушенный бой долетает до аудитории. Студенты начинают беспокойно ерзать на своих местах, шелестеть конспектами и надевать колпачки на авторучки. Пружинные замки на тетрадях со съемными блоками издают револьверные выстрелы. Робин переходит к заключительной части лекции.

— Будучи не способными предложить политическое решение описываемых ими проблем, авторы рабочих романов ограничиваются сюжетным решением личных проблем своих персонажей. И эти сюжетные решения неизбежно негативны либо уклончивы. В «Тяжелых временах» уволенный рабочий по имени Стивен Блэкпул умирает и приобретает ореол святости. В «Мэри Бартон» героиня и ее муж, оба рабочие, уезжают в колонии, чтобы начать там новую жизнь. Элтон Локк в романе Кингсли эмигрирует, разочаровавшись в чартистском движении, но вскоре умирает. В романе «Сибилла» застенчивая героиня вдруг получает баснословное наследство, а вместе с ним возможность выйти замуж за своего возлюбленного, благородного аристократа, и при этом не идти на компромисс с классовой системой общества. Счастливый случай обеспечивает развязку любовных историй и в романах «Ширли» и «Север и Юг». А героиня романа Джордж Элиот «Феликс Холт» отказывается от наследства, но лишь для того, чтобы выйти замуж за любимого человека. Иными словами, писатели викторианской эпохи способны предложить лишь следующие пути решения проблем промышленного капитализма: получение наследства, вступление в брак, эмиграция или летальный исход.

Как раз в тот момент, когда Робин Пенроуз заканчивает лекцию, а Вик Уилкокс отправляется в механический цех, Филипп Лоу возвращается с крайне утомительного заседания Студенческого комитета выпускников Факультета Изящных Искусств. Оно длилось два часа: сначала обсуждались предложения по упорядочению защиты диссертаций на соискание степени доктора философии; потом голосовали за то, чтобы оставить все как есть. Пустая трата времени, особенно если учесть, что за последнее время не появилось кандидатов на соискание этой степени в области искусства. На кафедре Филиппа Лоу ждет довольно неприятное послание из администрации вице-канцлера.

Памела, секретарша Лоу, зачитывает его из своего блокнота: «Из отдела связей с общественностью администрации вице-канцлера звонили, чтобы спросить, можно ли зарегистрировать вас для участия в Базе Теневых Резервов, посвященной Году Промышленности».

— Боже милостивый, что все это значит?!

Памела пожимает плечами.

— Я не знаю. Никогда об этом не слышала. Может, позвонить Филис Кэмерон и спросить?

— Нет, нет, только не это,— возражает Филипп Лоу и нервно ощупывает несуществующую бороду.— Только в самом крайнем случае. Нельзя допустить, чтобы факультет Изящных Искусств прославился своей неосведомленностью. Мы и без того сейчас не в лучшем виде.

— Я уверена, что *мне* такое письмо не попадалось,— обороняется Памела.

— Нет, нет, это наверняка моя вина.

Так оно и есть. Филипп Лоу находит-таки циркуляр вице-канцлера. Конверт до сих пор не вскрыт и лежит среди прочей корреспонденции, в самом низу, погребенный между страницами рекламного проспекта об отдыхе в Бельгии, который Лоу взял в местном туристическом агентстве несколько недель назад. Его легкомысленное отношение к этому посланию не удивительно, ибо внешний вид конверта никак не наводит на мысль об «августейшей» персоне, его приславшей. Это скромный коричневый конверт, присланный в Университет издательством учебной литературы, чьи название и адрес, напечатанные в левом верхнем углу, частично стерлись. Конверт изрядно помят и потерт. Более того, его уже однажды вскрывали, после чего запечатали при помощи степлера.

— Иногда мне кажется, что экономический размах вице-канцлера зашел слишком далеко,— бурчит Филипп, осторожно вынимая ксерокопию циркуляра из его подштопанной, но разваливающейся оболочки. Документ датирован 1 декабря 1985 года.— О, Господи! — восклицает Филипп и опускается на вращающийся стул, чтобы ознакомиться с депешей. Памела читает вместе с ним, заглядывая ему через плечо.

«*От кого*: Вице-канцлер

Кому: деканам факультетов

Тема: База Теневых Резервов, Год Промышленности

Как Вам, безусловно, известно, 1986 год правительство объявило Годом Промышленности. ДЭС через УГК обязало КРП убедиться в том, что все университеты Соединенного Королевства...»

— Видимо, он обожает акронимы,— бормочет Филипп.

— Что? — переспрашивает Памела.

— Все эти аббревиатуры,— поясняет Филипп.

— Наверно, это для того, чтобы сэкономить бумагу и время машинистки,— предполагает Памела.— Нам как-то прислали циркуляр по этому поводу: использовать в университетских документах побольше этих самых акро-как-их-там.

«...в будущем году приложить дополнительные усилия и показать, что они отвечают нуждам промышленности, выпуская хорошо подготовленных специалистов, желающих работать на производстве.

В июле состоялось рабочее заседание, на котором были изложены рекомендации университетам. Одна из них, одобренная Сенатом 18 ноября, заключается в следующем: каждый факультет должен выбрать одного сотрудника, который на время зимнего семестра „станет тенью кого-либо из членов руководящего звена местного промышленного предприятия, назначенного КРП“».

— Что-то я не припомню, чтобы этот вопрос обсуждался в Сенате,— говорит Филипп.— Должно быть, утвердили без дискуссий. А что такое КРП?

— Может, Конфедерация Раммиджских Производителей? — осмеливается предположить Памела.

— Возможно. Отличная мысль, Пэм.

«В стране бытует мнение, что университеты — это „башни из слоновой кости“, чьи сотрудники игнорируют реальности современного мира коммерции. Независимо от того, справедливо это мнение или нет, очень важно в сегодняшней экономической обстановке его опровергнуть. БТР продемонстрирует нашу готовность ознакомиться с нуждами промышленности».

— БэТэЭр? Неужели вице-канцлер обзавелся собственными войсками?

— Я думаю, имеется в виду База Теневых Резервов,— предполагает Памела.

— Боюсь, что вы снова правы.

«Как следует из самого слова, „тень“ — это тот, кто повсюду сопровождает другого человека, пока он выполняет свои служебные обязанности. Таким образом, „тень“ из первых рук получает глубокое знание этой работы, чего невозможно достичь за время одной встречи или совещания. В идеале, „тень“ должна провести со своим напарником целую рабочую неделю или две. Но поскольку практически это невозможно, следует довольствоваться регулярными визитами один раз в неделю на протяжении учебного семестра. По окончании программы „тени“ должны написать небольшие отчеты о том, чему они научились.

Список кандидатур представить в приемную вице-канцлера до среды, 8 января 1986 г.»

— Боже милостивый! — опять восклицает Филипп Лоу, дочитав меморандум.

От волнения ему хочется писать. Он быстрым шагом идет в мужской туалет, где Руперт Сатклиф и Боб Басби уже пристроились возле двух писсуаров.

— Как хорошо, что я вас встретил, — говорит Филипп, становясь к третьему. Перед его носом болтается висящая на цепочке шестигранная резиновая ручка. Это нововведение появилось пару лет назад, когда в целях экономии в мужских туалетах Университета установили автоматические сливные бачки. Кому-то в Хозяйственном отделе пришло в голову, что система, при которой вода сливается через определенные промежутки времени, в том числе ночью, в воскресенье и по праздникам, крайне нерентабельна, и решено было снизить расход воды. — Мне нужен доброволец, — продолжает Филипп и вкратце обрисовывает ситуацию с Теневыми Резервами.

— Боюсь, это не мой репертуар, — откликается Руперт Сатклиф. — Над чем вы смеетесь, Лоу?

— Не мой писсуар. Отлично, Руперт, отдаю вам должное.

— Репертуар. Я сказал *репертуар*, — ледяным голосом поправляет Сатклиф. — Слоняться весь день по заводу — это не для меня. Трудно себе представить более скучное занятие. — Застегивая пуговицы на ширинке (а брюки Сатклифа относятся к пуговичной эпохе), он отходит к раковине в другом конце комнаты.

— А вы, Боб? — спрашивает Филипп, поворачивая голову в противоположную сторону. Басби уже закончил свои дела возле писсуара, но все еще приводит в порядок одежду, теребя ее и дергая ногами, как будто его прибор так огромен, что его можно упаковать обратно только нечеловеческими усилиями.

— В этом семестре никоим образом, Филипп. Кроме обычных обязанностей у меня сейчас куча дел по организации забастовки.

Боб Басби протягивает руку перед самым носом Филиппа и дергает за цепочку. Бачок опорожняется, обдавая брызгами ботинки и низ брюк Лоу, а резиновая рукоятка, как только Басби ее отпускает, щелкает Филиппа по носу. Хозяйственный отдел явно не продумал технологию сливания воды в располагающихся рядом писсуарах.

—Кого же мне послать? — грустно спрашивает Филипп Лоу.—К половине пятого я должен назвать имя. Мне даже некогда советоваться с другими кафедрами.

—А почему бы вам не взять это на себя? — предлагает Руперт Сатклиф.

—Но это абсурд! При всех моих обязанностях декана факультета?

—Сама идея в корне абсурдна,— возражает Сатклиф.—Какое отношение к Году Промышленности имеет Факультет Изящных Искусств? Или наоборот — Год Промышленности к факультету?

—Вот и высказали бы свои соображения лично вице-канцлеру,—говорит Филипп.—Какое отношение ФИИ имеет к ГП, или ГП к ФИИ?

—Я не понимаю, о чем вы?

—Так, маленькая шуточка,— говорит Филипп вслед Сатклифу.—У декана нашего расчудесного ФИИ редко возникают поводы для шуточек,—продолжает он, обращаясь уже к Бобу Басби, который старательно причесывается перед зеркалом.—Это ответственность без власти. Знаете, мне бы следовало попросту *приказать* одному из вас заняться этой ерундой с тенями.

—Вы не имеете права,— самоуверенно заявляет Басби.—Сначала нужно собрать заседание кафедры и обсудить кандидатуры.

—Знаю. Но у меня нет времени.

—А что если Робин Пенроуз?

—У нее же самая низкая должность на кафедре. Это наверняка…

—Зато как раз ей по теме.

—Разве?

—Ну, да. Она же пишет книгу по викторианскому рабочему роману.

—Ах, вы об этом… Вряд ли это одно и то же… А впрочем, Боб, неплохая мысль.

В тот же день, но гораздо позже, когда Ширли и весь персонал офиса уже ушли домой, Вик сидит один в административном корпусе и работает при свете одной настольной лампы. И тут ему звонит Стюарт Бакстер.

—Вик, ты слышал про Год Промышленности?

—Достаточно, чтобы понять, что это пустая трата времени и денег.

—Я готов с тобой согласиться. Но Совет решил, что мы должны поучаствовать. Отличный рекламный ход для нашей группы предприятий. Председатель прямо-таки загорелся этой идеей. Мне поручено скоординировать наши действия…

—И чего ты хочешь непосредственно от меня? — нетерпеливо перебивает Вик.

—К этому-то я как раз и подхожу. Ты ведь знаешь, что такое «тень»?

Когда Стюарт Бакстер заканчивает свой рассказ, Вик говорит:

—Ни за что.

—Но почему?

—Я не хочу, чтобы за мной весь день ходил какой-то ученый болван.

—Но это только раз в неделю, несколько недель подряд.

—Почему именно я?

—Потому что ты — самый энергичный директор в нашей региональной группе. А мы хотим показать им лучшее.

Вик знает, что комплимент начисто лишен искренности, но не собирается это комментировать. Когда-нибудь в будущем может статься полезным напомнить о нем Стюарту Бакстеру.

—Я подумаю,—говорит Вик.

—Извини, это нужно решать прямо сейчас. Вечером я встречаюсь с Председателем.

—Дотянул до последнего, да?

—Честно говоря, моя секретарша дала маху — потеряла письмо.

— В самом деле? — с недоверием переспрашивает Вик.

— Буду очень признателен, если ты поучаствуешь.

— Ты хочешь сказать, что это приказ?

— Не валяй дурака, Вик. Мы же не в армии.

Несколько минут Вик держит Бакстера в напряжении, а сам прикидывает, выгодно ли, чтобы тот был ему обязан.

— Кстати, а как насчет воздуходувки?

— Пришли мне заявку, я займусь этим вопросом.

— Спасибо, — говорит Вик. — Заметано.

— А как с моей просьбой?

— Я согласен.

— Отлично! Твою «тень» зовут доктор Робин Пенроуз.

— Врач?

— Нет.

— Надеюсь, не психиатр?

— Нет. Насколько я понял, он читает лекции по английской литературе.

— По английскому *чему*?

— Больше ничего не знаю. Только что получил сообщение.

— Черт меня побери!

Стюарт Бакстер хихикает.

— Почитай пока какие-нибудь умные книжки, ладно, Вик?

Часть II

После минутной паузы миссис Торнтон продолжила:

— Вы уже познакомились с Милтоном, мисс Хейл? Видели наши заводы? Наши изумительные склады?

— Нет,— сказала Маргарет.— Ничего схожего с этим описанием я пока не видела.

И тут она почувствовала, что, выказав свое полное безразличие к подобным местам, вряд ли говорит чистую правду; поэтому добавила:

— Осмелюсь заметить, папа показал бы мне их, если бы я захотела. Но я, признаться, не нахожу удовольствия в посещении промышленных предприятий.

Элизабет Гаскелл. Север и Юг

1

Девять дней спустя, в среду 22 января, в половине девятого утра Робин Пенроуз, будучи в отвратительном настроении, вышла из дома в снежную вьюгу, чтобы положить начало своему пребыванию в роли тени от Факультета Изящных Искусств Раммиджского Университета (или ТФИИРУ, как ее именовали в меморандуме, присланном из секретариата вице-канцлера). В одном из документов ей сообщали, что она прикреплена к мистеру Виктору Уилкоксу, исполнительному директору компании «Дж. Прингл и Сыновья», на один день в неделю на протяжении текущего семестра. Робин пришлось выбрать среду, поскольку в этот день у нее не было лекций. Именно поэтому в среду она обычно сидела дома — проверяла студенческие работы, готовилась к занятиям и предавалась научным исследованиям. И теперь ей было до слез обидно, что придется пожертвовать единственным свободным днем. В первую очередь именно поэтому Робин чуть было не отказалась от предложения Филиппа Лоу выдвинуть ее на роль «тени». В конце-то концов, если Университет не собирается оставлять ее в штате (а Лоу обратился к Робин с просьбой в тот же день, когда сообщил о ее незавидном будущем), почему она должна жертвовать собой ради Университета?

— Правильно! — воскликнула Пенни Блэк тем же вечером, расстегивая джинсы в женской раздевалке университетского

Спортивного центра.—Не понимаю, почему ты вообще согласилась?

Пенни была подругой Робин, феминисткой с кафедры социологии. Раз в неделю они играли в сквош.

—Я и сама уже жалею,— посетовала Робин.— Нужно было сказать ему, чтобы… чтобы…

—Чтобы он засунул Теневой Резерв себе в задницу. Почему ты этого не сделала?

—Не знаю. Хотя нет, знаю. Мой внутренний голос, гаденький и расчетливый, нашептывал мне на ушко, что в один прекрасный день мне понадобится от Лоу рекомендация.

—Ты права, дорогуша. Именно так эти облеченные властью мужики и подминают нас под себя. Это уловка того, кто сильнее тебя. Черт бы побрал все эти крючки и петли!

Пенни Блэк возилась с застежками бюстгальтера, стягивающего ее грудь, как ремень. Преуспев в этом трудном деле, она перевернула сей предмет одежды застежкой назад, погрузила в чашечки свои гигантские груди и просунула руки в бретельки. Латекс плотно облегал ее упругое тело. Пенни надевала лифчик, только когда играла в сквош: без него, по ее словам, сиськи будут летать от стены к стене быстрее мячика.

—Нет, про Лоу я бы этого не сказала,— возразила Робин.— Честно говоря, по нему никак не скажешь, что он облечен властью. Он едва ли не умолял меня согласиться.

—Почему же ты не заключила с ним сделку? Мол, я стану этой чертовой тенью, если вы зачислите меня в штат.

—Не говори ерунды, Пенни.

—Какая же это ерунда?

—Ну, во-первых, в штат зачисляет не он, а во-вторых, я никогда до такого не опущусь.

—Глупая англичанка!—воскликнула Пенни Блэк, огорченно качая головой. Конечно, она и сама была англичанкой, но проведя несколько лет на стажировке в Калифорнии, где ее превратили в законченную феминистку, она считала себя американкой по духу и пыталась, насколько это возможно, разговаривать, как американка.—Ладно,—продолжала она, натяги-

вая красную тенниску,— можешь излить свое негодование на
корте.— Ее голова с темными взъерошенными волосами вы-
прыгнула из выреза рубашки, как усмехающийся человечек из
коробки с сюрпризом.— Представь себе, что мячик—это Лоу.

Немолодая женщина с седыми волосами, закутанная в бан-
ное полотенце, приветливо кивнула Робин по пути из сауны в
душевую. Робин ответила ослепительной улыбкой и прошипела:

—Ради Бога, Пенни, говори потише. Это его жена.

В тот же вечер Робин позвонила Чарльзу, которого эта история очень позабавила. Но, как и Пенни, он был здорово удивлен, что Робин согласилась с назначением «тенью» от их факультета.

—Это дело совсем не для тебя, разве нет?

—Понимаешь, меня считают настоящим экспертом в области рабочего романа. Лоу особенно настаивал на этом.

—Да, но не в *реальном* производстве. Не думаешь же ты, что
это одно и то же…

—Конечно, нет,— сказала Робин, пытаясь отречься от намека на реализм.—Просто я объясняю тебе, какое на меня ока-
зывалось давление.

Она уже подозревала, что сделала ошибку, позволив себя использовать. Подобное чувство редко возникало у Робин, и от
этого было особенно неприятным.

В течение следующих нескольких дней подозрение перерос-
ло в уверенность. В то утро, на которое было назначено ее первое появление в роли Теневого Резерва, Робин проснулась в отвратительном настроении. Погода его отнюдь не улучшила.

—Только не это! — простонала Робин, когда отдернула занавеску на окне в спальне и увидела, что небо затянуто тучами,
из которых вываливаются хлопья снега. Тонкая белая просты-
ня уже закрыла мерзлую землю, побелели ветви деревьев. Робин мучительно захотелось сослаться на погоду и отложить
свой визит в «Принглс и Сыновья», но служебная этика, которой она ни разу не изменила за все годы учебы и сдачи экзаменов, в очередной раз взяла верх над чувствами. Робин и так уже

на неделю отложила теневые дела из-за забастовки. Во второй раз это выглядело бы некрасиво.

За завтраком (без «Гардиан», которую наверняка не принесли из-за снегопада) Робин задалась вопросом: что надеть по такому случаю? У нее был комбинезон, недавно купленный в магазине «Некст», который стилистически казался весьма уместным, но он ярко-рыжий с желтым цветочком на груди, и Робин сочла его недостаточно солидным. С другой стороны, она никому не собиралась выказывать чрезмерного уважения, надев строгий темно-оливковый дорогой костюм, в котором ходила на интервью. Что надевает раскрепощенная женщина, отправляясь на завод? Интересный вопрос из области семиотики. Робин твердо верила в то, что одежда не только прикрывает наготу, но и несет определенную информацию о том человеке, который ее надевает: кто он такой, чем занимается, что чувствует. Однако в конце концов она позволила погоде отчасти повлиять на ее выбор: брюки из крупного вельвета, по-казачьи заправленные в сапоги, тонкая блуза и пушистый шерстяной жакет. Поверх этого наряда Робин надела все ту же кремовую куртку, а на голову — шапку в русском стиле из искусственного меха. Экипировавшись таким образом, она смело вышла в метель.

Маленький «рено» казался вылепленным из снега, ключ не поворачивался в замерзшем замке. Эту проблему Робин решила с помощью специального финского впрыскивателя под названием «Суперпис». Чарльз подарил его Робин в шутку и предложил использовать как наглядное пособие при объяснении лингвистики Соссюра студентам выпускных курсов: поднять флакон над головой и продемонстрировать, как звукоподражание на одном языке может стать непристойностью в другом. Из-за снега, налипшего на стекла машины, в салоне воцарился могильный сумрак, и Робин потратила несколько минут на то, чтобы счистить этот слой, прежде чем решилась завести мотор. Поразительно, но мотор заработал с первого раза, несколько разочаровав Робин, ведь разрядившийся аккумулятор — железная причина для того, чтобы отменить поездку. Положив на переднее сиденье справочник «Весь Раммидж от А до Я», Робин отправилась на поиски «Принглс», приютившегося где-то на другом конце города: на темной стороне Раммиджа, о которой она знала не больше, чем о темной стороне Луны.

Из-за плохой погоды Робин решила не ехать по магистрали. Выбирая коварные боковые улочки, заставленные брошенными машинами, она присоединяется к длинной, медленно ползущей веренице машин, облюбовавшей внешнее кольцо дорог—не специально построенное, а состоящее из череды улиц на окраине города, где снег уже превратился в грязное творожистое месиво. Робин кажется, что она пробирается по кишечнику города, созерцая его перистальтику. То останавливаясь, то еле-еле продвигаясь вперед, она проезжает мимо магазинов, офисов, жилых башен, гаражей, авторынков, церквей, забегаловок «фаст-фуд», школы, игрового зала, больницы, тюрьмы. Несколько неприятно проезжать мимо последнего здания, мрачного викторианского строения, расположенного в центре самой обыкновенной городской окраины, где ходят двухэтажные автобусы, а домохозяйки с сумками и детскими прогулочными колясками поглощены привычными делами. Для Робин тюрьма — всего лишь слово из книги или газеты, некий символ закона, гегемонии, репрессий. («Мотив тюрьмы в „Крошке Доррит“—метафорическое отражение критического отношения Диккенса к викторианской культуре и обществу».—Обсудить!) Глядя на это квадратное здание из закопченного камня, на окна с решетками, на кованую железную дверь и на высокие стены с колючей проволокой, Робин содрогается, представив себе людей, запертых внутри, в тесных камерах, пропахших потом и мочой,— насильников, сутенеров, тех, кто избивает своих жен и детей. У нее похолодело внутри при мысли о том, что преступление и наказание одинаково чудовищны, но и неотвратимы. По крайней мере, если люди не переменятся, не станут такими, как Чарльз, во что поверить трудно.

Поток машин медленно продвигается вперед. Снова магазины, офисы, гаражи и «фаст-фуд». Робин проезжает мимо кинотеатра, превращенного в бинго-зал, мимо церкви, превращенной в общественный центр, мимо кооперативного общества, превращенного в морозильный центр. Этой части города не хватает индивидуальности, чего не скажешь о районе, в котором живет Робин. Там на каждом шагу—магазины диетического питания, салоны спортивной одежды и книжные магазины с качественной литературой для студентов и свободомыслящей светской молодежи, преобладающей в этом районе. Робин заметила несколько одиноких деревьев и не увидела ни одного парка. Иногда попадаются целые кварталы однотипных домов, обитатели которых, судя по всему, отказались от неравной борьбы с шумом и выхлопными газами кольцевой дороги и переселились в дальние комнаты. Во всяком случае, фасады выглядят обшарпанными и облезлыми, а висящие на окнах занавески — замызганными. Кое-где видны попытки что-то обновить, но они всегда удручающе безвкусны: «георгианские» окна или «скандинавские» деревянные крылечки, наляпанные на викторианские или эдвардианские фасады. Магазины здесь или ослепительно броские, или совсем невзрачные. В первых витринах выставлен дешевый ширпотреб: синхронно мигают экраны телевизоров, освещая белоснежные холодильники и стиральные машины, уродливую обувь, уродливую одежду, невообразимо уродливую мебель с фанерной облицовкой и синтетической обивкой. Витрины невзрачных магазинов похожи на кладбища никем не любимых и никому не нужных вещей: платьев в цветочек, пожелтевшего нижнего белья, засиженных мухами конфетных коробок и пыльных пластмассовых игрушек. На людей, идущих по тротуарам, летит грязь из-под колес проезжающих мимо машин. Эти люди выглядят стоически несчастными, не ждущими от жизни ничего хорошего. Робин вспоминает строки из Д. Г. Лоуренса (то ли из «Влюбленных женщин», то ли из «Леди Чаттерли»): «В накатившей волне ужаса она ощутила серость и непоправимую безысходность всего, что ее окружало». Вот бы снова оказаться в своем уютном маленьком домике: стучать на клавиатуре, анализируя лексемы какого-нибудь викторианского романа, бережно отделяя герменевтический код от проайретического, культурный от символического. Обложиться книгами и папками, чтобы посвистывал газовый камин, а от стоящей рядом чашечки кофе шел пар. Робин проезжает мимо прачечных, парикмахерских, ломбардов, почты, магазинчика «Сделай сам», Центра зубного протезирования, Центра реабилитации. Городу конца-края нет. Или она давно уже ездит по кругу, по кольцевой дороге? Нет, с кольцевой она съехала. И заблудилась.

Должно быть, Робин угодила в Ангелсайд, потому что люди, бредущие по тротуарам и сиротливо сгрудившиеся на автобусной остановке, в основном смуглы и темноглазы, а у женщин из-под серых и коричневых пальто виднеются заляпанные грязью подолы ярких сари. У магазинов азиатские названия: универмаг «Нанда», кондитерская «Сабар», «Братья Рашид», книжная лавка «Пенджаб», женская одежда «Уша Сари». Остановившись на красный свет, Робин сверяется со справочником «От А до Я», но прежде, чем она успевает определить свое местоположение, загорается зеленый, и сзади раздается нетерпеливое гудение машин. Робин сворачивает налево и оказывается в квартале заброшенных домов с заколоченными дверьми. В некоторых явно были пожары — видимо, во времена беспорядков и мятежей прежних лет. Прохожие здесь больше похожи на выходцев из стран Карибского бассейна. Молодые люди в шляпах необъятного размера бездельничают у входов в магазины и кафе. Засунув руки в карманы, они курят и болтают, притопывая ногами, чтобы не замерзнуть. Или кидают друг в друга снежками через дорогу, над крышами проезжающих машин. Как странно, странно и грустно, видеть эти южные лица на фоне грязного талого снега, среди серости и непоправимой безысходности английского промышленного города в середине зимы.

Свернув на соседнюю улочку, Робин замечает молодого патлатого индуса, который сгорбившись сидит у заколоченного входа в магазин и улыбается дружелюбной улыбкой человека, чуждого расизму. К ужасу Робин, парень тут же встает, вынимает руки из карманов черной кожаной куртки, идет к ее машине и наклоняется, заглядывая в окошко. Что-то говорит, но через стекло не разобрать. Машина, едущая впереди, продвигается на несколько метров, но когда Робин тоже трогается с места, парень кладет руку на крыло «рено», словно останавливая его. Робин наклоняется и чуть-чуть опускает боковое стекло.

— Да? — говорит Робин, и ее голос срывается от страха.

— Хоч'шь малость? — спрашивает парень с сильным раммиджским акцентом.

— Простите, что? — растерянно переспрашивает Робин.

— Хоч'шь малость?

— Малость чего?

— Травки, что ж еще?

— А-а, — до Робин наконец дошло. — Нет, спасибо.

— А чо другого? Нюхнуть, ширнуться? Скажи чо надо.

— Нет, правда, не надо. Это очень мило с вашей стороны, но... — Машина впереди трогается с места, сзади раздается нетерпеливое гудение. — Извините, мне нужно ехать! — взвизгивает Робин и выжимает сцепление. Благодарение богу, ей удается проехать целых пятьдесят ярдов, прежде чем движение опять застопоривается. Индус больше не преследует ее, но Робин тем не менее нервно поглядывает в зеркало заднего вида.

Робин видит указатель на Вест-Уолсбери, район, в котором находится «Принглс», и с радостью сворачивает в ту сторону. Но снегопад, который в последние полчаса почти утих, вдруг начинается с новой, яростной силой, ухудшая видимость. Робин вдруг обнаруживает, что заехала на двухполосную дорогу наподобие автострады, поднимающуюся выше домов, и с нее нет съезда. Приходится ехать быстрее, чем хотелось бы, чтобы не мешать потоку грузовиков, от раскаленных радиаторов которых валит пар. Робин видит это в зеркало заднего вида. Водители же грузовиков сидят настолько высоко, что их закрывает облако пара. Грузовики поминутно шныряют мимо машины Робин, обдавая грязью боковые стекла и заставляя миниатюрный «рено» вздрагивать под порывами поднимаемого ими ветра. Интересно, как эти мужчины (а все водители грузовиков непременно мужчины) могут в такую погоду носиться в своих махинах на этакой скорости? От страха Робин вцепляется в руль мертвой хваткой, как рулевой во время шторма, и наклоняется вперед, вглядываясь в дорогу, покрытую желто-бурой хлябью, которая вся исполосована следами колес. Каким-то чудом Робин удается выскользнуть на узкий съезд и спуститься вниз. Она оказывается на кольцевой развилке и дважды проезжает по ней, пытаясь разобраться в дорожных указателях. Потом все-таки останавливается на обочине, чтобы заглянуть в свой справочник «От А до Я», но поблизости не видно таблички с названием улицы, поэтому она не может сориентироваться. Увидев впереди желто-красную вывеску бензозаправки «Шелл», она едет туда.

В маленьком магазинчике печального вида парень азиатской наружности в вязаных перчатках отгородился от покупателей горами дешевых электронных часов, шариковых ручек, конфет и аудиокассет. В ответ на вопрос, как называется эта улица, он трясет головой и пожимает плечами.

— Вы хотите сказать, что не знаете, на какой улице находится ваша бензоколонка? — резко переспрашивает Робин, раздражение которой берет верх над симпатией к национальным меньшинствам.

— Эт не мой колонка, — говорит парень. — Я тока тута работать.

— Хорошо, вы хотя бы знаете, это Вест-Уолсбери или нет?

Парень утвердительно кивает. Знает ли он, как проехать к «Прингл и Сыновьям»? Он опять мотает головой.

— К «Принглс»? Я вас подвезу.

Робин поворачивается к мужчине, который только что вошел в магазинчик. Он высок, крепкого сложения, с кустистыми бакенбардами и с усиками. Под расстегнутым кожаным пальто — костюм-тройка.

— С удовольствием, — прибавляет он и улыбается, оценивающе разглядывая Робин.

— Буду вам крайне признательна, — говорит Робин, не улыбаясь в ответ, — если вы просто покажете мне дорогу по карте.

— Я вас подвезу. Вот только улажу свои дела с Али-Бабой.

— Спасибо, но я на машине.

— Тогда вы можете ехать за мной.

— Не смею причинять вам лишнего беспокойства. Если вы просто…

— Никакого беспокойства, моя дорогая. Я и сам туда еду.— Заметив удивление на лице Робин, он смеется:— Я там работаю.

— Ну, в таком случае… Спасибо.

— Я что занесло в «Принглс» *вас*?— интересуется мужчина, размашисто подписывая один листок из чековой книжки.— Будете у нас работать? Будущий секретарь?

— Нет.

— Жаль. Но вы ведь не клиент, правда?

— Нет.

— Тогда кто же? Хотите, поиграем в угадайку?

— Я из Раммиджского университета. Принимаю участие в… э-э… ну… я к вам на учебу.

Мужчина замирает, не успев донести до кармана свой бумажник.

— Вы случайно не тень Вика Уилкокса?

— Да.

Он пристально смотрит на Робин, потом начинает давиться смехом и хлопать себя по бедрам.

— Боже мой! Вот так сюрприз для Вика!

— Почему?

— Ну, понимаете ли, он ждал… кого-то другого. Постарше.— Он хрюкает, стараясь справиться со смехом.— Менее симпатичного.

— Мне кажется, нам пора ехать,— холодно говорит Робин.— Я и так опаздываю.

— Ничего удивительного — в такую-то погоду. Я и сам немного припозднился. На дороге полная неразбериха. Кстати, меня зовут Брайан Эверторп. Коммерческий директор «Принглс».— Он достает из кармана визитную карточку и вручает ее Робин.

— «Ривьерский загар. Номера на любой вкус»,— читает Робин вслух.

—Ох, это чужая карточка. Перепутал со своими,— спохватывается Брайан Эверторп и вручает другую.—Премиленькое местечко этот «Ривьерский загар». Я там кое-кого знаю. Если хотите, могу похлопотать о скидке.

—Нет, спасибо,— отвечает Робин.

—У вас будет отменный загар. Не хуже, чем после поездки на Тенерифе.

—Я никогда не загораю,— перебивает Робин.— Это чревато раком кожи.

—Если верить газетам,— возражает Брайан Эверторп,— все приятное вредно.— Он распахивает дверь магазинчика, и их обдает ветром и снегом.— Вон моя «гранада», у заправки номер два. Пристраивайтесь к хвосту и не отлипайте, как сказала пчелка цветочной пыльце.

Брайан Эверторп вез Робин извилистым путем по улицам, на которых стояли фабрики и мастерские. Многие из них были закрыты, на других красовались вывески «Продается» или «Сдается в аренду». Некоторые были настолько старыми, что явно не подлежали ремонту, и снег залетал в разбитые стекла окон. На улицах не было ни души. Робин радовалась, что Эверторп взялся показать ей дорогу, хотя его манеры были ей неприятны и говорили о его намерении устроить спектакль из ее появления в «Принглс». У заводской проходной Эверторп пытался в чем-то убедить охранника, потом вышел из машины и направился к Робин. Та опустила стекло.

—Прошу прощения, но этот парень настаивает, чтобы вы расписались в журнале посещений. Боится, как бы Вик не устроил ему разнос. Должен вас предупредить: он у нас ревнитель строгой дисциплины.— Его взгляд упал на флакончик, лежавший на приборной доске.— «Суперпис»! Это еще что такое?— хихикнул он.

—Это чтобы размораживать замки,— объяснила Робин, быстро убирая флакончик в «бардачок».— Финского производства.

— Я привык пользоваться своим,— сострил Эверторп и остался очень собой доволен.— Бесплатно и всегда при мне.

Робин вышла из машины и взглянула на возвышавшийся по ту сторону железнодорожной ветки административный корпус из красного кирпича, а следом за ним — высокое здание без окон, столь же гнетущее, как тюрьма, которую она видела этим утром. Только снежный покров немного скрашивал унылость пейзажа, но рабочий на маленьком тракторе с ковшом уже счищал этот белый ковер.

— А где трубы? — спросила Робин.

— Какие трубы?

— Как какие? Толстые и высоченные. Из них еще валит дым.

Брайан Эверторп рассмеялся.

— Они нам ни к чему. Все работает на газу или электричестве.— Он вопросительно посмотрел на нее.— Вы когда-нибудь бывали на заводе?

— Нет,— призналась Робин.

— Ясно. Девственница, да? В смысле в первый раз.— Он ухмыльнулся и пригладил усы.

— Где ваш журнал посещений? — холодно поинтересовалась Робин.

После того, как она расписалась в журнале, Брайан Эверторп показал ей место гостевой стоянки, а сам ждал у входа в административный корпус. Потом провел в душный вестибюль, отделанный деревянными панелями.

— Это доктор Пенроуз,— сообщил он двум женщинам, сидевшим за столом в приемной. Пока Робин стряхивала снег с меховой шапочки и с куртки, секретарши глазели на нее так, словно она была инопланетянкой.— Я сообщу мистеру Уилкоксу, что его гостья уже здесь,— сказал Брайан Эверторп, и Робин показалось, что он по непонятной причине подмигнул женщинам.— Присаживайтесь,— пригласил он и указал на довольно потрепанный диван, напомнивший Робин о фойе старых кинотеатров.— Я мигом. Позвольте взять у вас куртку? — При этом он смерил Робин таким взглядом, что ей захотелось снова одеться.

— Спасибо, я оставлю ее при себе.

Эверторп ушел, а Робин села на диван. Две женщины за столом старались не встречаться с ней взглядами. Одна что-то печатала, вторая работала на коммутаторе. Каждую минуту телефонистка заунывным голосом произносила одни и те же фразы: «Принглс и Сыновья. Доброе утро. Чем могу вам помочь?», или «Соединяю», или «Извините, номер не отвечает». Между звонками она что-то нашептывала напарнице и поглаживала свои платиновые волосы, будто это жалкий хворый зверек. Робин огляделась. На стенах комнаты висели дипломы и фотографии в рамках. На низеньком столике — какие-то технические журналы и номер «Файненшл Таймс». Пожалуй, во всем мире не сыщешь второй такой унылой комнаты. Робин осмотрела все, но ее не заинтересовало ничего, кроме доски объявлений, на которой съемными пластмассовыми буквами было набрано: «Добро пожаловать в „Прингл и Сыновья“, доктор Робен Пенроуз (Раммиджский университет)». Заметив, что обе женщины смотрят на нее, Робин улыбнулась и сказала:

— «Робин» пишется через «и».

И страшно смутилась, потому что женщины захихикали.

2

Вик Уилкокс диктовал Ширли письма, когда Брайан Эверторп постучался в кабинет и просунул голову в приоткрывшуюся дверь, беспричинно улыбаясь во весь рот.

— Вик, к тебе пришли.

— Да?

— Твоя тень.

— Он опоздал.

— Ну, в такую погоду это не удивительно, правда? — сказал Брайан Эверторп и вошел без приглашения. — На дорогах самое настоящее столпотворение.

— Тебе нужно переселиться поближе, Брайан.

— Ну, ты же знаешь Берил и ее отношение к пригородам… А эта тень, она, собственно, зачем?

—Тебе ведь все известно. Он должен весь день ходить за мной по пятам.

—Что, повсюду?

—В этом весь смысл.

—Даже в туалет?—спросил Брайан Эверторп и громко захохотал.

Вик удивленно посмотрел на него, потом на Ширли, которая вскинула брови и продемонстрировала свое непонимание, пожав плечами.

—Ты здоров, Брайан?—поинтересовался Вик.

—Совершенно здоров, спасибо.— Эверторп кашлянул, шмыгнул носом и вытер глаза шелковым носовым платочком, который всегда эффектно торчал из нагрудного кармана.—Ты везучий человек, Вик.

—О чем ты?

—О твоей тени. Но что скажет твоя жена?

—А при чем здесь Марджори?

—Посмотрим, что ты скажешь, когда увидишь ее.

—Марджори?

—Нет, свою тень. Это самая настоящая пташка, Вик.

Ширли вскрикнула от удивления и волнения. Вик молча наблюдал за спектаклем, который разыгрывал Эверторп.

—Очень соблазнительная рыжуха. Я, правда, люблю буфера покрупнее, но не бывает так, чтобы все сразу,—продолжил тот и подмигнул Ширли.

—Робин! — воскликнула Ширли.— Но ведь это не может быть женское имя. Хотя и пишется не как у Робин Гуда, а через «е».

—В письме было через «и»,—вспомнил Вик.

—Опечатка,—предположил Брайан Эверторп.

—Стюарт Бакстер не сказал, что это женщина,— добавил Вик.

—Я сейчас приведу ее. Увидите своими глазами.

—Подождите, я сначала найду его письмо,— сказал Вик и принялся рыться в бумагах—тянул время. Он чувствовал, как злость разливается по всем венам. Преподаватель английской литературы — уже ни в какие ворота, но чтоб еще и *женщина*! Подослать к нему этакую «тень» — или нелепая ошибка, или намеренное оскорбление. Вик никак не мог решить, что именно. Его так и подмывало разнести всех в пух и прах, наорать на кого-нибудь по телефону и накатать гневное послание. Но что-то в поведении Брайана Эверторпа остановило его.

— Сколько ей лет? — спросила Ширли.

— Не знаю. Пожалуй, лет тридцать. Привести?

— Прежде найдите то письмо,— попросил Вик, обращаясь к Ширли. Она вышла в свой кабинет, а следом за ней, к облегчению Вика, выкатился и Эверторп. Брайан, конечно, попытается извлечь максимум выгоды из этой нелепой истории, выставить шефа дураком. Вик уже видел, как тот ходит по мастерским, пересказывая эту сцену. «Надо было видеть его лицо, когда я ему сообщил! Я не смог удержаться от смеха. А потом он начал материться. Ширли пришлось заткнуть уши…» Нет уж, лучше взять себя в руки, справиться со злостью и сделать вид, что ничего не случилось.

Вик встал из-за стола и пошел через приемную в кабинет Ширли. Здесь верхняя часть одной из стен был отделана стеклянными панелями. Они были закрашены, но кто-то содрал немного краски, и получился «глазок». Ширли приникла к этому «глазку», балансируя на тумбочке, а Брайан Эверторп поддерживал ее за бедро.

— Хм… Неплохо,— говорила Ширли.— Конечно, это дело вкуса.

— Вы просто ревнуете, Ширли,— отозвался Эверторп.

— Я? Ревную? Не говорите ерунды. Мне понравились ее сапожки, только и всего.

— Что это вы делаете? — спросил Вик.

Брайан и Ширли обернулись и посмотрели на него.

— Маленькая хитрость вашего предшественника,— объяснил Эверторп.— Он любил приглядеться к посетителю перед встречей с ним. Говорил, что это дает ему психологическое преимущество.— Он отпустил бедро Ширли и помог ей спуститься.

— Я не нашла это письмо,— сообщила Ширли.

— Вы хотите сказать, что отсюда видно общую приемную? — уточнил Вик.

— Взгляните сами.

Вик колебался лишь мгновение, потом влез на тумбочку. Приник глазом к «окошечку» и пригляделся, как если бы смотрел в уже отлаженный и наведенный телескоп. В дальнем конце приемной сидела молодая женщина. У нее были медно-рыжие волосы, сзади остриженные под мальчика, а спереди локонами спадавшие на лоб. Женщина удобно устроилась на диване, закинув ногу на ногу, лицо выражало высокомерную скуку.

— Я ее где-то видел,— задумчиво произнес Вик.

— Да? И где же? — откликнулась Ширли.

— Не знаю.

Она словно была женщиной из сна, который Вик плохо запомнил. Он все смотрел на рыжие локоны, пытаясь вспомнить. Потом она вдруг зевнула, как кошка, показав два ряда белоснежных зубов, и закрыла рот. Зевая, женщина подняла голову, и Вику показалось, что она смотрит прямо ему в глаза. От неожиданности он смутился и спрыгнул на пол.

— Хватит устраивать детский сад,— скомандовал Вик, направляясь в свой кабинет.— Приведите эту женщину.

Брайан Эверторп распахнул перед Робин дверь кабинета Уилкокса и театральным жестом указал ей дорогу через порог.

— Доктор Пенроуз,— провозгласил он, ухмыляясь.

Мужчина, который поднялся из-за стола в глубине комнаты и вышел навстречу Робин, чтобы пожать гостье руку, был ниже и обладал более ординарной внешностью, чем она ожидала. «Исполнительный директор» рисовался ей фигурой более крупной и масштабной, с пухлыми багровыми щеками и всклокоченными седыми волосами, с округлыми формами, облаченными в дорогущий, сшитый на заказ костюм, с золотыми запонками и золотой галстучной булавкой, а в пальцах с отполированными ногтями он должен был держать сигару. Этот же был жилистым и коренастым, как терьер-коротконожка. Лицо бледное и худое, от носа к бровям пролегли две глубокие морщинки. А темные, спадавшие на лоб волосы наверняка никогда не удостаивались внимания дорогого парикмахера. Он был без пиджака, и рубашка сидела отнюдь не идеально. Манжеты свисали на запястья, как у мальчишки, которому покупают одежду «на вырост». Робин еле сдержала улыбку, когда рассмотрела его. А она уже представляла себе, как будет рассказывать о нем Чарльзу или Пенни: «забавный маленький человечек». Но энергичное рукопожатие и блеск темно-карих глаз послужили Робин предупреждением, чтобы она не вздумала недооценивать этого человека.

— Спасибо, Брайан, — поблагодарил он вертевшегося рядом Эверторпа. — Я думаю, у тебя полно работы.

Эверторп откланялся с явной неохотой.

— Надеюсь, мы еще увидимся, — елейным голоском обратился он к Робин, закрывая за собой дверь.

— Хотите кофе? — спросил Уилкокс, забирая у Робин куртку и вешая ее за дверью.

Робин охотно согласилась.

— Присаживайтесь. — Уилкокс указал на кресло, стоявшее наискосок от его письменного стола, за который он вновь уселся. Затем нажал на кнопку селектора и попросил: — Ширли, принесите нам два кофе, пожалуйста. — Он пододвинул к Робин пачку сигарет. — Вы курите?

Робин покачала головой. Уилкокс закурил, сел за стол и развернул свой стул так, чтобы сидеть лицом к Робин.

— Мы с вами раньше не встречались? — спросил он.

— По-моему, нет.

— У меня такое ощущение, будто я вас где-то видел, причем совсем недавно.

— Не представляю, где бы это могло быть.

Уилкокс продолжал внимательно разглядывать Робин сквозь облако табачного дыма. Если бы на нее так смотрел Эверторп, она бы восприняла это как грубость. Но Уилкокс явно пытался что-то вспомнить.

— Я немного опоздала, извините меня,— начала Робин.—
Дороги в ужасном состоянии, к тому же я заблудилась.

— Вы опоздали на неделю,— ответил Уилкокс.— Я ждал вас
в прошлую среду.

— Разве вы не получили мое сообщение?

— Получил, но уже в середине дня.

— Надеюсь, я не доставила вам никаких неудобств?

— Напротив. Я отменил совещание.

И даже не улыбнулся, чтобы смягчить замечание. Робин почувствовала, как от его грубости в ней закипает возмущение,
и сдержалась только потому, что сама была виновата. В прошлую среду она собиралась с утра пораньше принять участие
в пикетировании, побыть там часок-другой, а потом поехать в
«Принглс». Но Боб Басби заявил ей, что «Теневой Резерв» есть
не что иное, как официальное университетское мероприятие,
и она станет штрейкбрехером, если отправится на эту встречу.
Конечно, он был прав! *Тупица!* Она даже стукнула себя кулаком по лбу в знак раскаяния. Робин не была знакома с тем, как
принято вести себя на производстве, но очень обрадовалась
поводу на целую неделю отложить поездку в «Принглс».

— Извините,— сказала она Уилкоксу.— В прошлую среду в
Университете была такая суматоха. Понимаете, там организо-
вали однодневную забастовку. Телефонистки работали с пере-
боями. Я не сразу смогла вам дозвониться.

— Так вот где я вас видел! — воскликнул Уилкокс, подпрыг-
нув на стуле и ткнув в ее сторону пальцем, как ружьем.—В прошлую среду, примерно в восемь утра, вы стояли у ворот Университета.

— Да,— кивнула Робин.— Стояла.

— Я каждое утро проезжаю мимо по дороге на работу,—
объяснил он.— В среду я там попал в пробку. Потерял лишних
две минуты. Вы держали лозунг.— Последнее слово он произнес так, словно оно обозначало что-то крайне пакостное.

— Да, я стояла в пикете.

Как же это было здорово! Останавливать машины и прилеп-
лять листовки к ветровым стеклам, разворачивать грузови-

ки, размахивать знаменами к полному удовольствию репортеров с местного телевидения, отогревать замерзшие пальцы теплыми термосами с горячим кофе, делить свою радость с товарищами, доселе ей незнакомыми. Робин не испытывала подобного восторга со времен женского слета в Гринхем-Коммон.

—Против чего вы бастовали? Против низкой зарплаты?

—В том числе. И еще против сокращений.

—Вы хотите меньше сокращений и больше денег?

—Совершенно верно.

—Думаете, государство способно это обеспечить?

—Конечно,— кивнула Робин.— Если меньше тратить на оборону…

—У нашей компании несколько оборонных контрактов,— сказал Уилкокс.—Мы делаем коробки передач для танков и обшивку для авианосцев. Если эти контракты прикроют, мне придется увольнять людей. Ваше сокращение превратится в наше.

—Но можно же выпускать что-нибудь другое,— возразила Робин.—Что-нибудь мирное.

—Что, например?

—Я не знаю, что вы можете,— раздраженно ответила Робин.—Это не мое дело.

—Не ваше. Но мое,— сказал Уилкокс.

В этот момент вошла секретарша с двумя чашками кофе. В гнетущей тишине она поставила их на стол, с интересом поглядывая то на Робин, то на Вика. Когда она вышла, Уилкокс продолжил разговор.

—Кому вы хотите навредить?

—Навредить?

—Любая забастовка имеет целью кому-нибудь навредить. Работодателям, обществу. Иначе она бессмысленна.

Робин чуть не сказала «правительству», но вовремя угляде-ла ловушку. Уилкокс тут же справедливо возразит, что правительству их забастовка безразлична. Обществу она тоже не навредит, об этом уже говорил Филипп Лоу. Студенческий союз поддержал забастовку, потому что его члены только порадуются лишнему неучебному дню. Остается Университет. Но Университет не повинен в сокращениях и снижении зарплат. С быстротой компьютера Робин перечислила в уме всех кандидатов на роль мишени и поочередно отмела их.

—Это была однодневная забастовка,—наконец ответила она.—Даже скорее демонстрация. Нас поддержали и другие профсоюзы. А некоторые водители грузовиков отказались пересекать линию пикетов.

—Что они сделали? Привезли гуманитарную помощь?

—Да.

—На следующий день или через неделю?

—Наверное, не сразу.

—А кто все это оплатил? Я скажу вам,—продолжил Уилкокс, не дождавшись ответа.—Ваш же Университет, которому, по вашим словам, не хватает средств. А теперь их стало и того меньше.

—Они сократили нам зарплаты,—возразила Робин,—и могли заплатить из этих денег.

Уилкокс что-то проворчал, давая понять, что это спорный вопрос, из чего Робин сделала вывод: по натуре он зануда, и лучше с ним не спорить. Она посчитала лишним рассказывать Уилкоксу о том, как администрацию Университета обязали заранее опросить сотрудников, собираются ли они участвовать в забастовке, и предоставить эту информацию в соответствующую инстанцию (поскольку иначе ее было не получить), чтобы можно было урезать зарплаты. По слухам, тех, кто ответил утвердительно, было гораздо меньше, чем участвовавших в забастовке.

—У вас тут часто бастуют?—спросила Робин, пытаясь сменить тему разговора.

—Теперь нет,—ответил Уилкокс.—Рабочие знают, откуда на их хлебе берется масло. Они смотрят по сторонам и видят заводы, закрытые в последние несколько лет. Они знают, сколько кругом безработных.

—Вы хотите сказать, что они боятся бастовать?

—А зачем?

— Ну, не знаю… Но если им захочется? Например, чтобы подняли зарплату.

— В нашей отрасли очень сильна конкуренция. Из-за забастовки мы погрязли в долгах. Руководство отделения может попросту нас закрыть. Люди об этом знают.

— Отделения?

— Отделения инженерного и литейного дела «Мидланд Амальгамейтед». Мы принадлежим этой компании.

— А я думала, что владельцы — Прингл и сыновья.

Уилкокс рассмеялся грубоватым лающим смехом.

— Что вы, семейство Прингл давно уже вышло из дела. Они заработали свои денежки и самоустранились, когда все еще шло отлично. После этого компанию дважды перепродавали. — Он снял с полки картонную папку и передал ее Робин. — Здесь диаграммы, показывающие нашу долю в корпорации, и схема управленческих структур компании. Вы разбираетесь в производстве?

— Совершенно не разбираюсь. Разве не в этом главная цель?

— Цель чего?

— Программы Теневых Резервов.

— Разрази меня гром, если я понимаю, в чем ее цель, — злобно буркнул Уилкокс. — По-моему, это просто рекламный трюк. Вы ведь преподаете английскую литературу, не так ли?

— Да.

— Что именно? Шекспира? Поэзию?

— Ну, я читаю первокурсникам лекции по…

— В средней школе мы сдавали «Юлия Цезаря», — перебил Уилкокс. — Учили наизусть огромные куски. Я его ненавидел. Преподавал нам надутый южанин, который все время подъё… издевался над нашим акцентом.

— Я занимаюсь романом девятнадцатого века, — пояснила Робин. — И женской темой.

— Женской темой? — переспросил Уилкокс с явным неодобрением. — Это еще что такое?

— Женская проза. Изображение женщины в литературе. Феминистская критика.

Уилкокс засопел.

— И за это дают ученые степени?

— Я читаю не всему курсу,— неохотно уточнила Робин.— У меня факультатив.

— По-моему, слишком примитивный,— сказал Уилкокс.— Впрочем, для девушек сойдет.

— У меня есть и юноши,— возразила Робин.— Кстати, текстовый материал очень трудный.

— Юноши? — Уилкокс презрительно скривился.— В смысле педерасты?

— Нет, совершенно нормальные, приличные и интеллигентные молодые люди,— ответила Робин, стараясь справиться с раздражением.

— Тогда почему они не изучают что-нибудь полезное?

— К примеру, инженерное дело?

— Это сказали вы, а не я.

— Вы действительно хотите, чтобы я вам объяснила? — спросила Робин и вздохнула.

— Ну, если вы хотите сами.

— Потому что их больше интересуют мысли и чувства, чем то, как работают машины.

— И каков же доход от мыслей и чувств?

— А разве деньги — это единственный критерий?

— Если есть лучше, то он мне неизвестен.

— Как насчет счастья?

— Счастья? — растерянно повторил Уилкокс. Впервые за время разговора он был сбит с толку.

— Да, счастья. Мне мало платят, но я счастлива своей работой. Или буду счастлива, если мне удастся ее получить.

— А в чем проблема?

Робин объяснила, в каком она оказалась положении, и Уилкокс был куда больше потрясен защищенностью ее коллег, чем ее собственной беззащитностью.

— Вы хотите сказать, что их работа закреплена за ними пожизненно? — не поверил он.

— Ну да. Но в будущем правительство намерено отменить постоянные штатные должности.

— Вот и правильно.

— Но это же жизненно важно! — возмутилась Робин. — Это единственная гарантия свободы научной мысли. И именно это было одной из причин нашей забастовки на прошлой неделе.

— Погодите-ка, — перебил Уилкокс. — *Вы* выступали в поддержку пожизненных должностей других преподавателей?

— В том числе, — кивнула Робин.

— Но ведь если их нельзя уволить, там никогда не найдется места для вас, будь вы хоть в сто раз лучше.

Эта мысль уже приходила в голову Робин, но она отгоняла ее как непорядочную.

— Это принципиальный вопрос, — сказала Робин. — К тому же, если бы не сокращения, у меня уже была бы постоянная работа. Мы бы набирали больше студентов, а не меньше.

— Вы думаете, университетам следует беспредельно расширяться?

— Не беспредельно, но...

— Настолько, чтобы вместить в себя всех желающих заниматься женской темой?

— Если вам угодно, можете считать именно так, — ощетинилась Робин.

— А кто платить будет?

— Вы все сводите к деньгам.

— Именно этому и учишься, занимаясь бизнесом. Кто это сказал: не бывает бесплатного сыра?

— Не знаю, — пожала плечами Робин. — Какой-нибудь экономист правого толка, я полагаю.

— Кто бы он ни был, с головой у него все в порядке. Где-то я это вычитал: не бывает бесплатного сыра. — И он снова лающе засмеялся. — Кому-нибудь обязательно приходится платить по счетам. — Он взглянул на часы. — Что ж, пожалуй, пора показать вам мои владения. Подождите меня пару минут, хорошо? — Он встал, снял пиджак со спинки стула и просунул руки в рукава.

— Разве я не должна повсюду вас сопровождать? — спросила Робин, вставая.

— Не думаю, что вы сможете пойти со мной туда, куда я собрался, — возразил Уилкокс.

— Ох, — спохватилась Робин и покраснела, но быстро собралась с мыслями. — Не могли бы вы показать мне дорогу в дамскую комнату?

— Я попрошу Ширли проводить вас, — ответил Уилкокс. — Встретимся здесь через пять минут.

Боже милостивый! Не просто лектор по английской литературе, даже не лекторша по английской литературе, а продвинутая лекторша-феминистка с левыми взглядами! Вик Уилкокс сбежал в директорский туалет и укрылся в нем, как в убежище. Это была большая, сырая и промозглая комната, в лучшие времена щедро оборудованная мраморными раковинами с медными смесителями, но уже давно требовавшая капитального ремонта. Уилкокс стоял возле писсуара и остервенело писал на белую керамическую стенку с разводами от текущей с труб ржавой воды. Что, черт возьми, он будет делать с этой бабой каждую среду на протяжении двух месяцев? Стюарт Бакстер, должно быть, совсем рехнулся, если прислал ее. Или это заговор?

Странно. Очень странно и подозрительно, что он видел ее раньше — на прошлой неделе, возле Университета. Ее волосы, полыхавшие в утреннем тумане, как языки пламени, ее сапоги и кремовая куртка со спущенными плечиками попались Вику на глаза, когда он стоял в пробке, пока пикетчики спорили с водителем грузовика, который пытался въехать на территорию Университета. Она стояла на тротуаре, держала какой-то глупый лозунг — «Сокращение образования — это не шутки» или что-то в этом роде — и весело болтала с толстозадой теткой в алом лыжном костюме и розовых ботинках. Помнится, Вик еще подумал: все-таки случилась забастовка. Те две женщины, и особенно рыжая, олицетворяли собой все то, за что он ненавидел подобные выступления: политические действия рабочего класса в стиле среднего класса. И вот теперь он целых две месяца не сможет от нее отделаться.

На кафельном полу посреди уборной стоял столик с мраморной крышкой, на котором были разложены одежные щетки и мужская парфюмерия. За все время работы в «Принглс» Вик ни разу не видел, чтобы ими кто-нибудь пользовался. От злости и разочарования он схватил длинную щетку и со всей силы ударил ею по столу. Щетка сломалась.

— Черт! — выругался Вик.

Словно в ответ на стук в одной из кабинок зажурчала вода, дверь распахнулась, и на пороге возник Джордж Прендергаст, директор по персоналу. Нельзя сказать, чтобы это стало полной неожиданностью, ибо Прендергаст страдал кишечным расстройством и частенько наведывался в директорский туалет. Но Вик думал, что он здесь один, и со стороны выглядел довольно глупо с обломком щетки в руке. Чтобы спасти положение, он взял другую щетку и принялся чистить рукава и лацканы пиджака.

— Чистите перышки перед встречей с собственной тенью, Вик? — состроил Прендергаст. — Я слышал, она вполне… э-э… что она… — он запнулся, увидев выражение лица Уилкокса, и изумленно смотрел на него сквозь толстые стекла очков. Прендергаст был моложе всех в дирекции и испытывал перед Виком благоговейный страх.

— Вы ее видели? — спросил Уилкокс.

— Нет, не видел, но Брайан Эверторп говорит…

— Наплевать на то, что говорит Эверторп. Его интересует только размер бюста. Она феминистка. Не удивлюсь, если еще и грёбаная коммунистка. У нее значок демократической партии. Что мне, Христа ради, теперь… — И тут его осенило. — Джордж, можно мне воспользоваться вашим телефоном?

— Конечно. А ваш что, сломался?

— Нет, но мне нужно поговорить без свидетелей. Дайте мне пару минут, ладно? Можете пока тут почиститься. — Он сунул одежную щетку в руку обалдевшего Прендергаста, похлопал его по плечу и зашагал в кабинет директора по персоналу окружным путем, чтобы не проходить мимо своего кабинета.

— Мистер Прендергаст только что вышел,— сказала секретарша.

— Я знаю,— бросил Вик, прошел мимо нее и закрыл за собой дверь. Потом сел за стол и набрал личный номер Стюарта Бакстера. К счастью, тот оказался на месте.

— Стюарт, это Вик Уилкокс. Моя тень уже приехала.

— Правда? Ну, и как он?

— Она, Стюарт. Она. Разве ты не знал?

— Клянусь Богом,— ответил Бакстер, вдоволь насмеявшись.— Ни сном ни духом. Ну да, «Робин» через «и». Хорошенькая?

— Такое впечатление, что всех интересует только это. Мои менеджеры ходят кругами, как жиголо, а секретарши изнывают от ревности.— Это было явное преувеличение, но Вик хотел подчеркнуть разрушительные последствия появления Робин.— Бог знает, что может случиться, когда я поведу ее по цехам,— добавил он.

— Стало быть, и правда хорошенькая.

— Может, для кого-то и хорошенькая. Но гораздо важнее то, что она коммунистка.

— Что?! Откуда ты знаешь?

— Ну, во всяком случае, она левая. Сам знаешь, каковы они, эти университетские, с их изящными искусствами. Она член партии демократов.

— Но это же не преступление, Вик.

— Да, но у нас контракты с Минобороны. Она опасна с точки зрения секретности.

— Гм…— задумался Стюарт Бакстер.— Мы ведь не производим секретное оружие, Вик. Ну, обшивка для авианосцев. Ну, коробки передач для танков… Кого-нибудь из твоих людей досматривают? Ты давал подписку о неразглашении?

— Нет,— признал Вик.— Но лучше перестраховаться сейчас, чем рыдать потом. Думаю, тебе лучше исключить ее из этого резерва.

Бакстер подумал минуту-другую и сказал:

— Не могу, Вик. Представляешь, какой поднимется шум, если окажется, что мы саботируем проект Года Промышленности просто потому, что эта птичка — член демократической партии? Так и вижу заголовки в газетах: «Раммиджская фирма захлопнула дверь перед носом красной Робин». Если застукаешь ее на краже чертежей, дай мне знать. Тогда я смогу что-нибудь предпринять.

— Премного благодарен,— буркнул Вик.— Ты мне очень помог.

— Почему ты так злишься, Вик? Расслабься, наслаждайся женским обществом. Вот бы мне так повезло,— Стюарт Бакстер хихикнул и положил трубку.

3

— Ну и каковы ваши впечатления? — спрашивал Вик Уилкокс примерно час спустя, когда они вернулись в кабинет после экскурсии, которую он окрестил «галопом по цехам».

— По-моему, это ужасно,— ответила Робин, опускаясь на стул.

— Ужасно? — нахмурился Вик.— Что ужасно?

— Шум. Грязь. Тупая монотонная работа… И все остальное. Люди не должны трудиться в таких зверских условиях…

— Подождите-ка…

— Особенно женщины. Я видела там женщин, так ведь? — Робин смутно припоминала каких-то темнолицых существ, фигурой похожих на женщин, но совершенно бесполых из-за бурых засаленных хламид и штанов. В некоторых цехах они работали бок о бок с мужчинами.

— Да, у нас есть несколько женщин. А разве вы не сторонница равноправия?

— Только не равноправия в угнетении.

— Угнетении? — Вик грубо, издевательски рассмеялся.— Видите ли, мы не принуждаем людей работать у нас. Про каждое место, не требующее квалификации, мы даем объявление и получаем сотню предложений. Даже больше сотни. Эти женщины работают здесь с радостью. Не верите—спросите у них.

Робин молчала. Она была потрясена, смущена и раздавлена впечатлениями последнего часа. Впервые в жизни она не находила слов и сомневалась в обоснованности своих возражений. Она всегда считала аксиомой, что безработица—зло, оружие кабинета Тэтчер против рабочего класса. Но если то, что она увидела,—это отсутствие безработицы, наверно, лучше бы его не было.

— Но шум,—повторила Робин.—И грязь.

— Литейные цеха—очень грязное место. А металл—шумный материал. Что вы ожидали увидеть?

А *что* она ожидала увидеть? Уж конечно не заводской ад первых лет Промышленной Революции. Представление Робин о современном заводе сложилось под влиянием коммерческих и документальных телепрограмм—искусно смонтированных сюжетов про выкрашенные в разные цвета станки, тихо и гладко бегущие конвейеры, на которых под музыку Моцарта работают свежие и бодрые операторы в чистых костюмах. В «Принглс» все оказалось бесцветным, одежда грязной, а вместо Моцарта—оглушающая сатанинская какофония, которая не смолкала ни на минуту. К тому же Робин не понимала, что происходит. Она не увидела в заводской суете ни логики, ни цели. Отдельные люди и группы людей трудились над выполнением разных заданий без всякой видимой связи друг с другом. По всему заводу прямо на полу были навалены какие-то детали, как старый хлам на чердаке. Все это напоминало место, где производятся не вещи, необходимые для внешнего мира, но страдания его обитателей. То, что Уилкокс назвал механическим цехом, было похоже на тюрьму, а литейный цех—на преисподнюю.

— У нашего производства две основных составляющих,— объяснял Уилкокс, ведя Робин из административного корпуса через невзрачный закрытый двор, где на снегу уже была протоптана дорожка к высокой стене из рифленого железа, без единого окна.—Это работа литейного и механического цехов. Кроме того, мы выполняем сборку небольших двигателей. Я как раз пытаюсь наладить это дело. Но в первую очередь мы инженерная фирма, поставляющая детали, в основном для автомобильной промышленности. Что-то отливаем в своем литейном, что-то покупаем и подвергаем механической обработке. В семидесятые годы литейный цех был частично законсервирован, и «Принглс» стала пользоваться услугами сторонних поставщиков. Я хочу сделать наш литейный более продуктивным. Иными словами, литейный цех приносит нам расходы, а инженерные разработки — доходы. Но если все наладится, со временем мы сможем продавать наше литье и сделаем его статьей дохода. На самом деле именно так и будет, потому что продуктивно работающий литейный цех станет выдавать больше продукции, чем мы сможем потребить сами.

— А что такое литейный цех? — спросила Робин, когда они подошли к маленькой деревянной дверце в железной стене. Уилкокс так и застыл, схватившись за ручку двери и недоверчиво глядя на Робин.

— Я же вам говорю, что ничего не знаю о…—Робин чуть не сказала «о промышленности», но поняла, что из уст специалиста по рабочему роману это прозвучит более чем странно,— …о таких вещах,—закончила она.—Полагаю, *вам* мало что известно о литературной критике, не так ли?

Уилкокс фыркнул и распахнул перед Робин дверь.

— Литейный цех—это место, где железо или другой металл плавят, а потом разливают в формы для получения литья. После чего в механическом цехе его прокатывают, шлифуют и высверливают в нем дырки, чтобы заготовки можно было использовать для сборки более сложной продукции. Например, двигателей. Вы меня слышите?

— Кажется, да,—сдержанно ответила Робин. Они шли по широкому коридору между офисами со стеклянными перегородками. Там горели лампы дневного света и люди с землистого цвета лицами, сняв пиджаки, либо смотрели на экраны компьютеров, либо заполняли какие-то бумаги.

— Это отдел технического контроля, — объяснил Уилкокс. — Думаю, бессмысленно объяснять вам прямо сейчас, чем они занимаются.

Кое-кто из сотрудников смотрел на них, когда они проходили мимо, кивал Уилкоксу и с интересом разглядывал Робин. Некоторые улыбались.

— Начинать нужно, конечно, с литейного, — говорил Уилкокс, — потому что это первая стадия производственного процесса. Но кратчайший путь туда, особенно в такую погоду, лежит через механический цех. Так что вы увидите все в обратном порядке.

Он распахнул еще одну вертящуюся дверь и пропустил Робин вперед. И ее, словно ушатом воды, окатило грохотом.

Механический цех был огромных размеров, повсюду стояли станки и верстаки. Уилкокс провел Робин в самую середину, иногда ненадолго заглядывая то налево, то направо, чтобы показать какую-нибудь важную операцию. Очень скоро Робин оставила попытки следить за его объяснениями. Впрочем, она их почти не слышала из-за оглушающего грохота. Лишь иногда до нее долетали какие-то непонятные слова: допустимое отклонение, крестовое сверление, станок с ЧПУ, коэффициент округления. Станки были уродливые, грязные и на вид невообразимо древние. Рабочие в основном выполняли одну и ту же операцию: брали из ящика кусок металла, швыряли его в станок, опускали предохранительную сетку и нажимали на рычаг. Потом поднимали сетку, вынимали железку (которая теперь выглядела несколько иначе) и кидали ее в другой ящик. Причем делали это настолько шумно, насколько это возможно.

— Они делают это целый день? — проорала Робин после того, как они несколько минут наблюдали за одним из рабочих. Уилкокс кивнул. — Но это же страшно нудная работа. Неужели ее нельзя автоматизировать?

Уилкокс отвел ее туда, где было чуть потише.

— Если городские власти оплатят нам покупку новых станков — да, можно. И если мы сократим количество операций, потому что при теперешнем их числе автоматизация бессмысленна.

— А разве вы не можете время от времени переводить людей на другую работу? — спросила Робин, вдруг почувствовав странный азарт. — Менять их местами через несколько часов, чтобы вносить разнообразие в работу?

— Как в игре «Займи стул»? — криво улыбнулся Уилкокс.

— Но ведь это так ужасно — стоять тут час за часом и каждый день делать одно и то же.

— Такова работа на заводе. Людям это удобно.

— Трудно поверить.

— Им не нравится, когда их переводят на новое место. Начинаешь двигать людей, а они начинают жаловаться или требовать повышения разряда. Не говоря уже о том, что на это тратится время.

— И опять все упирается в деньги.

— А в них вообще упирается решительно все. Так подсказывает мне мой опыт.

— И неважно, чего хотят люди?

— Говорю вам, им так удобнее. Они отключаются, работают на автопилоте. Если бы они были достаточно умны, чтобы заскучать, они бы не занимались такой работой. А если вы хотите посмотреть на автоматизированный процесс, пойдемте со мной.

Он широко зашагал по проходу. Рабочие в синих спецовках реагировали на него, как пескари на появление крупной рыбины. Они не поднимали головы и не смотрели Вику в глаза, но по цеху пробежал едва заметный трепет, движения людей стали более аккуратными и четкими. А если Уилкокс останавливался, чтобы поинтересоваться содержимым ящика с надписью «Отходы» или выяснить, почему не работает станок, рабочие бросались к нему с подобострастными улыбками на лицах. Уилкокс и не думал представлять им Робин, хотя та была уверена, что именно она сейчас вызывает наибольший интерес.

Она повсюду натыкалась на косые взгляды и лукавые улыбки и замечала, что рабочие перешептываются друг с другом. Не нужно быть семи пядей во лбу, чтобы угадать, о чем они говорят: повсюду на стенах и перегородках висели страницы из сдержанно-порнографических журналов с фотографиями губастых голых девиц с огромными грудями и выпяченными ягодицами.

— Неужели нельзя снять эти картинки? — спросила Робин.

— Какие картинки? — Он огляделся по сторонам, явно не понимая вопроса.

— Всю эту порнографию.

— Ах, это… Ко всему привыкаешь. Через некоторое время их перестаешь замечать.

И тут Робин поняла, что самое неприятное и унизительное в этих картинках — вовсе не женская нагота или пикантные позы, а то, что никто, кроме нее самой, на них не смотрит. Они вызывали интерес лишь однажды: кто-то потрудился вырезать их из журналов и прицепить на стену. Но через день-два или через пару недель они перестали волновать, приелись и теперь, выцветшие и заляпанные машинным маслом, стали почти неотличимы от грязи и мусора, заполонивших завод. Фотомодели напрасно принесли в жертву свою скромность.

— Вот, смотрите,— окликнул Уилкокс,— наш единственный станок с ЧПУ.

— С чем?

— С числовым программным управлением. Видите, как быстро он меняет инструменты?

Робин заглянула в окошечко из плексигласа и увидела, как нервно и суетливо движутся детали, смазанные какой-то жидкостью, похожей на кофе с молоком.

— А что он делает?

— Обрабатывает цилиндрические головки. Правда, красиво?

— Я бы выбрала какое-нибудь другое слово.

Глазам Робин открылось жуткое, почти непристойное зрелище: необузданные, яростные движения станка. Все это напоминало стальную рептилию, которая то ли пожирает жертву, то ли спаривается с инертным партнером.

— Настанет день,— вещал Уилкокс,— когда на заводах в кромешной темноте будут работать только такие станки.

— А почему в темноте?

— Машины не нуждаются в освещении. Создав полностью автоматизированный завод, можно отключить свет, запереть двери, и пусть он в темноте производит двигатели, пылесосы или еще что-нибудь. Двадцать четыре часа в сутки.

— Какая жуткая картина!

— Это уже сделали в Америке. И в Скандинавских странах.

— А как же исполнительный директор? Его тоже заменит компьютер, работающий в кромешной темноте?

— Нет, компьютер не умеет думать. Для того чтобы решить, что и как производить, всегда необходим хотя бы один человек. Но этих видов работ,— он обвел взглядом ряды верстаков,— уже не будет. То, что сейчас делает один такой станок, в прошлом году делали двенадцать человек.

— О дивный новый мир,— сказала Робин,— в котором работа найдется только для исполнительных директоров.

На сей раз Уилкокс уловил иронию.

— Я не люблю увольнять людей,— сказал он,— но тут мы оказываемся в тупике. Если не модернизировать процесс, мы проиграем конкурентную борьбу и придется увольнять сотрудников. А если модернизировать, все равно не избежать увольнений, потому что люди станут не нужны.

— Значит, нужно платить побольше, чтобы они смогли заполнить творчеством свой вынужденный досуг,— предложила Робин.

— Вроде женской прозы?

— В том числе.

— Мужчины любят работать. Смешно, но это так. Они могут жаловаться каждый понедельник, мечтать о сокращении рабочего дня и продлении выходных, но для самоуважения им необходимо трудиться.

— Дело привычки. Можно привыкнуть и не работать.

—А *вы* смогли бы? Я думал, вы любите свою работу.

—Это другое дело.

—Почему?

—У меня приятная работа. Она полна смысла, за нее следует вознаграждение. Я сейчас говорю не о деньгах. Моей работой стоит заниматься, даже если за нее вообще не будут платить. Да и условия у меня нормальные, не как здесь,—и Робин обвела рукой цех, давая понять, что имеет в виду и спертый воздух, и грохот станков, и лязг металла, и визг железных тележек, и омерзительную уродливость всего вокруг.

—Эти условия кажутся вам ужасными, потому что вы еще не были в литейном,—зловеще усмехнулся Уилкокс и снова двинулся вперед, проворно, как терьер.

Даже это предупреждение не уберегло Робин от шока, который она испытала в литейном цехе. Они пересекли еще один двор, где было свалено непригодное оборудование, ржавеющее под снегом, и вошли в большое здание с высокой сводчатой крышей. Все здесь тонуло в таком адском шуме, какого Робин еще не доводилось слышать. Ее первым инстинктивным порывом было заткнуть уши, но вскоре она поняла, что тише не станет, и опустила руки. Пол в цехе был покрыт чем-то черным, похожим на сажу, но под сапогами поскрипывало, как если бы Робин шла по песку. Воняло серой и смолой, а с потолка на голову падали хлопья черной пыли. В открытых заслонках печей полыхало красное пламя, а в дальнем углу с потолка на пол тянулся кривой желоб, по которому текла расплавленная лава. В крыше было полным-полно дыр, через которые в цех залетал снег, он таял и превращался в грязные лужицы. Это было помещение с резкими перепадами температур: вас обдавало то морозным воздухом из пролома в стене, то жаром из печи. И повсюду—неописуемая грязь, пыль и хаос: на каждом шагу валялась бракованная продукция, сломанные инструменты, пустые канистры, старые деревянные и железные обломки. Такое впечатление, будто здесь наскоро осваивали новую технику, не успев убрать старую. И совершенно не верилось, что из всего этого может получиться что-то аккуратное, новое и полезное. Робин припомнила средневековые гравюры с изображением ада, хотя трудно было сказать, на кого больше похожи рабочие — на чертей или на проклятых. Она заметила, что это в основном выходцы из Азии и стран Карибского бассейна, а в механическом цехе почти все рабочие были европейцами.

По железной винтовой лестнице Уилкокс провел Робин в заводскую контору, где познакомил с директором завода Томом Ригби. Тот окинул ее взглядом с головы до ног и тут же перестал замечать. Молодой заместитель Ригби отнесся к ней с бо́льшим интересом, но вскоре увлекся обсуждением графиков производства. Робин осмотрелась. Никогда раньше ей не доводилось видеть такую жалкую и неухоженную комнату. Мебель была грязная, поломанная и разномастная. Линолеум на полу поцарапанный и рваный, окна такие грязные, что почти не пропускали света, а стены, видимо, ни разу не перекрашивали с тех пор, как здание было построено. Яркие лампы безжалостно освещали всю эту неопрятность и нищету. Единственным ярким пятном в грязно-желтой обстановке была непременная картинка на стене, прилепленная над столом молодого заместителя директора: прошлогодний календарь, пролистанный до декабрьской странички, с фотографией полуобнаженной девицы в меховых сапожках и в отделанном горностаем бикини. Кроме этой красотки единственной вещью в комнате, не относящейся к доисторической эпохе, был компьютер, над которым и склонились трое мужчин, ведущих серьезный разговор.

Заскучавшая Робин вышла на лестничную площадку и посмотрела вниз, на заводской цех. Перед ней открылась картина, достойная дантовского «Ада». Повсюду — только шум, дым, смрад и пламя. Люди в спецовках, масках с защитными очками, шлемах или касках медленно перемещались в серо-желтой дымке или стояли, склонившись над станками и верстаками, делая свою загадочную работу.

— Вот, возьмите. Том говорит, что лучше бы вы это надели.

Рядом с Робин стоял Уилкокс и протягивал ей защитный шлем из синей пластмассы с темными очками.

— А вы? — спросила Робин, надевая шлем. Вик пожал плечами. Он никогда не носил даже халат поверх костюма. Вероятно, из мужской гордости. Начальник должен казаться неуязвимым.

— Посетителям положено,— объяснил Том Ригби.— Мы вроде как за них отвечаем.

Где-то истошно завопила сирена, и Робин аж подпрыгнула.

— Это КВ,— усмехнулся Ригби.— Они опять ее включили.

— А что с ней было? — поинтересовался Уилкокс.

— Наверно, что-то с клапаном. Надо бы ее показать,— Ригби кивнул головой в сторону Робин.— КВ стоит посмотреть, когда она поет.

— Что такое КВ? — спросила Робин.

— Автоматизированная формовочная линия «Канкель Вагнер»,— объяснил Уилкокс.

— Радость и гордость нашего шефа,— продолжил Ригби.— Только несколько недель как введена в строй. Надо бы показать,— снова предложил он, обращаясь к Уилкоксу.

— Всему свое время,— ответил тот.— Сначала модельный цех.

Модельный цех оказался приютом относительного спокойствия и тишины, напоминающим надомное производство. Здесь плотники выдалбливали деревянные формы для последующей отливки деталей. Потом Робин показали людей, вручную отливавших детали из песка, и станки, похожие на гигантские вафельницы. Именно здесь она увидела женщин, работавших наравне с мужчинами. Они вынимали из станков тяжелые формы и перекладывали их на тележки. Робин, ничего не понимая, слушала технические пояснения Уилкокса по поводу каких-то полуформ и крышек, формовочных стержней и закрытого литья.

— А теперь мы полюбуемся на вагранку! — прокричал Вик.— Смотрите под ноги!

Вагранка оказалась чем-то вроде громадного котла, возвышавшегося в углу здания — там Робин еще раньше заметила текущий вниз поток вулканической лавы.

— Ее постоянно наполняют слоями кокса и металла — лома черных металлов и чушками чугуна, — а еще известняком, и разжигают при помощи воздуха, насыщенного кислородом. Металл плавится, вбирает в себя необходимое количество углерода из кокса и вытекает через лётку в нижней части вагранки.

И он повел Робин вверх по еще одной железной винтовой лестнице со стертыми и прогнувшимися ступеньками, все выше и выше, пока они наконец не присели на корточки у самого истока металлической реки. Раскаленный поток стекал вниз по открытому желобу в каких-нибудь двух футах от носков сапог Робин. Здесь было темно и жарко, как в обиталище демонов. Два сидящих на корточках сикха, смотревших на нее блестящими глазами и обнаживших в улыбке белоснежные зубы, зачем-то тыкали в раскаленный металл стальными прутами и были похожи на демонов со старинной гравюры.

Все было так странно, так непохоже на привычную для Робин обстановку, что дискомфорт и опасность даже несколько возбуждали. Вероятно, подумала Робин, именно так чувствует себя исследователь, попавший в далекую варварскую страну. А еще она думала о том, чем занимаются в это утро ее коллеги и студенты: сидя в аудиториях с коврами и центральным отоплением, они со всей серьезностью обсуждают поэзию Джона Донна, романы Джейн Остен или природу модернизма. Она подумала и о Чарльзе, который сейчас в Саффолкском университете и, вероятно, читает лекцию по пейзажной лирике эпохи романтизма, сопровождая ее показом слайдов. А Пенни Блэк, наверное, вводит в компьютерную базу новые статистические данные по избиению жен мужьями в центральных графствах Великобритании. Мама Робин, скорее всего, устраивает благотворительный завтрак с питьем кофе на своей веранде с видом на море. Интересно, что подумал бы каждый из них, увидев ее здесь?

— Вас что-то развеселило? — проорал Уилкокс ей в ухо, и Робин поняла, что во весь рот улыбается собственным мыслям. Она сделала серьезное лицо и покачала головой. Уилкокс посмотрел на нее с подозрением и продолжил экскурсию.

— Жидкий металл поступает вон в ту нижнюю печь. Температура в ней регулируется при помощи электричества, поэтому мы используем только то, что нам необходимо. До того, как я распорядился ее смонтировать, приходилось использовать всю порцию жидкого металла, в противном случае он становился непригоден.— Уилкокс резко поднялся и без всякого предупреждения или предложения помощи начал быстро спускаться по лестнице в цех. Робин изо всех сил старалась не отставать, высокие каблуки ее сапог скользили на ступеньках, отполированных подошвами многих поколений рабочих. Уилкокс с нетерпением ждал ее внизу.— Теперь можно взглянуть на КВ,— объявил он, снова отправляясь в путь.— Лучше поторопиться, чтобы успеть до обеденного перерыва.

— Мне показалось, что тот мужчина в офисе, мистер Ригби, говорил, будто это новый станок,— сказала Робин, когда они уже стояли перед огромным агрегатом.— Но он вовсе не выглядит новым.

— А он и не новый,— ответил Уилкокс.— Я не могу позволить себе покупать подобные машины совершенно новыми. Мы приобрели КВ подержанным у одного предприятия в Сандерленде, которое в прошлом году закрылось. По дешевке.

— А что он делает?

— Формы для цилиндрических блоков.

— Он гораздо тише остальных станков,— заметила Робин.

— В данный момент он выключен,— с нескрываемым сожалением сказал Уилкокс.— В чем дело?—обратился он к рабочему в синем комбинезоне, стоявшему возле станка, спиной к ним обоим.

— Заело эту блядскую собачку,— не оборачиваясь ответил тот.— Слесарь уже чинит.

— Выбирай выражения,— сказал Уилкокс.— Здесь дама.

Рабочий обернулся и удивленно уставился на Робин.

— Не хотел вас обидеть,— пробормотал он.

Снова пронзительно завопила сирена.

— Отлично. Пошли,— скомандовал Уилкокс.

Рабочий подергал какие-то рычаги и рукоятки, закрыл решетку, отошел на шаг назад и нажал кнопку на панели. Огромный стальной механизм вздрогнул и ожил. Что-то задвигалось, завертелось, ужасающе задребезжало, как гигантское сверло. Робин заткнула уши. Уилкокс показал движением головы, что они уходят, и повел гостью вверх по ступенькам на стальную галерею, откуда, по его словам, можно посмотреть на весь процесс с высоты птичьего полета. Они прошли мимо яруса, на котором стояли несколько рабочих. От станка, издававшего сверлящий звук, сюда по конвейеру подавались ящики с формами из черного песка (хотя Уилкокс называл его то зеленым, то глауконитовым). Люди опускали формы в ящики, потом эти ящики переворачивали и складывали рядом с такими же, в которых лежали другие формы (нижняя часть форм называлась «полуформой», верхняя — «крышкой», и Робин отметила про себя, что этот жаргон ей нужно освоить). Потом формы везли по рельсам на отливку. Двое мужчин управляли огромными ковшами при помощи электрических кабелей, которые они держали в одной руке. Другая рука лежала на металлическом колесе, прикрепленном к ковшу. Они вертели его, ковш наклонялся, и расплавленный металл выливался в формы. Эти двое работали по очереди, как в замедленной съемке, словно астронавты или водолазы. Робин не видела их лиц, скрытых масками и защитными очками. Причина такой экипировки была ясна: когда расплавленный металл выливался из ковша, в воздух взлетали раскаленные искры.

— Они делают это весь день? — поинтересовалась Робин.

— Весь день. И ежедневно.

— Им должно быть ужасно жарко.

— Зимой это неплохо. А вот летом… Температура здесь иногда достигает пятидесяти градусов.

— Но они ведь могут отказаться работать в таких условиях?

— Могут. В офисах начинают ныть, если температура поднимается выше тридцати пяти. Но эти двое — настоящие мужчины, — очень торжественно произнес Уилкокс. — Здесь рельсы поворачивают под прямым углом, — продолжил он, указывая рукой,—и литье попадает в охладительный тоннель. В конце этого тоннеля оно все еще горячее, но уже твердое. Песок счищается с него при помощи выбивателя.

Эту штуку очень метко назвали выбивателем. Робин была ошеломлена. Он показался ей этаким анальным отверстием завода: черный тоннель исторгал из себя литье, еще покрытое черным песком, и оно тут же попадало на яростно вибрирующую металлическую сетку, где с деталей стряхивался весь песок. Исполинского роста индус с черным и блестящим от пота лицом стоял посреди этой пыли, жара и грохота, широко расставив ноги, стальным шестом стаскивал тяжелое литье с сетки и крюками закреплял его на конвейерной ленте, после чего детали уезжали прочь, чтобы подвергнуться следующему этапу процесса охлаждения.

Ничего более ужасного Робин никогда не видела. При мысли об этом она вспомнила про изначальный смысл слова «ужасный»: наводящий ужас, вызывающий трепет. Робин представила себя на месте человека, который ворочает тяжеленные куски металла в жаре, грязи и вони, оглушенный нестерпимым грохотом вибрирующей сетки, и так час за часом, день за днем… Все это казалось особенно унизительным потому, что лицо у рабочего было черным. От такого мощного символизма у Робин заколотилось сердце. Он же самый что ни на есть благородный дикарь, закованный в цепи негр, пример угнетаемого человека, квинтэссенция образа жертвы капиталистической промышленной системы! Робин чуть не бросилась к нему, чтобы пожать его мужественную руку в знак симпатии и солидарности.

—У вас в литейном цехе гораздо больше азиатов и карибов, чем в других цехах,—сказала Робин, когда они вернулись в тихий и сравнительно уютный кабинет Уилкокса.

—Работа в литейном грязная и тяжелая.

—Это я заметила.

—Азиаты и кое-кто из карибов готовы ее выполнять. А местные уже не хотят. Но я не жалуюсь. Они отличные работники, особенно азиаты. Том Ригби говорит, что когда они работают на совесть, это сродни поэзии. Но обращаться с ними нужно бережно. Они всегда держатся вместе. Уйдет один — уволятся и остальные.

— Ваша система представляется мне расистской, — заявила Робин.

— Ерунда! — разозлился Уилкокс. Вернее, он сказал «еранда», ибо именно в этом слове его раммиджский акцент был особенно заметен. — Единственная расовая проблема, которая у нас есть, это взаимоотношения между индийцами и пакистанцами, а точнее, между индусами и сикхами.

— Но ведь вы заставляете цветных выполнять самую неприятную работу, самую грязную и трудную.

— Кто-то и ее должен делать. Тут работает закон спроса и предложения. Если мы сегодня дадим объявление о вакансиях в литейном, я могу дать голову на отсечение, что завтра же утром мы увидим у ворот две сотни черных и желтых лиц и, возможно, одно белое.

— А если предложить работу, требующую квалификации?

— У нас есть цветные и на этих местах. Есть и мастера.

— А цветные директора? — спросила Робин.

Уилкокс нащупал в кармане сигареты, закурил и выпустил из ноздрей дым, как разъяренный дракон.

— Не требуйте от меня решения проблем всего нашего общества, — ответил он.

— А кто же тогда должен их решать, — удивилась Робин, — если не люди, облеченные властью, такие как вы?

— Кто вам сказал, будто я облечен властью?

— Я думала, что это само собой разумеется, — сказала Робин и обвела рукой кабинет.

— Да, у меня огромный офис, секретарша, служебная машина. Я могу принимать людей на работу и, хотя это чуть сложнее, увольнять их. Я самый крупный винтик в этой машине. Но есть винтик и поважнее — «Мидланд Амальгамейтед». Они в любой момент могут от меня отделаться.

— А как насчет так называемого прощального подарка? — холодно спросила Робин.

— Жалованье за год, если повезет — за два. Его не хватит надолго, а после того, как тебя вытурили, нелегко собраться и найти другую работу. Я знаю многих исполнительных директоров, с которыми такое приключилось. Как правило, они не виноваты в том, что дела у фирмы шли плохо, но отдуваться приходилось именно им. У вас могут быть наполеоновские планы, касающиеся того, как победить в конкурентной борьбе, но для их осуществления вы должны полагаться на других людей, от главных инженеров до рядовых рабочих.

— Может быть, люди станут работать лучше, если каждый будет заинтересован в результате, — предположила Робин.

— Каким это образом?

— Ну, если они будут получать процент от дохода.

— А в случае убытков?

Робин обдумала этот неожиданный вопрос и ответила, пожав плечами:

— Капитализм несовершенен, не так ли? Это лотерея. Кто-то выигрывает, кто-то терпит поражение.

— Вся жизнь несовершенна, — ответил Уилкокс и посмотрел на часы. — Пожалуй, нам пора перекусить.

Завтрак оказался таким же оскорбительным для человеческих чувств, как и все остальное. К крайнему удивлению Робин, руководящий состав не пользовался никакими привилегиями.

— Раньше в «Принглс» была отдельная директорская столовая со своим поваром, — рассказывал Уилкокс, ведя Робин в административный корпус по неприглядным коридорам, а затем через двор, где свежий снег успел запорошить расчищенную дорожку. — Я иногда там обедал, когда работал в «Льюис и Арбакл». Кормили очень славно. А для среднего звена был отдельный ресторанчик. Их смыло первой волной сокращений. Сейчас есть только буфет.

— Что ж, это вполне демократично, — одобрила Робин.

— Ничего подобного,— возразил Уилкокс.— Старший состав теперь ходит в местный паб, а рабочие предпочитают приносить еду с собой.— Он ввел ее в мрачный, плохо освещенный буфет. Столики с пластиковыми столешницами и литые пластиковые стулья. Окна запотели, в воздухе чувствовался запах, напомнивший Робин о тошнотворных школьных обедах. Как она и ожидала, пища здесь предлагалась тяжелая — мясная запеканка или жареная рыба, чипсы, отварная капуста, консервированный горошек, пудинг с заварным кремом. Но все на удивление дешево: полный обед всего за пятьдесят пенсов. Робин поинтересовалась, почему в буфет ходит так мало рабочих.

— Потому что им придется переодеваться,— объяснил Уилкокс,— а это слишком муторно. Они предпочитают перекусить тем, что захватили из дома, при этом сидя на полу и даже не вымыв руки. Напрасно вы так за них переживаете,— продолжал он.— Это весьма неотесанная публика. По-моему, им нравится грязь. В ноябре мы сделали капитальный ремонт туалетов в цехах. За две недели их изгадили в пух и прах. Просто отвратительно, во что их превратили.

— Может быть, это форма мести? — предположила Робин.

— Мести? — изумился Уилкокс.— Но кому? Мне за то, что я сделал им новые туалеты?

— Месть всей системе.

— Какой системе?

— Заводской. Она вполне может породить сильное негодование.

— Никто не заставляет их здесь работать,— напомнил Уилкокс, накалывая на вилку кусок мясной запеканки.

— Я хотела сказать, что это может идти из подсознания.

— Откуда? Кто это сказал? — поинтересовался Уилкокс, удивленно подняв брови.

— Фрейд,— объяснила Робин.— Зигмунд Фрейд, создатель теории психоанализа.

— Я знаю, кто такой Фрейд,— огрызнулся Уилкокс.— Я совсем не идиот, хоть и работаю на заводе.

— Я этого и не говорила,— вспыхнула Робин.— И все-таки, вы читали Фрейда?

— У меня нет времени на чтение,— ответил Уилкокс.— Но я отлично знаю, о чем он там пишет. Что все замешано на сексе, не так ли?

— Это сильно упрощенное толкование,— возразила Робин, пытаясь извлечь пережаренную рыбу из-под ярко-рыжей маслянистой корочки.

— Но по сути верное?

— Ну, нельзя сказать, чтобы совсем ошибочное,— признала Робин.— В ранних работах Фрейд утверждал, что либидо есть основная движущая сила человеческого поведения. Но позднее он пришел к выводу, что более важным является инстинкт смерти.

— Инстинкт смерти? Что это такое? — Уилкокс застыл, не донеся до рта кусочек мяса.

— Трудно объяснить. Если вкратце, его мысль заключается в том, что все мы подсознательно стремимся к смерти, к небытию, потому что бытие приносит много страдания.

— Я частенько чувствую это в пять утра,— сказал Уилкокс.— Но когда просыпаюсь — проходит.

Вскоре после того, как они вернулись в кабинет Уилкокса, в дверях нарисовался Брайан Эверторп. Его лицо сияло, а пиджак туже, чем обычно, обтягивал солидный животик.

— Привет, Вик. Мы ждали вас в пабе. Но вы, без сомнения, предавались милому тет-а-тет в каком-нибудь более пристойном месте. Небось, в «Королевской голове»? — он скосил на Робин хитрые глаза и рыгнул, прикрыв рот ладонью.

— Мы завтракали в буфете,— сдержанно произнес Уилкокс.

Уилкокс сделал шаг назад, изобразив безмерное удивление.

— Вик, как ты мог отвести ее в эту дыру?!

— Какая же это дыра? — сказал Уилкокс.— Там чисто и дешево.

— Вам понравилась еда? — спросил Эверторп у Робин.— Ей далеко до изысканной кухни, не правда ли?

—Полагаю, это неотъемлемая часть завода,— ответила Робин, усаживаясь в кресло.

—Очень дипломатично. В следующий раз… Надеюсь, будет и следующий раз? Так вот, в следующий раз попросите Вика отвести вас в «Королевскую голову». Если, конечно, он согласится.

—Ты пришел по делу?— раздраженно перебил Уилкокс.

—Да, у меня тут возникла мыслишка. По-моему, нам нужен свой календарь. Знаешь, его можно дарить заказчикам в конце года. Отличная реклама. Он будет висеть у них на стенке триста шестьдесят пять дней в году.

—Какой календарь?— не понял Уилкокс.

—Ну, самый обычный. Пташки с грудками.— Он подмигнул Робин.—В хорошем вкусе, без пошлятины. Как у Пирелли. Некоторые их коллекционируют.

—У тебя как с головой?—поинтересовался Уилкокс.

—Я знаю, что ты сейчас скажешь,— откликнулся Эверторп и поднял вверх пухлые розовые ручки, словно призывая к спокойствию.—«На это у нас нет средств». Но я и не собирался нанимать лондонских фотомоделей. Это можно провернуть очень дешево. Ты же знаешь, что у Ширли есть дочь, которая работает моделью.

—Хочет ею стать, если быть точным.

—Трейси вполне подойдет, Вик. Ты должен посмотреть ее альбом.

—Я уже видел. Она похожа на двойную порцию розового бланманже. И возбуждает примерно с такой же силой. Это Ширли тебя подговорила?

—Нет, Вик, идея моя собственная,— ответил Эверторп, погрустнев.—Естественно, я обсуждал ее с Ширли. Она «за».

—Еще бы.

—Я предлагаю снять одну и ту же модель—в данном случае Трейси,— но для каждого месяца на новом фоне, в зависимости от времени года.

—Очень оригинально. А если у фотографа возникнут другие идеи?

—В этом-то и состоит вторая часть моего плана. Видишь ли, я являюсь членом клуба фотографов…

—Извините,—вмешалась в разговор Робин, вставая с кресла. Оба мужчины, которые в пылу спора попросту забыли о ней, дружно повернули головы и посмотрели на гостью. Она обратилась к Эверторпу.— Правильно ли я поняла, что вы предлагаете рекламировать свою продукцию с помощью календаря, унижающего достоинство женщин?

—Он не будет унижать женщин, моя дорогая, он будет…— Эверторп замолчал, подыскивая слова.

—Прославлять их?—подсказала Робин.

—Совершенно верно.

—Да, я уже слышала нечто подобное. Но вы предлагаете использовать фотографии обнаженных женщин, или одной и той же обнаженной женщины, как на картинках, налепленных на стены по всему заводу. Разве не так?

—Так, но в более строгом стиле. В изысканном вкусе. Без непристойных поз. Только сиськи и попки.

—А как насчет того, чтобы добавить пиписьки и попки?— предложила Робин и с удовлетворением отметила, что Эверторп поставлен в тупик.

—Как это?—спросил он.

—Видите ли, согласно статистике, не менее десяти процентов ваших заказчиков должны быть гомосексуалистами. Разве они не имеют права на малую толику порнушки?

—Ха-ха!—неловко рассмеялся Эверторп.—В нашей сфере деятельности не так уж много чудаков. Правда, Вик?

Уилкокс, который с огромным интересом следил за их беседой, ничего не ответил.

—А как насчет тех женщин, которые работают в офисах, где висят подобные календари?—продолжала Робин.—Почему они должны все время смотреть на голых женщин? Неужели нельзя посвятить несколько месяцев голым мужчинам? Может, вы и сами попозируете вместе с Трейси?

Вик Уилкокс захохотал.

— Боюсь, вы ошибаетесь, моя дорогая,— ответил Эверторп, пытаясь удержаться на высоте.— Женщины вовсе не такие. Они не интересуются фотографиями голых мужчин.

— А я интересуюсь,— заявила Робин.— Мне нравятся с волосатой грудью и с членами в четверть метра.— Эверторп обалдело уставился на нее.— Вы потрясены? Но ведь вы считаете нормальным болтать о женских сиськах и попках, развешивать на каждом шагу эти картинки. Нет, это не нормально. Это унижает женщин, которые позируют для фотографий. Это унижает мужчин, глазеющих на календари. Это унижает само понятие секса.

— Очень увлекательная беседа,— вмешался Уилкокс, глядя на часы,— но через пять минут у меня здесь совещание с техническим директором и его командой.

— Что ж, поговорим потом,— гордо заявил Эверторп.— Когда нам ничто не будет мешать.

— Боюсь, это неудачное предложение, Брайан,— сказал Уилкокс.

— Стюарт Бакстер так не думает,— заявил тот, тыльной стороной ладони распушая свои бакенбарды.

— А меня не волнует, что думает Стюарт Бакстер,— парировал Уилкокс.

— Я вернусь к этому вопросу, когда твоя тень, твой ангел-хранитель или кто она там есть позволит мне высказаться,— заявил Эверторп и гордо удалился.

Робин, у которой ноги вдруг сделались ватными, как только кончилось действие адреналина, тут же рухнула в кресло. Уилкокс, провожавший взглядом удалявшегося Эверторпа, повернулся к ней, едва сдерживая улыбку.

— Мне очень понравилось,— сказал он.

— Значит, вы со мной согласны?

— Мы славно повеселились.

— А по существу? Что касается эксплуатации женского тела?

— У меня на эти глупости времени нет,— ответил Уилкокс.— Но некоторые мужчины так и остаются подростками.

— Вы должны с этим что-нибудь сделать, — возмутилась Робин. — Вы же начальник. Нужно вышвырнуть с завода все эти картинки.

— Я бы это сделал, если бы совсем спятил. Чего мне в жизни не хватает, так это забастовки из-за картинок.

— Тогда хотя бы подайте пример. В кабинете вашего секретаря тоже висит календарь с девицами.

— В самом деле? — искренне удивился Уилкокс. Он даже вскочил со стула и вышел в соседнюю комнату, а через пару минут вернулся, озадаченно потирая подбородок. — Смешно, но я его как-то не замечал. Это подарок фирмы «Грешем Пампс».

— Так что, вы его снимете?

— Ширли говорит, заказчикам из «Грешема» приятно, что он там висит. Нет смысла обижать покупателей.

Робин сокрушенно покачала головой. Она расстроилась, потому что упустила возможность, вернувшись из экспедиции в самое сердце бескультурья, доложить Чарльзу и Пенни Блэк об одержанной ею маленькой победе.

Уилкокс включил свет, подошел к окну, за которым уже начинало темнеть, и выглянул в щелку между пластинами вертикальных жалюзи.

— Опять пошел снег. Пожалуй, вам пора ехать. На дорогах снова будут пробки.

— Как вам угодно, — пожала плечами Робин. — Но предупреждаю: я привыкла работать допоздна.

Пока Робин сомневалась, ехать ей или остаться, в кабинете стали собираться мужчины в однотипных костюмах и унылых галстуках, все как один с бледными лицами. Казалось, на заводе только бледные и работают. Робко входили, уважительно кивали Уилкоксу и искоса поглядывали на Робин. Потом усаживались за стол, вынимали из карманов сигареты, зажигалки и калькуляторы и раскладывали их перед собой так аккуратно, словно это были предметы, необходимые для игры, в которую они собирались сейчас сыграть.

— Где мне сесть? — спросила Робин.

—Где хотите,—отозвался Уилкокс.

Робин устроилась напротив него, на другом конце стола.

—Это доктор Робин Пенроуз из Раммиджского университета,— представил ее Уилкокс. Словно получив от начальства разрешение глазеть на гостью, все мужчины одновременно повернулись к ней.— Полагаю, вы все наслышаны о Годе Промышленности. И все вы знаете, что такое тень. Так вот, доктор Пенроуз — моя тень по случаю Года Промышленности.— Он оглядел всех собравшихся, как будто проверяя, не рискнул ли кто улыбнуться. Не улыбался никто. Тогда Вик вкратце поведал о Базе Теневых Резервов, а напоследок сказал:— Прошу всех вести себя так, как если бы ее здесь не было.

Эту просьбу они выполнили с легкостью. Совещание началось. Его темой были убытки. Уилкокс начал с сообщения о том, что процент брака, выявленного их собственными контролерами, составляет пять процентов и он считает эту цифру непозволительно высокой. Еще один процент—возврат покупателями. Потом он перечислил возможные причины брака— неисправное оборудование, халатность рабочих, невнимательность контролеров, ошибки при лабораторном тестировании—и попросил начальников соответствующих подразделений назвать причину появления брака на вверенном им участке. Робин было трудно уследить за ходом беседы. Технические директора изъяснялись весьма загадочно, говорили на непонятном ей языке терминов. Аденоидный носовой выговор мешал слушать, а от густого табачного дыма слезились глаза. Очень скоро Робин заскучала и стала смотреть в окно, на сгущавшиеся зимние сумерки и поблескивавший на лету снег. Она подумала, что снегом сейчас укрыт весь Раммидж, и от нечего делать принялась сочинять вариации на тему знаменитого пассажа Джеймса Джойса. Снег ложится на все в этом городе и в его пригородах: на асфальтированные шоссе, на заводы и фабрики, вокруг которых нет ни единого деревца, на лужайки университетского кампуса, а к западу от города—на суровые темные воды канала Уоллсбери. Но вдруг что-то в беседе снова привлекло ее внимание.

Говорили о станке, который все время ломается.

— Это вина оператора,— сказал один из директоров.— Он не справляется со своей работой. Неправильно его отрегулировал, вот он и заедает.

— Как фамилия? — спросил Уилкокс.

— Рэм. Он пакистанец,— ответили ему.

— Не пакистанец, а индус,— возразил другой сотрудник.

— Какая разница? Его зовут Денни. Денни Рэм. Мы перевели его на эту работу зимой, когда не хватало операторов, и повысили ему разряд.

— Значит, нужно от него избавиться,— решил Уилкокс.— Он создает нам лишние проблемы. Терри, займись этим, хорошо?

Терри, мужчина крепкого сложения, куривший трубку, вынул ее изо рта и сказал:

— У нас нет оснований для увольнения.

— Ерунда. Он прошел обучение?

— Не уверен.

— Проверь. Если нет, приставь к нему инструктора. Ты меня понял?

Терри кивнул.

— И каждый раз, когда он выдает брак, делай ему предупреждение по всей форме. После третьего он будет уволен. Вряд ли это займет больше двух недель. Договорились?

— Да,— снова кивнул Терри и сжал трубку зубами.

— Следующий вопрос,— объявил Уилкокс,— это контроль качества в механическом цехе. Тут у меня есть некоторые цифры...

— Простите,— перебила Робин.

— Да, в чем дело? — раздраженно переспросил Уилкокс.

— Я правильно поняла, что вы собираетесь заставить человека совершать ошибки, а затем уволить его?

Уилкокс уставился на Робин. Повисло тяжелое молчание, как в салуне на Диком Западе перед началом мордобоя. Все директора не то что молчали, они сидели не шелохнувшись. Кажется, даже не дышали. А вот Робин дышала часто и прерывисто.

— Мне кажется, это не ваше дело, доктор Пенроуз,— наконец выговорил Уилкокс.

— Как раз напротив,— взволнованно возразила Робин.— Это дело каждого, кто хочет правды и справедливости. Неужели вы не понимаете, что увольнять этого человека нечестно?— спросила она, оглядев всех присутствующих.— Как вы можете сидеть и молчать?—Директора смущенно теребили свои сигареты и калькуляторы, избегая ее взгляда.

— Это административный вопрос, в котором вы некомпетентны,—сказал Уилкокс.

— Это не административный вопрос, а вопрос морали,—не унималась Робин.

Уилкокс аж побелел от злости.

— Доктор Пенроуз,— прорычал он,— по-моему, у вас сложилось неверное представление о вашем положении на заводе. Вы—тень, а не инспектор. И вы здесь для того, чтобы учиться, а не для того, чтобы вмешиваться в дела. И я вынужден просить вас либо хранить молчание, либо покинуть кабинет.

— Хорошо, я уйду,— сказала Робин. В полной тишине она собрала свои вещи и вышла.

— Совещание уже кончилось?—спросила Ширли, одарив ее ослепительной дежурной улыбкой.

— Нет, продолжается,—ответила Робин.

— Вы ушли пораньше, да? И правильно—в такую-то погоду. Вы придете завтра?

— Через неделю. Я буду приезжать по средам, такова договоренность,—сказала Робин, сильно сомневаясь в том, что эта договоренность останется в силе. Тем не менее, она сочла своим долгом промолчать о только что возникшем конфликте.— Вы знаете рабочего по имени Денни Рэм?—как бы между прочим спросила она.

— Не уверена. Где он работает?

— Точно не знаю. На каком-то станке.

— Ну, они все здесь работают на станках,—засмеялась Ширли.—Для вас все это непривычно, как в другом мире, не так ли? Я имею в виду, после Университета.

— Да, непривычно.

— Этот Рэм — ваш знакомый? — в голосе Ширли зазвучало любопытство, даже подозрение.

— Нет, но мне кажется, это отец одного из моих студентов, — на ходу сочинила Робин.

— Спросите у Бетти Мейтленд из бухгалтерии, — посоветовала Ширли. — Вторая дверь по коридору.

— Спасибо, — поблагодарила Робин.

Бетти Мейтленд любезно согласилась поискать Денни Рэма в платежных ведомостях (оказалось, его зовут Дениатай Рэм) и сообщила, что он работает в литейном цехе. Поскольку Робин был известен только тот путь, которым ее провели этим утром, ей пришлось вновь его проделать.

В механическом цехе, без Вика Уилкокса, Робин явно бросалась в глаза — виной тому были модные сапожки на каблуках и кремовая куртка. На нее смотрели, как на редкое животное — белую лань или единорога. Пока она шла через цех, ее повсюду сопровождал восхищенный присвист, слышный даже сквозь лязг станков. Чем больше рабочие свистели, чем скабрезнее становились их оклики, тем быстрее вышагивала Робин. Но чем быстрее она шла, тем более доступной мишенью для насмешек становилась, потому что ей то и дело приходилось уворачиваться от верстаков, перепрыгивать через груды металла и поскальзываться на промасленном полу. Ее щеки стали такими же пылающими, как волосы, а крылья носа побелели. Она упрямо смотрела только вперед, не глядя на обидчиков. «Эй, детка, не меня ищешь? Хочешь поразвлечься? Покажи-ка нам свои ножки! Иди сюда, займись моим прибором!»

Наконец в дальнем углу огромного цеха Робин обнаружила выход и сломя голову бросилась в темноту внутреннего двора, заваленного сломанным оборудованием, об этом она помнила с утренней экскурсии. Робин немного постояла под тусклым фонарем, чтобы прийти в себя и глотнуть холодного воздуха, перед тем как окунуться в кошмар третьего круга заводского ада. При отсутствии дневного света, худо-бедно скрашивавшего обстановку в литейном, этот цех показался ей еще ужаснее, огонь в печах полыхал еще яростнее. Рабочих здесь было меньше, чем в механическом, да и вели они себя скромнее, вероятно, потому что были в основном азиатского происхождения. Они отводили глаза и отворачивались при приближении Робин, словно ее присутствие пугало их.

— Скажите, где работает Денни Рэм? — спрашивала Робин.

Они трясли головами, выпучивали глаза, нервно улыбались и возвращались к своей загадочной работе. В конце концов Робин подошла к белому мужчине, прикуривавшему от полуметрового пламени газовой горелки, который, казалось, был готов ответить на ее вопрос.

— Денни Рэм? — переспросил он, наклонив голову набок, чтобы не обжечься. — Да, я его знаю. А что?

— Мне нужно ему кое-что сообщить.

— Он там, — сказал тот, указывая на худого азиата с грустным лицом, стоявшего у какого-то сложного станка. Станок издавал такой шум и был предметом столь пристального внимания Рэма, что тот даже не заметил, как Робин к нему подошла.

— Мистер Рэм? — спросила она, трогая его за плечо.

Он вздрогнул и резко обернулся.

— Да?

— Я хочу сообщить вам кое-что очень важное, — прокричала Робин.

— Сообщить? — удивился Рэм. — А вы кто?

Тут станок закончил очередной этап своей работы, и Робин смогла продолжить, почти не повышая голоса.

— Неважно, кто я. Это конфиденциальная информация, но мне кажется, вам следует знать. Вас хотят обвинить в том, что вы плохо работаете, и объявлять вам выговоры, а потом уволить. Вы меня поняли? Кто предупрежден, тот вооружен. И никому ни слова. — Она ободряюще улыбнулась и протянула руку. — До свидания.

Рэм попытался вытереть ладони о штаны и пожал Робин руку.

— Кто вы? — снова спросил он. — И откуда узнали?

— Я — тень, — ответила Робин.

Рэм был заинтригован и слегка испуган, как если бы эту весть ему принес некий божественный посланец.

— Спасибо, — только и сказал он.

Чтобы больше не мучиться в механическом цехе, Робин отправилась на стоянку по улице, в обход здания. Но дорожки занесло снегом, и идти оказалось нелегко. Она сразу же заблудилась в лабиринте дворов и проходов, разделявших множество зданий, некоторые из которых уже не использовались и опустели. К тому же Робин не встретила никого, кто подсказал бы дорогу. В конце концов, после двадцатиминутного блуждания, она почувствовала, что сапоги промокли, а мышцы ног заныли от продирания через снег. Тут-то она и набрела на стоянку, где обнаружила свою машину. Робин счистила со стекол толстый слой снега и, испытав сладостное облегчение, уселась за руль. Повернула ключ зажигания. Но ничего не произошло.

— Черт! — выругалась Робин, сидя одна-одинешенька посреди занесенной снегом стоянки. — Вот задница!

Если дело в аккумуляторе, он, должно быть, приказал-таки долго жить, потому что машина не издала ни малейшего шепота или писка. Но что бы это ни было, Робин ничего не сможет сделать, ибо не имеет ни малейшего представления о том, что скрывается под капотом ее «рено». Она устало выбралась из машины и побрела к входу в административный корпус, а там спросила у секретарши с вытравленными волосами, можно ли позвонить в автосервис. Пока Робин дозванивалась, в коридоре появился Уилкокс. Он заметил ее и подошел.

— Вы еще здесь? — спросил он, удивленно вскинув брови.

Робин кивнула, прижимая трубку к уху.

— Она звонит в аварийный автосервис, — объяснила вытравленная блондинка. — Машина не заводится.

— А в чем дело? — поинтересовался Уилкокс.

— Я поворачиваю ключ, но ничего не происходит. Совершенно мертва.

— Давайте посмотрим, — предложил Вик.

—Нет-нет,—ответила Робин.—Не беспокойтесь. Я сама.

—Пошли,—скомандовал Уилкокс —В такую погоду, как сегодня, вы будете ждать аварийку до второго пришествия.

Тон, которым это было сказано, свидетельствовал о добрых намерениях Уилкокса, но Робин положила телефонную трубку очень неохотно. Меньше всего на свете ей хотелось быть обязанной этому человеку.

—Разве вам не нужно одеться?—спросила Робин, когда они выходили на холод через вращающуюся дверь.

Уилкокс нетерпеливо мотнул головой.

—Где ваша машина?

—Вон она—красный «рено».

Уилкокс пошел напрямик, не обращая внимания на снег, налипавший на ботинки и брюки.

—Почему вы купили иномарку?—спросил он.

—Я не покупала, мне отдали ее родители, когда купили себе новую.

—А почему они ее купили?

—Не знаю. Наверно, маме понравилась. Это хорошая миниатюрная машина.

—«Метро» тоже. Почему бы не купить «метро», если хочешь маленькую машину? Или «мини»? Если бы каждый из тех, кто за последние десять лет приобрел иномарку, выбрал вместо нее машину британского производства, безработных у нас было бы на семнадцать процентов меньше.—И он широким жестом показал на все заводские здания.

Робин выписывала «Марксизм сегодня» и временами испытывала чувство вины от того, что ездит на работу на машине, а не на велосипеде. Но ее никогда не обвиняли в том, что у нее иномарка.

—Если бы наши машины были не хуже импортных, люди бы их покупали,—парировала она.— Но всем известно, что они ненадежны.

—Ерунда,—возразил Уилкокс. («Еранда».)—Да, раньше попадались неудачные модели, но сейчас, смею вас заверить, контроль качества у нас не хуже, чем у других. Беда в том, что люди привыкли насмехаться над всем английским.— Когда он говорил, у него изо рта шел пар, и казалось, что это от злости.— Какая машина у вашего отца?

— «Ауди»,— ответила Робин.

Уилкокс презрительно фыркнул, словно не ожидал иного ответа.

Тем временем они добрались до «рено». Уилкокс велел Робин сесть за руль и разблокировать капот. Он поднял крышку и скрылся за ней. Почти сразу же Робин услышала, что он просит повернуть ключ зажигания. Она сделала это, и мотор завелся.

Уилкокс опустил капот и нажал на него ладонью. Потом подошел к окошку возле водительского места, стряхивая снег с костюма.

— Огромное вам спасибо,— поблагодарила Робин.— Что с ней было?

— Контакт отошел,— сказал Уилкокс.— Похоже, кто-то сделал это нарочно.

— Нарочно?

— У нас тут похулиганивают. Или пошучивают. Вы запирали машину?

— Может быть, не все двери. Как бы там ни было, большое спасибо. Надеюсь, вы не простудились,— сказала Робин, давая понять, что теперь Уилкокс может уйти. Но он облокотился на раму, не давая Робин поднять стекло.

— Прошу меня извинить, если я был излишне резок во время совещания,— угрюмо произнес он.

— Все в порядке,— ответила Робин, хотя прекрасно понимала, что ничего не в порядке. Совсем не в порядке. Она теребила верхнюю пуговицу на куртке, стараясь не смотреть на Уилкокса.

— Иногда приходится ради интересов фирмы пользоваться не совсем честными методами.

— Я думаю, по этому вопросу мы никогда не придем к согласию,— сказала Робин.— Но сейчас явно не время и не место...— Боковым зрением она заметила человека в белом, который спотыкаясь бежал к ним по снегу. Интуиция подсказала Робин, что теперь ей тем более пора ехать.

— Что ж, вам действительно пора. Увидимся в следующую среду, да?

Но прежде, чем Робин успела ответить, мужчина в белом позвал:

— Мистер Уилкокс! Мистер Уилкокс! — Вик обернулся.— Мистер Уилкокс, вас срочно просят в литейный,— едва переводя дух, выпалил посланец.— У них там забастовка.

— До свидания,— быстро попрощалась Робин и подняла стекло. «Рено» сдвинулся с места, и всю дорогу до ворот его заносило на снегу то вправо, то влево. В зеркало заднего вида она следила за тем, как двое мужчин торопливо возвращаются в административный корпус.

Часть III

... Людям нужны развлечения. Не могут они работать без передышки, не могут и наукам учиться без отдыха.

Чарльз Диккенс. Тяжелые времена.
Пер. В. Топер

1

—Обратная дорога была похожа на кошмар,—рассказывала Робин.— Настоящая пурга. Проезжая часть, как каток. Повсюду брошенные машины. Я ехала два с половиной часа.

—О Господи!—сочувственно воскликнул Чарльз.

—Я была вся измотанная и грязная. Ноги промокли, одежда провоняла этим отвратительным заводом, волосы все в саже. Больше всего на свете мне хотелось вымыть голову и долго-долго лежать в горячей ванне. И только я в нее погрузилась — проклятье! Кто-то позвонил в дверь. Ну, я решила не открывать. Я понятия не имела, кто это мог быть. А он все звонил и звонил. Тогда я подумала, а вдруг и в самом деле что-нибудь очень срочное? Короче, я больше не могла лежать в ванне и слушать этот чертов трезвон. Надела халат и спустилась. Угадай, кто это был.

—Уилкокс?

—Какой догадливый! Он был страшно возбужден, ворвался в дом, как ураган, даже ноги не вытер. А они были все в снегу, и на ковре в холле остались огромные мокрые следы. Когда я провела его в гостиную, он имел наглость все осмотреть и буркнул себе под нос, достаточно громко, чтобы я услышала: «Ну и бардак!».

Чарльз засмеялся.

—Ты должна признать, дорогая, что никогда не была самой аккуратной хозяйкой в мире.

— А я никогда к этому не стремилась,— парировала Робин.— У меня есть дела и поважнее домоводства.

— Разумеется,— согласился Чарльз.— Но вернемся к Уилкоксу. Зачем он приехал?

— Ну конечно, из-за Денни Рэма. Как только я ушла, тот немедленно поведал своим сослуживцам о планах руководства, и те устроили забастовку в знак протеста. Очень глупо с их стороны. Уилкоксу не составило труда выяснить, кто его заложил.

— Так Уилкокс примчался к тебе, чтобы высказать свои претензии?

— Не только претензии. Он потребовал, чтобы на следующее утро я приехала на завод и сказала Рэму и его друзьям, что я ошиблась, и его никто не собирается увольнять.

— Боже мой, какая наглость! Ты не могла бы чуть-чуть подвинуться?

Совершенно голая Робин, лежавшая в постели лицом вниз, перекатилась на середину кровати. Чарльз, тоже голый, встал на колени между ее раздвинутыми ногами, и налил ей на плечи и на спину ароматическое масло. Потом хорошенько закрутил крышку пузырька и тонкими чувствительными пальцами начал втирать масло в кожу на шее и плечах Робин. Чарльз приехал на выходные, впервые после дебюта Робин в «Принглс», и они провели этот субботний вечер как обычно. Сходили в кино, после чего отлично поужинали в дешевом восточном ресторанчике. Дома все начиналось с обычного массажа, плавно и незаметно переходившего в эротический. В сексе они ограничивались взаимной мастурбацией, и вовсе не из-за боязни СПИДа, который зимой 1986 года представлялся гетеросексуалам не более чем малюсеньким облачком на бескрайнем горизонте. Они руководствовались соображениями идеологическими и чисто практическими. Феминистки одобряли контрацепцию, но Робин решительно отказывалась от таблеток, потому что они вредят здоровью, а Чарльз терпеть не мог презервативы, ибо считал этот метод предохранения крайне неэстетичным (хотя Робин, как женщина продвинутая и свободная, всегда держала под рукой упаковочку—так, на всякий случай). В данный момент Робин и Чарльз находились на стадии массажа обычного. В спальне горел неяркий свет, было уютно и тепло — радиаторам помогал электрокамин. Робин подперла голову рукой, вертелась с боку на бок и беседовала с Чарльзом, глядя через плечо на то, как он гладит и массирует ее тело.

— Надеюсь, ты отказалась? — спросил Чарльз.

— Ну, поначалу — да.

— Только поначалу?

— Понимаешь, через некоторое время он перестал грубить, видимо, понял, что со мной это без толку, и стал использовать веские аргументы. Сказал, мол, если забастовка разрастется, весь завод прекратит работу. Эти азиаты ужасно дружные и жутко упертые. Если им что в голову втемяшится, их уже не переубедишь.

— Расистские разговоры, — скривился Чарльз.

— Да, я знаю, — согласилась Робин. — Но они такие неандертальцы в том, что касается подобных вещей! Все это повлечет за собой еще большую несправедливость. Во всяком случае, если верить Уилкоксу, забастовка может растянуться на недели. Литейный перестанет снабжать своей продукцией механический цех. Завод остановится. В «Мидланд Амальгамейтед» могут решить и вовсе его закрыть. Тогда сотни людей потеряют работу, а другую такую уже не найдешь. И все из-за меня, сказал Уилкокс. Конечно, я объяснила ему, что в первую очередь виноват он сам. Если бы он не замыслил эту подлость с увольнением Рэма, ничего бы не случилось.

— Так оно и есть, — подтвердил Чарльз, водя ладонями вверх-вниз по позвоночнику Робин.

— Должна признаться, я немного расстроилась. Ведь я только хотела, чтобы Рэм был настороже. И вовсе не собиралась провоцировать забастовку.

— А Уилкокс признал, что был не прав?

— Ох, это был критический момент. Я ему говорю: вы просите меня соврать, произнести заведомую ложь. А что собираетесь делать *вы*?

— И что он ответил?

— «По ситуации». Тогда я и говорю, мол, вы должны признать, что увольнять рабочего так, как вы собирались уволить Денни Рэма, безнравственно. Мне нужны гарантии того, что вы не замыслите это снова. Уилкоксу мои слова страшно не понравились, но он их проглотил и согласился. Поэтому я могу сказать, что кое-чего добилась, хоть и под конец дня. Но какого дня!

— Ты веришь, что он сдержит слово?

— Да, верю,— кивнула Робин после минутного колебания.

— Несмотря на то, что он собирался вышвырнуть того индуса?

— Но он совершенно искренне не понимал, насколько это безнравственно, пока я не взбунтовалась. Ведь и в самом деле, такой способ увольнять людей не совсем обычен. Не существует процедуры исправительного обучения. Тебе не кажется, что это попросту неслыханно?

— Нет, не кажется. Я бы с удовольствием применил ее к нескольким саффолкским профессорам,— ответил Чарльз.— Вот только уволить их нельзя.

Робин хихикнула.

— Понимаю… Короче, я заставила Уилкокса сделать так, чтобы Денни Рэм прошел специальное обучение.

— Да ты что! — Чарльз так и застыл, положив ладони на упругие ягодицы Робин.— Ты удивительная девушка!

— Женщина,— беззлобно поправила Робин. Она была польщена успехом своей истории и той героической роли, которую отвела себе. Робин утаила от Чарльза некоторые угрызения совести, мучившие ее после истории с Денни Рэмом. Будь это сюжетный ход викторианского романа, Робин со свойственной ей прямотой расценила бы его как поддержку одним представителем класса буржуазии другого в решающий момент. Себя же она убедила в том, что поступила так для блага рабочих, а не ради спасения Уилкокса. Да, она солгала. Но обещание, полученное ею от Вика, подтвердило ее добрые намерения.

— Мы вот о чем договорились: я скажу Денни Рэму, что ошиблась, неправильно поняла смысл разговора на совещании, где на самом деле шла речь о необходимости направить его на спецподготовку, а вовсе не об увольнении.

— Ты так и поступила? — полюбопытствовал Чарльз, переходя к массажу ног. Он растер бедра и размял икроножные мышцы и лодыжки, поскреб подошвы ног, после чего, нежно раздвигая пальцы, провел между ними смазанной маслом рукой.

— Именно так. На следующее утро, ровнехонько в половине восьмого, Уилкокс снова стоял перед моей дверью вместе с безразмерным «ягуаром», чтобы везти меня на завод. За всю поездку он не проронил ни слова. Притащил меня в своей кабинет с такой скоростью, что секретарши и прочая публика отскакивали в стороны, как испуганные кролики. Он смотрел на меня выпученными глазами, как будто я отпетая террористка, а он меня арестовал. Потом он и двое его дружков отвели меня в столовую — на встречу с рабочими-азиатами. Их там было человек семьдесят, включая Денни Рэма, и все в обычной одежде, а не в спецовках. Когда я вошла, Рэм испуганно улыбнулся. Белые там тоже были. Уилкокс объяснил, что это люди из профсоюза, которые пришли наблюдать за ходом встречи, чтобы потом решить, объявлять им официальную забастовку или нет. Ну, я произнесла свой текст, обращаясь к Денни, а на самом деле — ко всем. Признаюсь, слова застревали в горле, когда я извинялась, но мне удалось взять себя в руки. Потом мы вышли в соседнюю комнату, наверно, в кабинет заведующего столовой, а азиаты тем временем совещались. Минут через двадцать они прислали делегацию с сообщением, что готовы снова приступить к работе, если, во-первых, Денни Рэм после переподготовки сможет вернуться на свое место, а во-вторых, им предоставят после смены пять минут оплачиваемого времени, чтобы они могли умыться. Затем делегация ушла, а Уилкокс со товарищи устроили совещание. Уилкокс был вне себя, он говорил, что время на умывание никоим образом не связано с причиной забастовки и что рабочих подговорили профсоюзники. Но двое из его людей возразили, что, мол, рабочим нужно извлечь из забастовки хоть какую-нибудь выгоду, ина-

155

че они уронят свое достоинство. Так что придется соглашаться. Тогда Уилкокс предложил им две минуты, а в итоге сошлись на трех, но со скрипом. В общем, я была вынуждена соврать, чтобы выручить Уилкокса, хотя мне этого совсем не хотелось. И в результате я не удостоилась ни слова благодарности. Он вообще ничего не сказал. Сразу после совещания пулей вылетел из комнаты, даже не попрощавшись. В Университет меня отвез директор по персоналу, мучительно скучный человек, который всю дорогу рассказывал о своих проблемах с пищеварением. На работу я приехала как раз к десятичасовому семинару по роману «Миддлмарч» и испытывала весьма странное чувство. Как будто явилась туда после ночной смены. На факультете день только начинался, студенты еще зевали и терли заспанные глаза, а мне казалось, что я уже давным-давно на ногах. Наверно, меня вымотала эта заводская драма в двух действиях: встреча и переговоры. Так и подмывало живописать ее студентам, но, конечно, я этого не сделала. Боюсь, я провела не лучшее из своих занятий, потому что голова была занята совсем другими мыслями.

Робин замолчала. Массаж достиг эротической стадии. Не дожидаясь подсказки, Робин перевернулась на спину. Натренированным указательным пальцем Чарльз нежно пощипывал и поглаживал самые чувствительные места ее тела. Очень скоро Робин испытала вполне удовлетворительный оргазм. Наступил черед Чарльза.

Робин делала массаж энергичнее Чарльза. Она плеснула масла ему на спину и принялась бодренько бить по ней ребрами ладоней.

—Ой! Ух! — с удовольствием восклицал Чарльз. От такого штурма у него дрожали даже ягодицы.

—Чарльз, у тебя на попе вулканический прыщ,—сообщила Робин.—Я его сейчас выдавлю.

—Нет, не надо,— взмолился он.— Ты делаешь это очень больно.—Но его протест был скорее притворным.

Робин сжала прыщ указательными пальцами и надавила что есть силы. Чарльз взвизгнул, его глаза заслезились.

—Ну вот, готово,— сказала Робин, вытирая пальцы кусочком ваты. Она не стала больше бить Чарльза по спине и принялась оглаживать его бедра. Чарльз прекратил поскуливать в подушку, закрыл глаза, и его дыхание стало ровным.

—Ты поедешь туда на следующей неделе? — пробормотал он.—Я имею в виду, на завод?

—Не думаю,—ответила Робин.—Перевернись на спину.

2

Тем же вечером и примерно в то же время Вик Уилкокс вместе с младшим сыном, Гэри, отдыхал перед экраном телевизора в гостиной пятикомнатного неогеоргианского дома с четырьмя санузлами, расположенного на Эвондейл-роуд. Марджори в спальне наверху, лежа в постели, штудировала «Наслаждайся менопаузой», а скорее всего, уже заснула с книжкой в руках. Реймонд где-то пьянствовал с дружками, а Сандра ушла на дискотеку со своим прыщавым Клиффом. Гэри был еще слишком мал для субботних загулов, а Вик… нет, не слишком стар, но уже не испытывал к ним тяги. Ему не нравилось шумное и лживое дружелюбие пабов и клубов. Он всегда сторонился кинотеатров, считая их прежде всего уютным пристанищем влюбленных парочек в холодные зимние вечера, и перестал туда ходить вскоре после женитьбы. А театралом и любителем концертов он и вовсе никогда не был. Когда они с Марджори работали в «Вангарде», там сколотилась веселая компания молодых инженеров с женами, которые по субботам регулярно собиралась у кого-нибудь дома. Но потом выяснилось, что на тех вечеринках, после них или в промежутках между ними многие крутят шашни с чужими мужьями и женами. Все кончилось скандалом, взаимными обвинениями, и компания распалась. После этого Вик поднимался все выше и выше по служебной лестнице и наконец оказался на той ступени, которая уже не предполагает наличия друзей — только служебные отношения, вся же частная жизнь является лишь продолжением работы. Его мечта о субботнем отдыхе сводилась к сидению перед телевизором с бутылкой виски в руке, созерцанию футбольного матча и обсуждению с младшим сыном лучших моментов игры.

Но этой зимой «Матч дня» не транслировали из-за разногласий между руководством футбольной лиги и телевизионными компаниями. У Лиги случился приступ жадности, она запросила непомерную плату за право показывать матчи, и телевизионщики тут же ее разоблачили. С одной стороны, Вик, как администратор, получил удовольствие от такого достойного делового хода, с другой — страдал от невосполнимой утраты. Просмотр футбола по телевизору был последним оставшимся у него способом на время отключиться от жизни. Кроме того, это была единственная тема, на которую он еще мог дружески поболтать со своими сыновьями. Когда Реймонд был еще мальчишкой, Вик частенько брал его на матчи «Раммидж Сити», но перестал это делать в 70-е годы, когда стадионы заполонили толпы матерящихся малолетних хулиганов. А теперь вот Вика лишили и телевизионного футбола, поэтому он был вынужден субботними вечерами смотреть вместе с Гэри фильмы или телеспектакли, которые всегда или скучны, или излишне откровенны.

Вот и в этот вечер они смотрели один из таких фильмов, и был он то скучным, то слишком откровенным. Герой и героиня, прижавшись друг к другу, танцевали дома у героини. Музыка и мечтательные выражения лиц танцующих говорили о том, что они вот-вот окажутся в постели, совершенно без ничего, и будут крутиться под одеялом или даже поверх него, как обычно бормоча, сопя и постанывая. Исчезновение футбола и повышение удельного веса секса в телевизионных программах Вик считал взаимосвязанными признаками деградации общества, и порой ему казалось, что он единственный, кто подметил это совпадение. Ведь теперь по телевизору запросто показывают то, что в его детстве продавалось из-под прилавка и называлось порнографией. Семейные просмотры превратились в опасное и утомительное мероприятие.

—По-моему, тебе надоело это смотреть,— закинул удочку Вик.

—Да нет, нормально,— ответил Гэри, который развалился в кресле и не отрываясь смотрел на экран. Его рука ритмично двигалась от пакетика с картофельными чипсами ко рту и обратно.

—Давай-ка посмотрим, что там по другим программам.

—Нет, па, не надо!

Невзирая на протесты Гэри, Вик пощелкал кнопками на пульте. Другие программы предлагали: документальный фильм о пастушьих собаках, повторный показ американского сериала про (вспомнил Вик) убийство проститутки, а также еще один фильм, в котором герой с героиней уже залегли в постель и энергично возились под одеялом. Вик тут же переключился на первый канал. Там девушка медленно расстегивала блузку, стоя перед зеркалом, а партнер пожирал ее похотливым взглядом. Это всего лишь вопрос времени, подумал Вик, прежде чем одержать победу сразу над всеми программами.

—Хватит смотреть эту ерунду,— сказал он и выключил телевизор.

—Ой, пап!

—Тебе все равно пора спать,— настаивал Вик.— Уже половина двенадцатого.

—Но ведь сегодня суббота,— заныл Гэри.

—Неважно. В твоем возрасте нужно много спать.

—Ты просто хочешь досмотреть это один, да?—хитро прищурился Гэри.

Вик ехидно засмеялся.

—Смотреть эту ерунду? Нет, я ложусь спать, и ты тоже.

Теперь Вику ничего не оставалось, кроме как пойти вместе с сыном наверх, хотя ему совсем не хотелось спать, а хотелось остаться одному, посмотреть телевизор и убедиться в падении нравов. Его раздражение закипело с новой силой, когда он вошел в спальню и увидел, что Марджори еще не спит. Хуже того, у нее было настроение поговорить. Пока Вик чистил зубы, она беседовала с ним через открытую дверь ванной: обсуждала план переустройства гостиной и покупку новых чехлов для мягкой мебели. А когда он вернулся в спальню и стал надевать пижаму, Марджори спросила, нравится ли ему ее новая ночная рубашка. Это было полупрозрачное нечто из кремового нейлона, с узенькими бретельками и глубоким треугольным вырезом, который предательски открывал бледную веснушчатую грудь Марджори. Два темных кружка вокруг плоских сосков просвечивали сквозь тонкую ткань, как два пятна. И было в ее внешнем виде еще что-то непривычное, но Вик никак не мог понять, что именно.

— Не слишком легкая для такой погоды? — спросил он.

— Но тебе нравится?

— Симпатичная.

— Я видела похожую в «Династии».

— Не говори мне про телевизор, — буркнул Вик.

— Почему? Что ты смотрел?

— Как всегда ерунду. — Вик нырнул под одеяло и погасил свой ночник. — Ты сегодня на редкость общительна, — заметил он. — Неужели валиум больше не действует?

— А я его еще не приняла, — ответила Марджори и тоже погасила ночник. Ее намерения стали предельно ясны, когда она под одеялом положила руку на мужнино бедро. В ту же секунду Вик почувствовал, что Марджори сильно надушилась, и понял, почему, сидя в постели, она выглядела так непривычно: на ней не было бигуди. — Вик, — прошептала Марджори, — мы так давно не… ну, ты знаешь.

— Что? — Вик притворился, что не понимает.

— Ты *знаешь*, — повторила Марджори и погладила его по бедру. Именно так она поступала, когда они еще не поженились, и тогда вызывала у него поистине чугунную эрекцию. Сейчас у Вика ничего даже не шелохнулось.

— Я думал, тебе уже не нужно, — пробормотал Вик.

— Это была такая фаза. Связанная с изменениями в жизни. Так сказано в книжке. — Она включила ночник и взяла «Наслаждайся менопаузой».

—Ради Бога, Марджори! — взмолился Вик.— Что ты делаешь?

—Где мои очки?.. А, вот они. Слушай. «В какой-то момент вы можете почувствовать отвращение к интимной жизни. Это совершенно нормально, и пусть вас это не беспокоит. Со временем, при наличии терпеливого и понимающего партнера, ваше ли… либи…»

—Либидо,—подсказал Вик.—Фрейд изобрел его еще до того, как открыл инстинкт смерти.

—«…ваше либидо вернется, и оно будет сильнее, чем прежде».—Марджори водрузила книгу на тумбочку, сняла очки, погасила свет и снова улеглась под одеяло рядом с мужем.

—Ты хочешь сказать, что оно вернулось?—вяло поинтересовался Вик.

—Ну, я не знаю,—ответила Марджори.—Мне показалось, что можно попробовать. Почему бы нам не попытаться?

—А зачем?

—Ну, все супружеские пары это делают. Ты ведь тоже привык…—Голос Марджори предостерегающе задрожал.

—Все когда-нибудь кончается,—ляпнул Вик.—Вот и мы не молодеем.

—Но ты ведь еще не старый, Вик. Не настолько старый. В книге сказано…

—К черту книгу!

Марджори заплакала. Вик вздохнул и включил свет.

—Прости меня, любимая,— сказал он.—Но я не могу вот так сразу… заинтересоваться, забыв о неприятностях. Я думал, это уже в прошлом. Если я ошибся—хорошо. Но дай мне время заново настроиться. Договорились?

Марджори кивнула и изящно высморкалась в бумажный платочек.

—У меня куча проблем, ты же знаешь,— продолжил Вик.

—Знаю, дорогой,—откликнулась Марджори.—У тебя полным-полно волнений на работе.

—Эта глупая ведьма из Университета все время создает мне проблемы… А тут еще Брайан Эверторп со своей идиотской мыслью насчет календаря. К тому же он уверяет, что Стюарт Бакстер ее одобрил. Хотел бы я знать, с какой такой радости Эверторп советуется с Бакстером?

—Конечно, я тебя не интересую,— грустно сказала Марджори и шмыгнула носом.

Вик повернулся и запечатлел на ее щеке братский поцелуй, после чего снова погасил свет.

—Интересуешь,— успокоил он.

Но она его не интересовала. Вот уже несколько лет как жена перестала его волновать, и возродить в себе этот интерес усилием воли он не мог. Когда Марджори перестала заниматься с ним сексом, потому что настал такой период, Вик в глубине души испытал облегчение. Пышногрудая девушка с ямочками на щеках, которую он взял в жены, превратилась в немолодую толстуху с крашеными волосами и переизбытком косметики. Если Вику доводилось видеть жену голой, ее раздавшееся тело смущало его. Ровно настолько же его смущали ее умственные способности, когда Марджори вдруг решала их продемонстрировать. Но жаловаться было глупо, ведь она не могла измениться, стать умной, находчивой и утонченной. Точно так же, как не могла стать высокой, стройной и спортивной. Вик женился на Марджори, потому что она была открытой, преданной и покорной, с миловидным личиком и пухленькой фигуркой, которая очень быстро расплылась, и он считал, что будет нечестно развестись с женой. Вик придерживался старомодных взглядов на брак. Жена — не машина. Ее нельзя сменить, когда она устареет или в ней что-то разладится. И если ты понял, что ошибся,— очень жаль, но придется жить с ней и дальше. Единственное, чего ты уже не можешь делать, с грустью подумал Вик, это заниматься с ней любовью.

Даже наглая, назойливая феминистка из Университета, и та возбуждает сильнее, чем бедняжка Марджори. Да, у нее идиотские мысли, но это все-таки мысли. Марджори же думает только об обоях и чехлах. Конечно, та девица молода, а это всегда большой плюс, да к тому же по-своему миловидна, если вам нравится такая прическа — с бритой шеей, как у мальчишки

(Вику она не нравилась), и если не обращать внимания на дурацкий казачий прикид. Она куда лучше смотрелась в халате, когда Вик, кипя от ярости, примчался к ней в тот вечер, чудом не разбив по дороге свой «ягуар», и чуть не высадил ей входную дверь.

У него была тогда одна цель — как следует ее напугать, а самому выпустить пар. Он собирался сказать ей, что ее исключили из Теневого Резерва, и он еще успеет объяснить в Университете, за что. И только оказавшись с ней лицом к лицу, Вик решил заставить Робин исправить то, что она натворила. Какая удача, что она принимала ванну! Полураздетая, в одном халате, она оказалась в менее выигрышном положении.

И тут память на удивление живо нарисовала Вику образ Робин Пенроуз: мокрые рыжие кудряшки, босые ноги путаются в складках белого махрового халата, который слегка распахивается, когда Робин наклоняется, чтобы включить электрокамин в захламленной гостиной. Вик видит профиль груди и розового соска и понимает, что под халатом ничего нет... Вспомнив об этом, Вик с удивлением и даже смятением почувствовал, как напрягся его половой член. И тут Марджори, видимо, искавшая под одеялом его руку для дружеского пожатия, нашла вместо нее другой орган, хихикнула и прошептала:

— О, так ты все-таки мной интересуешься?

Теперь Вику оставалось только идти до конца. Марджори сопела и стонала под ним, а он держался только потому, что представлял себе, будто проделывает все это с Робин Пенроуз, распростертой на ковре перед камином. Ее банный халат распахнулся, и под ним действительно ничего не было. Вик в упоении мстил этой упертой корове за то, что она сделала его мишенью для насмешек Брайана Эверторпа; за то, что своими дурацкими вопросами чуть не сорвал совещание; за то, что из-за нее могли пойти насмарку шесть месяцев борьбы за возрождение литейного цеха. Да, хорошо вот так отыметь ее на полу, среди бесчисленных стопок книг, грязных кофейных чашек и бокалов из-под вина, конвертов от пластинок, экземпляров «Марксизма сегодня». Голую, с рыжим пучком волос на лобке, мечущуюся и бьющуюся под ним, как актрисы в телефильмах, непроизвольно стонущую от удовольствия, когда он вонзается в нее, вонзается, вонзается…

Когда он скатился с Марджори, та глубоко вздохнула — Вик не понял, от удовлетворения или от облегчения, — поправила ночную рубашку и заковыляла в ванную. Вика охватило чувство вины и подавленности. Как в юности, когда он занимался онанизмом. Он оказался в состоянии заняться любовью с женой только под влиянием грубых фантазий с участием женщины, ненавидеть которую у него были все основания. Это очень плохо. Но гораздо хуже то, что если бы Робин Пенроуз узнала об этом, она бы самодовольно ухмыльнулась такому весомому подтверждению своих феминистских предрассудков. Отмщения не получилось. Напротив, Вик чувствовал, что потерпел моральное поражение. Неудачная выдалась неделька, мрачно подумал он, слушая, как Марджори плещется над биде, а потом наливает в стакан воду из-под крана, чтобы запить валиум. Вик чуть было не попросил захватить таблеточку и для него.

Когда Марджори вернулась в спальню, звук хлопнувшей входной двери заставил Вика подскочить в постели.

— Это Сандра? — спросил он.

— Думаю, да. А что?

— Я совершенно про нее забыл.

По субботам он всегда ждал появления Сандры: отчасти чтобы убедиться в ее благополучном возвращении, но еще и для того, чтобы увидеть, как уходит этот прыщавый Клифф. Но на сей раз Гэри нарушил весь ритуал ранним отходом ко сну, и Вик напрочь позабыл о дочери.

— С ней все в порядке. Клифф всегда провожает ее до самого дома.

— Именно это меня и беспокоит. Может, он сейчас с ней внизу. — Вик сбросил с себя одеяло и принялся шарить ногой под кроватью в поисках шлепанцев.

— Ты куда? — удивилась Марджори.

— Вниз.

— Ради Бога, Вик, оставь их в покое,—попросила несколько изумленная Марджори.— Ты будешь выглядеть смешно. Они просто пьют кофе или болтают. Неужели ты не доверяешь собственной дочери?

— Я не доверяю этому Клиффу,— огрызнулся Вик. Но, посидев несколько минут на краю кровати, все-таки улегся обратно под одеяло и погасил свет, кажется, уже в сотый раз за вечер.— У молодежи вроде него только одно на уме,—добавил он.

— Клифф хороший парень. И, между прочим, кто бы говорил,— поддела мужа Марджори и ткнула его локтем.— Ты и сам не остановился на полпути.

Вик промолчал, радуясь тому, что в темноте не видно выражения его лица.

— Было здорово, правда? — сонно пробормотала Марджори.

Вик буркнул нечто неопределенное, но Марджори такой ответ удовлетворил. Валиум, наложившийся на непривычные сексуальные экзерсисы, очень скоро оказал свое действие. Дыхание Марджори стало глубоким и ровным. Она спала.

По-видимому, Вик тоже задремал. Его разбудил какой-то звук, который он поначалу принял за собственное сердцебиение. Взглянув на табло будильника, Уилкокс увидел, что уже четверть второго. И тут он понял, это не сердцебиение, а звучание низких частот музыкального центра в гостиной. Отрывок из фильма, который Вик смотрел перед сном, навеял ему такую картину: Сандра и Клифф, ослепленные страстью, танцуют щека к щеке. Уилкокс заставил себя выбраться из постели, сунул ноги в шлепанцы, и когда глаза привыкли к темноте, снял с крючка на двери ванной свой халат и тихонько выскользнул из спальни. На лестнице и в холле было темно, лишь тусклый огонек охранной сигнализации помог ему спуститься по ступенькам. Свет из-под двери гостиной не пробивался, но музыка играла. Вик открыл дверь и вошел.

Он почувствовал себя путешественником, который по чистой случайности попал в пещеру, где расположилось на ночлег какое-то кочевое племя. Единственным горевшим в комнате светом были язычки газового пламени, мерцавшие среди ложных дров в камине. Они-то и освещали полдюжины тел, полукругом развалившихся на полу. Вик включил верхний свет. Шестеро парней, одним из которых был Реймонд, моргая, уставились на него, держа в руках банки с пивом и тлеющие сигареты.

— Привет, па, — сказал Реймонд с неподражаемым радушием, которое всегда отличало его, если он был навеселе.

— Что здесь происходит? — поинтересовался Вик, затягивая потуже пояс своего халата.

— Просто зашли с ребятами, — ответил Реймонд.

Вик уже видел всех этих парней, хотя и не знал, как их зовут, потому что сын никогда не утруждал себя представлением своих знакомых. А сами они, кажется, не были способны представиться. Вот и теперь ни один из них не поднялся с пола, не проявил ни малейшего признака уважения или замешательства. Все так и лежали на полу в потертых пальто и громоздких ботинках, которые они, по-видимому, никогда не снимали, и безразлично взирали на Вика из-под отвратительных панковских причесок. Все, как и Реймонд, либо бросили колледж, либо так и не нашли в себе сил туда поступить. Жили на пособие и за родительский счет, проводили время в пабах и бренчали в музыкальных магазинах. Все они играли на гитарах всевозможных форм и размеров, лелея мечту когда-нибудь сколотить группу, хотя никто из них не знал нотной грамоты, а издававшийся ими совокупный шум был столь ужасен, что им редко удавалось найти помещение для репетиций. Вику было достаточно одного взгляда на эту компанию, чтобы ему мучительно захотелось возродить воинскую повинность, работные дома или ссылку — все что угодно, лишь бы заставить этих бездельников поднять задницы и заняться чем-нибудь путным.

— Где Сандра? — спросил Вик, обращаясь к сыну. — Она пришла?

— Спать легла. Недавно вернулась.

— А этот... как его?

—Клифф пошел домой.

Реймонд, как всегда разговаривая с Виком, смотрел не ему в глаза, а себе под ноги и покачивал головой в такт музыке. Вик огляделся. Он чувствовал себя весьма неуверенно в пижаме и халате — предметах туалета, которых ни один из этих парней не носил с тех пор, как достиг половой зрелости.

—Это мое пиво? — поинтересовался Вик, и ему тут же стало стыдно за свой вопрос.

—Да, а что, нельзя? — отозвался Реймонд.—Я куплю со следующего пособия.

—Я не против, пейте на здоровье,— ответил Вик,— только не надо блевать на ковер.

—Это был Вигги,— объяснил Реймонд, уловив намек на то, что случилось несколько месяцев назад.— Он с нами больше не приходит.

—Неужели образумился?

—Не. Женился.— Реймонд ухмыльнулся и бросил лукавый взгляд на друзей, которых эта новость тоже забавляла. Некоторые хрюкали и гоготали, другие содрогались от беззвучного смеха.

—Бог помочь его жене, больше мне сказать нечего,— бросил Вик. Перешагнув через несколько пар вытянутых на полу ног, он добрался до стереосистемы и убавил громкость и басы.—Сделаем потише,— пояснил он,— а то разбудите маму.

—Ладно,— милостиво согласился Реймонд, хотя не хуже Вика знал, что разбудить Марджори теперь сможет разве что ядерный взрыв. Вик уже шел к двери, когда Реймонд добавил: Погаси свет, ладно, па?

Когда Вик поднимался по лестнице, ему показалось, будто из гостиной доносится приглушенный смех. Как же он устал от этого звука!

На следующее утро Вик, вынужденный смывать шлангом дорожную соль с днища машины, видел, как уходило несколько ночных гостей, и даже вынудил двоих промычать приветствие, недвусмысленно уставившись на них. Некоторое время назад в семье было достигнуто следующее соглашение: Реймонду разрешалось оставлять своих друзей на ночь при условии, что спать они будут в его комнате. Эта оговорка, призванная сократить количество гостей, себя, увы, не оправдала. Сколько бы их ни приходило, они умудрялись поместиться на отведенном метраже: сворачивались на полу калачиком в спальных мешках или, укутавшись в пальто (как представлял себе Вик), спали вповалку, храпяще-пукающе-рыгающей грудой тел. В воскресенье утром они по очереди выползали из своего зловонного гнезда, чтобы не всегда аккуратно помочиться в одном из туалетов, хорошенько приложиться к кукурузным хлопьям на кухне, после чего тащиться на сборище в очередной паб. Последним обычно вставал Реймонд. Как правило, он еще завтракал, когда Вик уезжал за своим отцом, чтобы привезти его на ленч.

После того как двадцать пять лет назад Джоан, старшая сестра Вика, вышла замуж за канадца и укатила с ним в Виннипег, ответственность за родителей перевалилась на плечи Вика. В 1975 году мистер Уилкокс-старший вышел на пенсию, проработав всю жизнь в одной из крупнейших инженерных компаний Раммиджа, сперва мастером, потом инспектором по снабжению. Через шесть лет умерла от рака мать Вика, но Уилкокс-старший решил остаться в их старом и неудобном доме на Эбери-стрит, в котором они с женой поселились сразу же после свадьбы. Поездка за отцом в воскресенье утром была обязательным еженедельным ритуалом.

Всякий раз, когда Вик ехал по Эбери-стрит, она казалась ему более унылой, чем неделю назад, но в то хмурое январское воскресенье началась оттепель и улица выглядела особенно мрачно. В ее начале и в конце стояли полуразрушенные дома, и от этого улица делалась похожа на рот, в котором первыми прорезались жевательные зубы. В середине еще сохранилось несколько жилых домов, и один из них был домом отца Вика. В некоторых оставались прежние жильцы, другие были заколочены, в кое-какие вселились бедные иммигранты. К последним мистер Уилкокс относился до смешного по-разному. С теми, кого знал лично, он общался тепло, но покровительственно. Прочих предал анафеме как «чертовых негров и цветных», которые все здесь довели до упадка. Вик неоднократно пытался объяснить отцу, что их присутствие на Эбери-стрит есть следствие, а вовсе не причина, а причина — проходящая в тридцати ярдах автострада на исполинских бетонных ногах. Но безуспешно. Кстати сказать, Вику ни разу в жизни не удалось хоть в чем-нибудь переубедить отца.

Вик съехал с дороги в проулок, все еще занесенный грязных талым снегом, и припарковал машину перед домом номер 59. Желтокожие ребятишки, пулявшие друг в друга мокрыми снежками, застыли, разглядывая огромную сверкающую машину. «Ягуар» выглядел неприлично ослепительно на фоне стоявших здесь колымаг — старых «эскортов» и «марин». Вик чувствовал бы себя комфортнее, если бы приехал на «метро» Марджори, но он знал: отец гордится тем, что за ним приезжают на «ягуаре». Это было своего рода объявлением для соседей: «Видите, мой сын богат и удачлив в делах. Я не такой, как вы. У меня нет необходимости прозябать в этой помойке, и я могу уехать отсюда в любой момент, стоит только захотеть. Просто я люблю свой дом, в котором прожил столько лет».

Вик постучал в дверь. Отец тотчас же открыл, уже одетый в свой лучший воскресный наряд: клетчатый пиджак и серые брюки, под пиджаком — шерстяная тужурка, сорочка и галстук, а коричневые туфли сияют, как свежие каштаны. Редкие седые волосы напомажены, что, видимо, снова входит в моду, судя по друзьям Реймонда. Впрочем, мистер Уилкокс-старший делал это всегда, независимо от моды.

— Сейчас, только надену пальто, — сказал отец. — Я его просушивал. Ты зайдешь?

— Могу, — отозвался Вик.

В холле было почти так же сыро и прохладно, как на улице.

— Ты должен дать мне установить здесь центральное отопление, — сказал Вик, следуя за отцом, таким же невысоким и широкоплечим, как он сам, но менее полным. Заранее зная ответ, он мысленно произнес его одновременно с отцом.

—Терпеть не могу центральное отопление.

—Но тогда тебе не придется просушивать одежду перед кухонной плитой.

—Оно вредно для мебели.

Одному Богу известно, откуда мистер Уилкокс взял, что центральное отопление пересушивает мебельный клей, в результате чего мебель начинает разваливаться. Соображение, что в доме у Вика за много лет пользования отоплением ничего не рассохлось и не развалилось, не могло его переубедить. И вряд ли стоило говорить мистеру Уилкоксу, что его мебель, купленная в комиссионке в тридцатые годы, вряд ли заслуживает столь бережного отношения.

Уютно и тепло было только на кухне. Собственно, здесь-то мистер Уилкокс и зимовал, сидя возле плиты в кресле с высокой спинкой и глядя в телевизор, который он рискнул водрузить на комод, поверх кипы старых книг и журналов, купленных на дешевых распродажах. Дверца духовки была открыта, и перед ней на спинке стула, напоминая развалившегося пьяницу, висело синее пальто. Мистер Уилкокс с шумом захлопнул дверцу, и Вик помог ему одеться.

—Нужно бы купить новое,—сказал Вик, заметив потертости на рукавах.

—Такого материала теперь не купишь,—заявил мистер Уилкокс.—То, что на тебе надето, не выглядит теплым.

Вик был в стеганом жилете поверх толстого свитера.

—Он теплее, чем кажется,—возразил Вик.—И в нем очень удобно водить машину—руки свободны.

—А сколько он стоит?

—Пятнадцать фунтов,—ответил Вик, привычно поделив пополам настоящую цену.

—Боже Всемогущий!—воскликнул мистер Уилкокс.

Когда отец спрашивал его о цене на что бы то ни было, Вик всегда делил ее пополам, потому что в этом случае старик получал повод возмутиться, не будучи всерьез расстроен.

—Вчера мне попалась забавная книжонка,—сообщил отец, взмахнув перед носом Вика томом в мягкой красной обложке, грязной и мятой.— Обошлась мне всего в пять пенсов. Взгляни-ка.

Книга называлась «Путеводитель по отелям и ресторанам. 1958».

—Захвати ее с собой, пап,— предложил Вик.— Нам пора ехать, а то обед остынет.

—А знаешь ли ты, что в пятьдесят восьмом году в отеле города Моркама ночлег и завтрак стоили семь шиллингов шесть пенсов?

—Нет, не знаю.

—Как ты думаешь, сколько это будет стоить сейчас? Семь фунтов?

—Запросто,— кивнул Вик.— Но скорее вдвое дороже.

—Не понимаю, как люди выживают в таких условиях,— с мрачным удовлетворением заявил мистер Уилкокс-старший.

Воскресный ленч (или обед, как называл его Вик из уважения к отцу) на протяжении всего года почти не менялся (тоже из уважения к гостю): кусок говядины или баранины с жареным картофелем и брюссельская капуста или горошек; затем яблочный или лимонный пирог. Как-то раз Марджори решилась поэкспериментировать с *coq au vin*[1] по рецепту из журнала, и когда перед мистером Уилкоксом поставили его тарелку, он горестно вздохнул, а после сказал, что все было очень мило, но он не поклонник заморских блюд, ведь нет ничего лучше старого доброго английского ростбифа. Марджори поняла этот тонкий намек.

После ленча они устроились в гостиной, и мистер Уилкокс стал развлекать себя и, как он наивно полагал, остальных членов семьи чтением вслух отрывков из «Путеводителя по отелям и ресторанам», время от времени предлагая им отгадать, сколько в 1958 году стоил недельный полупансион в лучшем отеле острова Уайт или ночлег с завтраком класса «А» в меблированных комнатах в Риле.

---

[1] Петух в вине (*фр.*).

—Дедуль, я даже не знаю, что такое «семь и шесть»,— раздраженно заявила Сандра, а Гэри пришлось буквально затыкать рот, потому что он порывался прочесть старику лекцию об инфляции. В результате Сандра и Гэри устроили склоку из-за телевизора: Сандра хотела смотреть «Ист-эндцев», а Гэри — играть в компьютерную игру. У него в комнате был свой черно-белый телевизор, но для этой игры требовался цветной. В их споре Вик принял сторону Сандры, и тогда Гэри заявил, что пора бы купить ему цветной телик. Мистер Уилкокс-старший спросил, сколько стоит эта модель, и Вик, испепеляя взглядом свое семейство, назвал цифру в двести пятьдесят фунтов. Марджори тем временем очень сосредоточенно штудировала буклет «Товары почтой», который принесли вместе со счетом. В нем предлагалось множество никому не нужных приспособлений: брелок для ключей, который начинает пищать, если посвистеть; будильник, который перестает пищать, если на него заорать; надувная подушечка под шею, чтобы спать в самолете; раскладная вешалка для галстуков; машинка с термостатическим регулятором для удаления нежелательных волос; комплект приспособлений для ванны, создающий эффект джакузи. Марджори изучала проспект до тех пор, пока безжалостный допрос мистера Уилкокса о гостиничных расценках 1958 года не напомнил ей про летние каникулы. Тогда она принялась изучать воскресные газеты и телепрограммы и вырезать из них купоны на получение проспектов. Сандра заявила, что ей порядком надоел этот семейный отдых, и почему бы не купить собственный домик в Испании или на Майорке, куда они смогут ездить по отдельности, каждый со своими друзьями. Это предложение с восторгом поддержал Реймонд, пришедший из кухни, где он поедал разогретый ленч, потому что как обычно вернулся из паба слишком поздно и не успел сесть за стол вместе со всеми. А еще он поинтересовался, не одолжит ли Вик ему и его друзьям двести пятьдесят фунтов, чтобы сделать демо-запись их группы. Вик с огромным наслаждением ответил решительным отказом. Оказавшись под перекрестным огнем: с одной стороны родителя, который расце-

нивал любую не жизненно важную трату как чистейшей воды
разврат, а с другой стороны — жены и детей, которые, дай им
волю, спустили бы в пять раз больше, чем он получает,— так
вот, оказавшись под перекрестным огнем, Вик оставил попытки почитать воскресные газеты и вышел на улицу отдохнуть
от семейства, а заодно почистить от снега дорожку. Ничто не
угнетало его так, как мысли о летнем отдыхе: о двух неделях
принудительного безделья, прогулках под дождем по безот-
радному английскому побережью или о поисках спасительной
тени на знойном Средиземноморье. Даже два выходных — это
уже плохо. Вот почему в воскресенье днем Вик всей душой
рвался обратно на завод.

3

Выходные дни Робин и Чарльза существовали не только для
отдыха, но и для работы, причем эти занятия имели тенден-
цию плавно перетекать друг в друга, сливаясь воедино. Это работа или отдых — просматривать литературные странички
«Обсервер» или «Санди Таймс», вычленяя и анализируя сведе-
ния о новых книгах, спектаклях, фильмах, даже о моде и мебели (ибо для современной критики важны все грани семиотики)? Короткая прогулка в местный парк, чтобы покормить
уток,— это, конечно, отдых. А после легкого ленча (Робин готовит омлет, а Чарльз режет салат) они посвящали несколько
часов серьезной работе в захламленной гостиной (она же кабинет), после чего Чарльзу пора было возвращаться в Саффолк. Робин должна была проверить кучу курсовых работ, а
Чарльз читал книгу о деконструктивизме, которую он согласился отрецензировать для одного научного журнала. Посвистывал и пощелкивал газ в камине. Тихо звучал концерт для
клавесина Гайдна. За окном, насколько позволял видеть суме-
речный зимний свет, таял снег, вода капала с крыш и журчала
в водосточных трубах. Робин, читавшая работу Мерион Рассел
по «Тэсс из рода д'Эрбервиллей» (которая оказалась весьма не-

дурна, а значит, пойти работать моделью — удачное решение), перехватила отрешенный взгляд Чарльза и улыбнулась.

— Хорошо? — спросила она, показывая на книгу.

— Неплохо. Во всяком случае в том, что касается постановки вопроса. Помнишь тот великолепный пассаж у Лакана: «Я думаю о том, где меня нет, поскольку я не там, где я думаю… я всегда игрушка моих мыслей; я думаю о том, что я есть, даже если я думаю, что не думаю ни о чем»?

— Да, действительно великолепно, — согласилась Робин.

— Здесь очень увлекательные рассуждения на эту тему.

— Не там ли Лакан оригинально отзывается о реализме?

— Да. «Эта двуличная тайна связана с тем, что правдивость может быть вызвана лишь таким весомым алиби, при котором весь „реализм“ творчества становится достоинством благодаря метонимии».

Робин нахмурилась.

— И что, по-твоему, это означает? Надеюсь, слово «правдивость» употреблено в ироническом смысле?

— Думаю, да. Скорее всего, оно возникло здесь из-за слова «алиби». Это не «правдивость» в прямом значении. Правдивость есть фигура речи, паутина метонимии и метафор, как сказал Ницше. На самом деле все восходит к Ницше, что и подчеркивается в этой книге. — Чарльз положил книгу на колени. — Вот слушай. Лакан продолжает: «Связана она еще и с тем, что мы погружаемся в смысл двойного витка метафор, имея единственный в своем роде ключ: означающее и означаемое из соссюровской формулы находятся на разных уровнях, и человек лишь обманывает самого себя, когда верит, что находится на их оси вращения, которой не существует».

— Но почему он не делает различия между «правдивостью» и «смыслом»? Правдивость не есть смысл, а метонимия не есть метафора.

— Как это? — в свою очередь нахмурился Чарльз.

— Ну, возьмем, к примеру, «Принглс».

— «Принглс»?

— Да, завод.

— Ах, это… Ты, похоже, всерьез им увлеклась.

— Я просто все время об этом думаю. Можно очень реалистично описать завод, пользуясь набором метонимий — грязь, шум, жара и так далее. Но постичь *смысл* завода возможно лишь с помощью метафор. Завод подобен аду. И проблема Уилкокса в том, что он этого не видит. Не обладает метафорическим видением.

— А Денни Рэм? — напомнил Чарльз.

— О, бедняга Рэм… У него тоже едва ли есть метафорическое видение, иначе он бы там не прижился. Для него завод — совсем другой набор метонимий и синекдох: рычаг, за который он дергает, грязная спецовка, которую он носит, еженедельная получка. Это правдивость существования, но отнюдь не его смысл.

— А смысл?..

— Я же говорю: ад. Если хочешь в марксистских терминах — отчуждение.

— Но… — только и успел возразить Чарльз. Его прервал долгий звонок в дверь.

— Кто бы это мог быть? — удивилась Робин и поднялась со своего места.

— Надеюсь, не твой друг Уилкокс, — буркнул Чарльз.

— Почему именно он?

— Не знаю. Просто по твоим рассказам он получается немного… — на сей раз Чарльз не смог подобрать достойный эпитет, чего с ним обычно не случалось.

— Не стоит так его бояться, — улыбнулась Робин. — Он тебя не съест. — Она подошла к окну и посмотрела в сторону крыльца. — О, Господи! — воскликнула она. — Это Бэзил!

— Твой брат?

— Да. С девушкой.

Робин прыжками и подскоками пробралась по заваленному полу и пошла открывать, а Чарльз, недовольный тем, что ему помешали работать, отметил место в книге и убрал ее в портфель. Он мало знал о Бэзиле, но и это немногое наводило на мысль, что в ближайшие час-два вряд ли придется беседовать о деконструктивизме.

Решение Бэзила заняться банковским бизнесом, о котором он поставил в известность скептически настроенное семейство, будучи студентом последнего курса Оксфорда, не стало пустой угрозой. Он устроился в коммерческий банк и за первые три года заработал больше, чем его отец за всю жизнь, о чем последний сообщил Робин в Рождество с гордостью, смешанной с обидой. Сам Бэзил домой на Рождество не приехал — катался на лыжах в Сент-Морице. Робин давно уже не виделась с братом, потому что ради спокойствия родителей оба они специально приезжали к ним порознь, да и вообще не горели желанием встречаться где бы то ни было. И теперь Робин была поражена тем, как изменился ее брат: лицо его округлилось, волнистые волосы кукурузного цвета идеально подстрижены, даже зубы приведены в порядок — все это, видимо, следствия блестящего материального положения. Весь его облик, как и облик его спутницы, свидетельствовал о наличии денег: от шикарных кожаных пальто пастельных тонов, которые словно заполнили собой прихожую, стоило Робин открыть дверь, до «БМВ» с лондонскими номерами, припаркованного позади четырехлетнего «гольфа» Чарли. Под пальто из овечьей кожи на Бэзиле оказалась кашемировая спортивная куртка, а на его подруге по имени Дебби — потрясающий костюм, похожий на продукцию модельера Кэтрин Хэмнет с фотографии в свежем номере «Санди Таймс». Подобный выбор одежды частично объяснялся тем обстоятельством, что накануне вечером молодые люди были на охоте в Шропшире, а на обратном пути в Лондон ни с того ни с сего решили заглянуть к Робин.

— На охоте? — повторила Робин, удивленно вскинув брови. — И это говорит человек, который считал, что лучший способ провести вечер — это слушать панк-рок, сидя в комнате над пабом?

— Мы все растем, Роб, — улыбнулся Бэзил. — К тому же поездка была отчасти деловой. Я завел кучу полезных знакомств.

—Так весело было!—заверещала Дебби, симпатичная белокожая блондинка со стрижкой, как у принцессы Дианы, и такая худенькая, словно страдала отсутствием аппетита.—Прям в настоящем замке. Как в ужастике, пра'да?—спросила она у Бэзила.—Рыцарские доспехи, звериные головы и все такое.

Сначала Робин подумала, что акцент кокни, с которым говорила Дебби,—это шутка, но очень скоро поняла: настоящий. Несмотря на дорогущие шмотки и прическу, Дебби явно принадлежала к более низкому сословию. Когда Бэзил упомянул о том, что они вместе работают, Робин решила: секретарша или машинистка. Но брат быстро исправил ее ошибку, когда пошел вслед за ней на кухню, где Робин готовила чай.

—Господи, да нет же,—возразил он.—Она дилер по иностранной валюте. Очень умная, зарабатывает больше меня.

—А это сколько?—поинтересовалась Робин.

—Тридцать тысяч, не считая бонусов,—ответил Бэзил, с самоуверенным видом скрестив руки на груди.

Робин остолбенела.

—Папа говорил мне, что ты жутко разбогател, но я и представить себе не могла, насколько жутко. И чем же ты занимаешься за такие деньжищи?

—Работаю на валютном рынке. Заключаю сделки.

—Сделки?—переспросила Робин. Это слово напомнило ей о том, как ее маленький братик Бэзил, долговязый нескладный мальчуган в стоптанных ботинках и запачканной курточке, раскладывал на кучки каштаны или упоенно изучал свою коллекцию марок.

—Да. Ну, предположим, компания заняла сколько-то тысяч по определенной процентной ставке. Если они думают, что ставка вот-вот понизится, они могут оформить сделку, по которой мы выплачиваем им определенный процент, а они отдают нам разницу между ставкой и курсом LIBOR, назначаемым в Лондоне на межбанковские евровалютные депозиты, который меняется…

Пока Бэзил рассказывал Робин больше того, что она хотела узнать, и много больше того, что могла понять, она отвлеклась на приготовление чая и старалась побороть скуку. А Бэзил пылко убеждал ее в том, будто он зарабатывает меньше Дебби лишь потому, что пришел в банк гораздо позже.

— Понимаешь, она не училась в университете.

— Да, понимаю. Я это заметила.

— На самом деле, мало кто из дилеров там учился. Как правило, это люди, в шестнадцать лет окончившие школу и сразу же пришедшие в банк. Там их заметили, оценили и дали возможность проявить себя.

Робин поинтересовалась, что для этого требуется.

— Они называют это «психологией уличного торговца». Быстрые мозги и непреодолимое желание безостановочно торговать. Сделки бывают разные, иногда приходится запастись терпением и долго готовить пакет документов. А бывают периоды затишья. В комнате, где сидит Дебби, я лично не могу находиться и пятнадцати минут. Там пятьдесят человек, у каждого в руках по шесть телефонных трубок, и все орут, ну, скажем, «шестьсот миллионов йен девятого января!» И так весь день. Сумасшедший дом, но Дебби на этом разбогатела. Она родилась в Уайтчепеле, в семье букмекера.

— А у вас это серьезно?

— Что серьезно? — мило улыбнулся Бэзил, показав идеальные зубы. — Ни у меня, ни у нее больше никого нет, если ты об этом.

— Вы живете вместе?

— Не вполне. У каждого из нас есть свой дом, и это правильно, потому что цены на недвижимость в Лондоне постоянно растут. Кстати, сколько ты заплатила за этот дом?

— Двадцать тысяч.

— Ничего себе! В Сток-Ньютоне он стоил бы вчетверо дороже. Два года назад Дебби купила там небольшой домик с террасой, похожий на твой, за сорок тысяч. Сейчас он тянет на все девяносто…

— Значит, в Лондоне половая жизнь теперь зависит от размеров частной собственности?

— Разве так было не всегда? Вспомни Святого Карла.

—Это было еще до того, как женщины освободились.

—Сказать по правде, мы оба так выматываемся на работе, что вечером уже не хочется ничего, кроме бутылочки винца и горячей ванны. Да и рабочий день у нас длинный. Двенадцать часов, а то и больше, если дел по горло. В семь утра Дебби уже за рабочим столом.

—Почему так рано?

—У нее много сделок с Токио… Поэтому всю неделю мы посвящаем работе, вместе проводим только выходные. А как дела у вас с Чарльзом? Не пора ли под венец?

—Почему ты об этом спрашиваешь?

—Мы наблюдали за вами через окно, и я подумал, что вы выглядите как образцовая семья.

—Мы не состоим в браке.

—Неужели здесь, в глубинке, люди по-прежнему говорят «в браке»?

—Не будь столичным снобом, Бэзил.

—Прошу прощения,—сказал он и ухмыльнулся, давая понять, что и не собирался просить прощения.—Но у вас это уже давно и надолго.

—У меня и у Чарльза нет других связей, если ты об этом,—холодно произнесла Робин.

—А как с работой?

—Все шатко,—ответила Робин, возвращаясь в гостиную. Дебби, пристроившись на подлокотнике кресла, в котором сидел Чарльз, показывала ему какую-то коробочку, похожую на карманный кварцевый будильник.

—Вы любите китайский чай?—спросила Робин, ставя поднос на стол и думая о том, что Дебби, скорее всего, предпочитает какой-нибудь сорт, который рекламируют по телевизору: шимпанзе пьет из мультипликационной чашечки такой крепкий чай, что ложка в нем стоит.

—Обожаю,—откликнулась Дебби. С ней и правда было трудно подобрать правильную манеру поведения.

—Очень интересная вещица,—вежливо сказал Чарльз, возвращая Дебби ее коробочку. Оказалось, что эта штуковина двадцать четыре часа в сутки сообщала ей о курсах основных валют мира, но поскольку она работала лишь в радиусе пятидесяти миль от Лондона, сейчас ее жидкокристаллический экран был девственно чист.

— Я всегда жутко дергаюсь, когда выпадаю из обоймы,— объяснила Дебби.— Дома я кладу его под подушку, чтобы проверить соотношение йены к доллару, если вдруг проснусь среди ночи.

— Так что там у тебя с работой? — повторил свой вопрос Бэзил, обращаясь к сестре.

Робин вкратце описала ситуацию, после чего Чарльз навел эмоциональный глянец.

— Самое смешное, что она лучший преподаватель кафедры,— сказал он.— Это знают студенты, это знает Лоу, да и все остальные. Но никто ничего не может сделать. Наше правительство буквально убивает университеты тысячными сокращениями.

— Стыд и позор,— возмутилась Дебби.— А чего тебе не попробовать что-нибудь другое?

— Например, валютный рынок? — язвительно откликнулась Робин, хотя Дебби, судя по всему, отнеслась к ее высказыванию всерьез.

— Нет, дорогая. Боюсь, поздновато. В нашей игре котируются до тридцати пяти. Но можно ведь придумать что-нибудь еще. Например, открыть свой маленький бизнес.

— Бизнес? — переспросила Робин и рассмеялась, настолько бредовой показалась ей эта мысль.

— Ну да. Почему бы нет? Бэзил мог бы подкинуть деньжат. Правда, лапуль?

— Нет проблем.

— Можно получить правительственную субсидию, сорок фунтов в неделю и бесплатное обучение на годичных курсах менеджмента,— продолжала Дебби.— Одна моя подруга именно так и поступила, когда ее уволили. Открыла в Брикстоне бутик спортивной обуви, получив в банке ссуду в пять тысяч. Через год продала его за сто пятьдесят и укатила жить в Алгарв. Теперь у нее там целая сеть магазинов.

— Но я не хочу ни торговать обувью, ни жить в Алгарве,— возразила Робин.— Я хочу преподавать женскую прозу, постструктурализм и роман девятнадцатого века. Еще хочу писать об этом книги.

— И сколько же ты получаешь? — поинтересовался Бэзил.

— Около двенадцати тысяч в год.

— О, Господи! И это все?

— Я занимаюсь этим не ради денег.

— Ну, это я уже понял.

— На самом деле,— вступил в разговор Чарльз,— множество людей живут на половину этой суммы.

— Наверняка,— кивнул Бэзил.— Но мне не доводилось видеть никого из них. А тебе?

Чарльз промолчал.

— Я видела,— откликнулась Робин.

— И кто же он? — оживился Бэзил.— Назови мне такого человека, которого ты знаешь. Я имею в виду — знаешь *лично*, а не понаслышке. Человека, с которым ты недавно разговаривала и который получает меньше шести тысяч в год.— Его выражение лица, изумленное и одновременно воинственное, напомнило Робин о тех аргументах, которые они использовали в своих детских спорах.

— Денни Рэм,— сказала Робин. Она точно знала, что он получает сто десять фунтов в неделю: спросила у Прендергаста, директора по персоналу.

— А кто такой этот Денни Рэм?

— Индус, работает на заводе.— Робин получила удовольствие от этой фразы, которая нанесла ощутимый удар по надменному цинизму Бэзила. Но потом ей все же пришлось объяснить, как именно она познакомилась с Денни Рэмом.

— Ну да, понятно,— сказал Бэзил, когда Робин закончила краткий отчет о своем пребывании в «Принглс».— Итак, ты приложила руку к тому, чтобы британская промышленность стала менее конкурентоспособной.

— Я приложила́ руку к тому, чтобы привнести в нее хоть чу-точку справедливости.

— Это не даст никаких ощутимых результатов,— заверил Бэзил.— Такие компании, как «Принглс», все равно долго не протянут. Мэгги абсолютно права: будущее нашей экономики — это сфера обслуживания и, возможно, высокие технологии.

— А банковский бизнес относится к сфере обслуживания? — поинтересовался Чарльз.

— Конечно,— улыбнулся Бэзил.— И вы еще убедитесь в этом. Подождите Большого Взрыва.

— Какого такого взрыва? — удивилась Робин.

Бэзил и Дебби переглянулись и расхохотались.

— Не могу поверить,— сказал Бэзил.— Ты что, газет не читаешь?

— Читаю, но пропускаю страницы про финансы,— призналась Робин.

— Это своего рода изменение правил игры на фондовой бирже,— объяснил Чарльз,— которое позволит людям вроде Бэзила зарабатывать еще больше.

— Или все потерять,— уточнил Бэзил.— Не забывай, что в нашей работе есть элемент риска. В отличие от женской прозы или литературной критики,— прибавил он, взглянув на Робин.— Но от этого только интереснее.

— Азартная игра с бо́льшим размахом, да? — спросил Чарльз.

— Точно. Дебби каждый день играет на ставку от десяти до двадцати миллионов фунтов, правда, киска?

— Ну да,— кивнула Дебби.— Ясное дело, это вам не азарт на скачках. Живых-то денег не видишь, да они и не твои — банковские.

— Но двадцать миллионов! — содрогнулся Чарльз.— Почти годовой бюджет моего университета.

— Видел бы ты Дебби за работой! — воскликнул Бэзил.— Тогда бы все понял. И ты, Робин.

— А чего? — воодушевилась Дебби.— Можно устроить.

—Пожалуй, это было бы любопытно,— изрек Чарльз к крайнему удивлению Робин.

—Боюсь, без меня,—сказала она.

Бэзил посмотрел на часы и протянул руку к Робин, чтобы та могла рассмотреть «ролекс» у него на запястье.

—Пора нам трогаться.

Он настоял на том, чтобы хозяева вышли их проводить, а заодно и повосхищались его «БМВ», на заднем стекле которого красовалась наклейка: «Дилеры делают это впритык». Робин спросила, что это значит.

Дебби захихикала.

—Впритык — это вроде займа, который дается по одному курсу, а возвращается по другому.

—А-а, поняла. Это метафора.

—Чего-чего?

—Неважно,—сказала Робин, поеживаясь от вечерней сырости и морозца.

—Но это еще и шутка,—прибавил Бэзил.

—Ну да. Я вижу, что тут предполагалось пошутить,—кивнула Робин.—Хотя тех, кто едет следом, она должна скорее раздражать.

—За мной никто не едет подолгу,—улыбнулся Бэзил.—Это очень быстрая машина. Ну, до свидания, сестренка.

Робин покорно приняла поцелуй в щеку сначала от Бэзила, потом от Дебби. После минутного колебания и несколько натужного смеха Дебби потерлась щекой о щеку Чарльза и прыгнула в машину. Чарльз и Бэзил рассеянно помахали друг другу на прощанье.

—Надеюсь, ты не собираешься на экскурсию в банк? — спросила Робин, когда они вернулись в дом.

—Я подумал, что это может быть любопытно,—ответил Чарльз.—Потом сподоблюсь что-нибудь написать.

—Ну, тогда другое дело,—сказала Робин, закрывая входную дверь и возвращаясь вслед за Чарльзом в гостиную.— А для кого?

—Не знаю. Может, для «Марксизма сегодня». Или для «Нового политика». Я как раз подумывал о том, чтобы попытаться подзаработать в качестве вольнонаемного журналиста.

—Но ты никогда этим не занимался,—напомнила Робин.

—Все когда-нибудь бывает впервые.

Робин перешагнула через стоявшие на полу грязные чашки и присела на корточки перед камином, чтобы согреть руки.

—Как тебе Дебби?

—Вызывает определенный интерес.

—Интерес?

—Во многом — совсем ребенок, но ежедневно ворочает миллионами.

—Боюсь, мама воспримет ее как то, что она называет «простушкой», если Бэзил вообще рискнет привезти Дебби к родителям.

—Создается впечатление, что ты тоже считаешь ее простушкой.

—Я?—возмутилась Робин.

—Ты разговаривала снисходительно.

—Глупости!

—Можешь считать как хочешь,—спокойно сказал Чарльз,—но это так.

Робин не любила обвинений в снобизме, но в глубине души и сама чувствовала себя неуютно.

—А о чем можно говорить с такими людьми,—защищалась она.—О деньгах? О развлечениях? О машинах? Бэзил тоже хорош. Между прочим, он стал ужасно противным.

—Гм...

—Чарльз, давай никогда не будем богатыми,—предложила Робин, вдруг поняв, что нужно загладить возникшую между ними неловкость.

—Думаю, нам это не грозит,—ответил Чарльз, и Робин показалось, что с горечью.

Часть IV

—Я так мало знаю о забастовках, размерах заработной платы, капитале и труде, что мне лучше не разговаривать с политэкономом вроде вас.

—Ничего страшного,— с жаром сказал он.— Я буду только рад объяснить вам все то, что непосвященному покажется странным или загадочным; особенно в такое время, как сейчас, когда труд наш берется описывать каждый, кто умеет держать ручку.

Элизабет Гаскелл. Север и Юг

1

Утром следующей среды Робин опять оказалась в кабинете Ви-ка Уилкокса — к своему удивлению и уж точно к удивлению Уилкокса, если судить по выражению его лица, когда Ширли ее впустила.

— Снова вы? — сказал он, поднимаясь из-за стола.

Робин не стала входить в кабинет. Стоя в дверях, она стяги-вала перчатки.

— Сегодня среда, — ответила она. Вы не сообщили мне о том, что я могу не приезжать.

— Честно говоря, я не думал, что вы осмелитесь еще раз су-нуть сюда нос.

— Если хотите, я уйду, — сказала Робин, сняв одну перчат-ку. — Ничто не доставит мне большего удовольствия.

Уилкокс возобновил перелистывание документов в лежав-шей перед ним папке.

— Тогда почему вы приехали?

— Я дала согласие на то, чтобы приезжать сюда каждую сре-ду, вплоть до конца семестра. Лучше бы не соглашалась, но что сделано, то сделано. Если вы хотите разорвать договор, я буду только рада.

Уилкокс посмотрел на Робин так, словно что-то прикиды-вал в уме. После долгого молчания он сказал:

— Можете остаться, а то пришлют кого-нибудь еще хуже.

Его грубость давала повод повернуться и уйти, но Робин колебалась. За последние два дня она потратила уйму времени и душевных сил, раздумывая, ехать ей в «Принглс» или нет. Она ждала, что вот-вот придет сообщение от Уилкокса или из секретариата вице-канцлера, и тогда все решится само собой. Но ей никто не позвонил. Пенни Блэк, к которой Робин обратилась за советом после понедельничного сквоша, настоятельно рекомендовала ехать. «Если ты не явишься, он будет считать себя победителем». Робин приехала. И теперь голос рассудка повелевал ей остаться. Судя по всему, Уилкокс никого не поставил в известность о ее поведении в прошлую среду, и если она откажется участвовать в Теневом Резерве, все выйдет наружу. И хотя Робин нисколько не стыдилась своего вмешательства в ситуацию с Денни Рэмом (а Пенни так просто была потрясена ее героизмом), она чувствовала, что было в этом поступке что-то донкихотское, и ее не прельщала перспектива объясняться и оправдываться перед Филиппом Лоу или вице-канцлером. Итак, Робин прошла в глубь кабинета и сняла вторую перчатку.

— Хочу договориться с вами об одном,— сказал Уилкокс.— Все, что вы увидите или услышите, пока будете моей тенью, относится к разряду конфиденциальной информации.

— Хорошо,— кивнула Робин.

— И не снимайте куртку, мы сейчас уходим.— Уилкокс нажал кнопку селектора и обратился к Ширли.— Будьте добры, позвоните в «Фаундро» и узнайте, может ли Норман Коул уделить мне пять минут сегодня утром?

На сей раз Уилкокс облачился в пальто — дорогое, из верблюжьей шерсти, которое, как и большинство его вещей, было явно сшито на человека с более длинными конечностями. В вестибюле они столкнулись с Брайаном Эверторпом, важно шествующим со стороны автостоянки. Он пыхтел, был чем-то раздражен и потирал розовые ручки. Робин не видела его с прошлой среды. На встрече с рабочими он, к счастью, не присутствовал, хотя вполне мог быть о ней наслышан.

—Привет, Вик! Я вижу, твоя прекрасная тень вернулась. Должно быть, жаждет наказания. Как поживаете, моя дорогая? Благополучно добрались домой на прошлой неделе?

—Да уж справилась,—буркнула Робин. Что-то в его ухмылке подсказало ей, что Эверторп связан с поломкой в ее машине.

—Сегодня опять была плохая дорогая, Брайан? — спросил Уилкокс, бросив взгляд на часы.

—Кошмарная.

—Я так и подумал.

—В среду утром всегда одно и то же.

—Увидимся,— сказал Уилкокс и вышел через дверь-вертушку.

Робин пошла следом. После недельной оттепели опять сильно похолодало. То, что успело растаять, превратилось на стоянке в неровную ледяную корку, но «ягуар» Уилкокса был припаркован рядом со стоянкой, на расчищенном месте. Машина была длинная, с низкой посадкой и роскошной обивкой салона. Стоило Уилкоксу включить зажигание, тут же запел чистый звучный женский голос, как будто до поры до времени он таился вместе с оркестром: «Может быть, я фантазерка, может просто дурочка…» Быстрым движением Уилкокс выключил музыку, словно ему было неприятно, что открылись его музыкальные пристрастия. Машина сдвинулась с места, под колесами потрескивал лед. По дороге Вик объяснил Робин, зачем он назначил встречу с исполнительным директором фирмы «Фаундро», расположенной неподалеку.

И «Принглс», и «Фаундро» снабжали своей продукцией производителя дизельных насосов, компанию «Ролинсон»: «Принглс» — цилиндрическими блоками, а «Фаундро» — цилиндрическими головками. Некоторое время назад «Ролинсон» обратилась к «Принглс» с просьбой понизить цену на пять процентов, мотивируя это тем, что другой поставщик предлагает им ту же продукцию именно по такой цене.

—Вполне вероятно, что они блефуют. Во всяком случае, в том, что касается скидки, они наверняка блефуют. Цены могут расти, а не снижаться из-за сегодняшних цен на чугун. Но конкуренция в нашем деле настолько жестокая, что другая компания запросто могла специально предложить смешную цену. Вопрос в том, насколько смешную? И что это за компания? Поэтому я еду к Норману Коулу. Хочу выяснить, не просила ли «Ролинсон» о скидке и на цилиндрические головки.

Административные помещения «Фаундро», как и «Принглс», были пропитаны атмосферой прошлого — конца 50-х или начала 60-х годов. Такая же унылая приемная, отделанная светлыми дубовыми панелями, с колченогой потрепанной мебелью, на низеньких столиках разложены те же журналы. У секретарш те же стрижки с перманентной укладкой, включая и девушку, которая, бросая косые взгляды на Робин, проводила их в кабинет Нормана Коула. Как и кабинет Уилкокса, это была большая бесцветная комната с рабочим столом по одну сторону и широким длинным столом — по другую. За него им и предложили сесть.

Коул оказался дородным лысым мужчиной, который часто моргал за стеклами очков и курил трубку. Вернее, все время помешивал табак, прочищал и продувал мундштук, посасывал его и подносил к трубке горящие спички. Как он ни старался, дыма почти не было. Вместо этого получался лишь налет притворного *bonhommie*[1].

— Ха-ха! — воскликнул Коул, когда Уилкокс объяснил ему, кто такая Робин. — Поверю тебе на слово, Вик. Хотя другой на моем месте не поверил бы. — И обратился к Робин: — Чем именно вы занимаетесь в Университете, мисс... э-э...

— Доктор, — поправил Уилкокс. — Доктор Пенроуз.

— А-а, так вы по медицинской части!

— Нет, я преподаю английскую литературу, — ответила Робин.

— И женскую прозу, — состроил гримасу Уилкокс.

— Не увлекаюсь женской прозой, — хихикнул Коул. — Но уважаю хорошие книжки. Сейчас читаю «Поющих в тернике». — Он вопросительно посмотрел на Робин.

---

[1] Добродушия (*фр.*).

— К сожалению, не читала,— сказала Робин.

— Как дела, Норман? — спросил Уилкокс.

— Грех жаловаться,— ответил Коул.

Несколько минут они непринужденно болтали на общие темы. Секретарша принесла поднос с кофе и печеньем. Потом Вик заговорил об увеличении взносов на благотворительность. Коул посмотрел на часы.

— Я могу быть тебе чем-нибудь полезен, Вик?

— Нет, я просто решил нанести несколько визитов, чтобы эта юная леди смогла лучше оценить масштабы нашей работы,— ответил Уилкокс.— Мы не станем отнимать у тебя время. Ах да… Раз уж я здесь… Скажи, ты случайно не получал в последнее время писем из «Ролинсон»?

Коул приподнял одну бровь и показал взглядом на Робин.

— Все в порядке,— успокоил его Уилкокс.— Доктор Пенроуз прекрасно понимает, что содержание нашего разговора не должно выйти за пределы этого кабинета.

Коул достал из кармана предмет, похожий на миниатюрный ножик, и принялся ковырять им в трубке.

— Насколько я знаю, нет. А о чем письмо?

— Просят снизить цены. На пять процентов.

— Не припоминаю,— сказал Коул. Он прервал свои раскопки, чтобы нажать на кнопку селектора и попросить секретаршу принести досье «Ролинсона».— У тебя с ними сложности?

— Кто-то пытается подрезать нам крылья,— объяснил Уилкокс.— И я хочу узнать, кто именно.

— Может, какая-нибудь иностранная фирма? — предположил Коул.

— Вряд ли иностранная фирма может предложить им ту же продукцию дешевле,— возразил Уилкокс.— Да и зачем? Заказто маленький. Как ты думаешь, кто это? Германия? Испания?

Коул отвинтил мундштук и осмотрел его на просвет.

— Просто гадаю,— сказал он.— Может, Восток. Например, Корея.

— Нет,— заявил Уилкокс,— этого не может быть. Могу поспорить, это британская компания.

Секретарша принесла толстую папку и с почтительным видом положила ее на стол перед Коулом. Тот заглянул внутрь.

— Нет, на эту тему ничего нет,— сообщил он.

— Кстати, почем вы продаете свои цилиндрические головки?

Норман Коул обнажил в широкой улыбке два ряда пожелтевших от никотина зубов.

— Неужели ты думаешь, что я тебе отвечу, Вик?

Уилкокс с видимым усилием ответил такой же улыбкой.

— Пожалуй, мне пора,— сказал он, вставая и протягивая Коулу руку.

— Заберешь с собой свою тень? — спросил тот, ухмыляясь и подмигивая.

— Что? Ах да, конечно,— ответил Уилкокс, который явно забыл о существовании Робин.

— Если хочешь, можешь оставить ее здесь, ха-ха,— пошутил Коул, пожимая руку Уилкоксу. С Робин он тоже обменялся рукопожатием.— «Четвертый протокол» — тоже хорошая книжонка. Не читали?

— Нет,— ответила Робин.

Когда они уже сидели в машине, Уилкокс сказал:

— Ну, и как вам Норман Коул?

— Его литературные пристрастия вызывают недоумение.

— Он бухгалтер,— пояснил Уилкокс.— Исполнительные директора в нашем бизнесе всегда либо инженеры, либо бухгалтеры. Не доверяю я бухгалтерам.

— Мне он показался хитроватым,— призналась Робин.— Все его манипуляции с трубкой — это для того, чтобы не смотреть в глаза собеседнику.

— Хитроватый — подходящее словечко,— кивнул Уилкокс.— Я заподозрил неладное, когда он приплел Корею. Можно подумать, кого-нибудь в Корее интересуют дела «Ролинсона».

— Думаете, он что-то скрывает?

— Думаю, он вполне может оказаться тем самым таинственным третьим,— сказал Уилкокс, выезжая со стоянки перед

«Фаундро» и вливаясь в поток машин на дороге — между желтым фургоном с надписью «Ривьерский загар» и грузовиком.

— Вы говорите о том, кто предложил снизить цены на пять процентов?

— Считается, что на пять. Хотя возможно, что речь шла и о четырех.

— Но с какой целью? Вы сказали, что при такой цене никто не получит прибыли.

— Тут могут быть самые разные причины,— задумчиво произнес Уилкокс.— Возможно, он отдает безрассудные приказы, даже ведущие к убыткам, чтобы его завод продержался неделю-другую, а там, глядишь, дела пойдут в гору. А может, он вынашивает другой план: скажем, прибрать к рукам все поставки «Ролинсону», а когда они в следующий раз сделают заказ, поднять цены, не опасаясь конкуренции с нашей стороны.— Уилкокс разразился сатанинским смехом.— Или попросту знает, что должен высоко взлететь, и никакие показатели его уже не волнуют.

— А как вы собираетесь это выяснить?

Уилкокс некоторое время обдумывал вопрос, потом потянулся к телефонной трубке на приборной доске.

— Надо съездить в «Ролинсон» к Теду Стокеру,— объявил он и протянул трубку Робин.— Можете позвонить Ширли вместо меня? Тогда не придется останавливаться.

Робин никогда раньше не видела установленного в машине телефона и с удовольствием им попользовалась.

— К сожалению, мистера Уилкокса сейчас нет,— пропела Ширли тоном опытной секретарши.

— Я знаю,— ответила Робин.— Я сейчас вместе с ним.

— А-а,— протянула Ширли.— Как, вы сказали, вас зовут?

— Робин Пенроуз. Тень.

Представляясь таким образом, Робин не смогла побороть улыбку. Это звучало, как имя персонажа комиксов. Супермен. Женщина-Паук. Тень. Она передала распоряжение Уилкокса: по возможности договориться о встрече с Тедом Стокером, исполнительным директором компании «Ролинсон».

—Вы использовали меня как предлог для встречи с Норманом Коулом, да?—спросила Робин, пока они катались по улицам в ожидании ответного звонка Ширли.

—Вы пришлись как нельзя кстати,—сознался Уилкокс и улыбнулся.— Не возражаете? Вы ведь с прошлой недели моя должница.

Через несколько минут Ширли перезвонила и сказала, что встреча назначена на три часа.

—Приятной поездки,—пожелала она под конец со стервозными нотками в голосе. По крайней мере, так показалось Робин.

Уилкокс развернул машину на сто восемьдесят градусов и поехал в обратную сторону.

—Куда мы едем?—удивилась Робин.

—В Лидс.

—Как, прямо сейчас? Туда и обратно?

—Почему бы и нет?

—Но это же очень далеко.

—Я люблю водить машину.

Робин вполне могла его понять: у него ведь такая мощная и удобная машина. Единственным звуком в ее мягком уютном салоне было легкое шуршание ветерка от быстрого движения. Снаружи расстилались замороженные поля со скелетами деревьев, покрытыми дымкой инея. И было особенно приятно смотреть на этот холодный безжизненный пейзаж, сидя в тепле. Робин спросила, можно ли послушать музыку, Уилкокс включил радио и предложил ей самой выбрать волну. Робин нашла «Радио-3» с музыкой Моцарта и удобно устроилась на сиденье.

—Вы любите такую музыку?—спросил Уилкокс.

—Да. А вы?

—Ничего не имею против.

—Но предпочитаете Ренди Кроуфорд?—подколола Робин, заметив на панели пустую коробку от кассеты.

Уилкокс был поражен. Он никак не думал, что Робин узнала ту песню, которую слышала утром.

—Она вполне приличная,—сдержанно заметил он.

—Вы не находите ее немного слащавой?

—Слащавой?

—Ну, сентиментальной?

—Нет,—отрезал Уилкокс.

Где-то на подъезде к Манчестеру он съехал с магистрали и подкатил к знакомому пабу, чтобы перекусить. Это было неприметное современное здание, расположенное рядом с бензоколонкой, но с пристроенным к нему рестораном, оформленным в комично-тюдоровском стиле: с лжедубовой мебелью и таким количеством медных безделушек, что ими можно было снабжать сувенирную лавку в Стратфорд-он-Эйвоне. На каждом столе стояла электрическая лампа цветного стекла в форме каретного фонаря. В качестве меню использовались тяжелые ламинированные карты, а название каждого блюда содержало эпитет, призванный пробудить зверский аппетит: «сочнейший», «с пылу с жару», «тающий во рту», «только что с фермы» и т. д. Посетителями были в основном бизнесмены в костюмах-тройках. Они или громогласно смеялись, выпуская друг другу в лицо облака табачного дыма, или серьезно и доверительно беседовали с хорошо одетыми женщинами, скорее их секретаршами, чем женами. Иными словами, это было одно из тех заведений, от которых Робин обычно бежала как от чумы.

—Очень приятное местечко,—сказал Уилкокс, с удовольствием оглядываясь по сторонам.—Что вам заказать?

—Пожалуй, только омлет,—ответила Робин.

Уилкокс выглядел разочарованным.

—Не стесняйтесь,—уговаривал он.—Это за счет фирмы.

—Хорошо,—согласилась Робин.—Тогда мне, пожалуйста, для начала половинку сочнейшего авокадо с французским мандариновым сиропом, затем золотистые жареные креветки с чесночным соусом и свежайший фермерский салат. Ах да, и мясной рулет домашнего копчения с вкуснейшим кунжутом.

Если Уилкокс и уловил иронию в этом педантичном цитировании меню, он ничем себя не выдал.

—Не хотите еще жареной картошки?—предложил он.

—Нет, спасибо.

—Что-нибудь выпьете?

—А вы что пьете?

—Никогда не пью в середине дня. Но вас это не должно останавливать.

Робин заказала стакан белого вина. Уилкокс попросил «перье» с апельсиновым соком, сочнейший ромштекс и золотистый картофель по-французски. Мало кто из посетителей был столь воздержан: на всех столиках возвышались бутылки красного вина в плетеных корзинах или белого—в широких ведерках со льдом. Но и без помощи алкоголя Уилкокс расслабился и даже почти разоткровенничался за едой.

—Если вы действительно хотите понять, что происходит в бизнесе,—сказал он,—вам нужно ходить по пятам не за мной, а за тем, кто начинает собственное маленькое дело со штатом, ну, скажем, человек пятьдесят. Именно с этого начинаются такие фирмы, как «Принглс». У человека случается озарение, как сделать что-то дешевле или лучше других, и он открывает завод с небольшим количеством рабочих. Если дела идут в гору, он расширяется и берет в долю своих сыновей, чтобы те заняли его место, когда он отойдет от дел. Но сыновья либо не интересуются бизнесом, либо думают: с какой стати рисковать всем нашим капиталом, если мы можем продать фирму более крупной компании, а полученные деньги вложить во что-нибудь более надежное? Так фирма вливается в конгломерат типа «Мидланд Амальгамейтед», и некоему бедолаге вроде меня кладут зарплату, чтобы он ею управлял.

—Поздний капитализм,—понимающе кивнула Робин.

—Что ж в нем позднего?

—Я имела в виду, что эпоха, в которую мы с вами живем, это эпоха позднего капитализма.—Этот термин очень любили в «Нью Лайф Ревью»; о постмодернизме писали, что он симбиотически с ним связан.—Миром правят крупные транснациональные корпорации,—блеснула Робин.

— Не верьте,— сказал Уилкокс.— Маленькие компании будут существовать всегда.— Он оглядел зал ресторана.— Все эти люди работают на фирмах вроде «Принглс», и могу поспорить, среди них нет ни одного, кто не хотел бы открыть собственный бизнес. Но делают это лишь немногие, а через несколько лет продадут его, и все начнется сначала. Это замкнутый круг коммерции,— высокопарно изрек Уилкокс.— Как цикл времен года.

— И вы тоже хотели бы открыть свой бизнес?

— Конечно.

Когда Робин спросила, какой именно, он заговорщицки огляделся по сторонам и понизил голос.

— Том Ригби — помните, начальник литейного цеха? — Том и я придумали маленький приборчик, типа спектрометра, который позволит устанавливать химический состав расплавленного металла прямо на месте, в цехе. Если все получится, можно будет экономить — не возить образцы в лабораторию для анализа. Каждый литейный цех мира захочет иметь такой прибор. Может получиться славный маленький бизнес.

— Тогда почему вы до сих пор этого не сделали?

— У меня невыплаченный ипотечный кредит, а в придачу — жена и трое неработающих детей. Как и у большинства этих несчастных.

Оглядев вслед за Уилкоксом остальных посетителей ресторана, Робин заметила, как изменилась под влиянием алкоголя манера поведения секретарш: в начале обеда они были скромны и застенчивы, а во время десерта уже непринужденно хихикали. Гораздо меньше Робин понравилось, что их официант явно принимал ее за секретаршу Уилкокса, привезенную сюда для охмурения. Подавая блюда, он именовал ее не иначе как «юная леди», подмигивал и ухмылялся, когда Уилкокс попросил принести еще стакан вина, и советовал заказать на десерт что-нибудь «сладенькое и симпатичное».

— Не могли бы вы намекнуть этому молодому человеку, что я вовсе не ваша пташка-милашка,— не выдержала Робин.

— Что? — Уилкокс был так потрясен, что чуть не подавился своей порцией свежайшего домашнего яблочного пирога.

— Неужели вы не видите, как он себя ведет?

— Я думал, что он просто со странностями. Чудаковатых официантов пруд пруди.

— По-моему, он рассчитывает на крупные чаевые.

— В таком случае, его ожидает большой сюрприз, — нахмурился Уилкокс. Несчастный официант чуть не потерял рассудок, когда вернулся с предложением заказать напоследок «еще по стаканчику, для снятия напряжения». — Пожалуйста, кофе. И захватите счет, — прорычал Уилкокс. — В три часа я должен быть на встрече в Лидсе.

Робин уже жалела о том, что подняла эту тему. И не из жалости к официанту, а потому, что Уилкокс теперь угрюмо молчал, видимо, считая, что выглядел глупо.

— Спасибо за угощение, — примирительно сказала Робин, хотя, по правде говоря, у креветок с чесночным соусом был вкус масла, на котором их жарили, а от сырного пирога язык приклеился к верхнему нёбу.

— Не за что, — буркнул Уилкокс. — Это за счет фирмы.

Поездка через покрытые снегом пустынные Пеннинские горы по холмистой дороге М62 оказалась захватывающей.

— Смотрите, смотрите! Это же дорога в Гаворт! — воскликнула Робин, увидев дорожный указатель. — Сестры Бронте!

— Кто такие? — спросил Уилкокс.

— Писательницы Шарлотта и Эмили Бронте. Вы читали «Джен Эйр» и «Меркнущие высоты»?

— Я о них слышал, — ответил Уилкокс. — Это ведь женские романы.

— Они о женщинах, — поправила Робин. — Но отнюдь не женские романы в узком смысле этого слова. Это классика, два величайших романа девятнадцатого века. — И тут Робин подумала о том, что в Англии найдутся миллионы эрудированных и образованных людей, таких как Виктор Уилкокс, которые не читали ни «Джен Эйр», ни «Меркнущие высоты», хоть и трудно представить себе такую степень национальной культурной деградации. И еще она подумала, что ход ее мыслей подозрительно гуманистичен, а само слово «классика» является инструментом буржуазной гегемонии.— Конечно,— исправилась она,— люди, как правило, читают только жизнеутверждающие романы, где исполняются желания персонажей. Особенно «Джен Эйр». И приходится разбирать текст по косточкам, чтобы выявить описанные в нем политические и психологические противоречия.

— Что?— рассеянно произнес Уилкокс.

— Трудно объяснить, если вы не читали эти романы,— сказала Робин и закрыла глаза. Угощение, вино, уютное тепло салона машины убаюкали ее и отбили всякую охоту трактовать творчество Бронте с позиций деконструктивизма. Уснула Робин почти мгновенно. А когда проснулась, они уже были на стоянке возле «Ролинсон и Ко».

Снова скучный серый вестибюль, снова ожидание и листание журналов с названиями типа «Гидравлическая инженерия» и «Компрессор», снова путешествие по застланным линолеумом коридорам вслед за секретаршей в туфлях на высоком каблуке, снова исполнительный директор встает из-за полированного письменного стола, пожимает им руки, и ему снова объясняют, кто такая Робин.

— Доктор Пенроуз понимает, что наша беседа носит строго конфиденциальный характер,— предупредил Уилкокс.

— Раз тебя это устраивает, Вик, то и мне все равно,— улыбнулся Тед Стокер.— Мне скрывать нечего.— Он уселся, и словно в подтверждение своих слов положил на стол две руки размером с бедра. Это был высокий, крепкого сложения мужчина с лицом, состоявшим из морщин и толстых складок, из-под которых печально улыбались маленькие светлые слезящиеся глазки.— Чем могу быть полезен?

— Вы прислали нам письмо,— начал Уилкокс, вынимая из портфеля листок бумаги.

— Да, было дело.

—Мне кажется, машинистка допустила в нем ошибку,—сказал Уилкокс.—Здесь сказано, что вы просите снизить цену на наши цилиндрические блоки, и указана цифра—пять процентов.

Стокер посмотрел на Робин и ухмыльнулся.

—Странный человек,—сказал он, кивнув в сторону Уилкокса.—Вы странный человек, Вик,—повторил он, поворачиваясь к нему.

—Так это не ошибка?

—Никакая не ошибка.

—Но пять процентов—это смешно.

Стокер пожал огромными плечами.

—Если вы не можете этого сделать, есть другие, которые смогут.

—И кто они?

Стокер снова повернулся к Робин.

—Ведь знает же, что не скажу,—проговорил он, расплываясь в довольной улыбке.—Ты же знаешь, что не скажу, Вик.

Робин отвечала на его «реплики в сторону» едва заметными улыбками. Ее не привлекала роль бессловесной статистки, но выхода она не видела. Стокер полностью владел ситуацией.

—Это зарубежная фирма?—допытывался Уилкокс.

Стокер медленно покачал головой.

—Даже этого не могу сказать.

—Я могу, наступив на горло собственной песне, понизить цену на два процента,—произнес Уилкокс после раздумья.

—Зря теряешь время, Вик.

—Два с половиной.

Стокер снова покачал головой.

—Но мы ведь долгое время сотрудничали, Тед,—укоризненно произнес Уилкокс.

—Моя обязанность—согласиться на более выгодные условия, и ты прекрасно это знаешь. Он прекрасно это знает,—повторил Стокер и подмигнул Робин.

—Качество будет хуже,—предупредил Уилкокс.

—С качеством полный порядок.

—Значит, вы у них уже покупали? — быстро спросил Вик.

Стокер кивнул, но, судя по выражению его лица, тут же об этом пожалел.

—С качеством полный порядок,—повторил он.

—Кто бы это ни был, прибыли они не получат,—заверил Уилкокс.

—А это уже их проблемы. У меня своих хватает.

—Плохо идут дела, да?

Свой ответ Тед Стокер адресовал Робин:

—Мы продавали много продукции странам третьего мира. В основном помповые насосы. Третий мир разорился. Банки больше не дают им денег. В прошлом году мы получили от Нигерии вдвое меньше, чем раньше.

—Это ужасно,—посочувствовала Робин.

—Да уж,—кивнул Тед Стокер.—Для нас могут настать тяжелые времена.

—Я имела в виду третий мир.

—Ах, третий мир…—Стокер плевать хотел на неразрешимые проблемы третьего мира.

Пока продолжался этот разговор, Уилкокс что-то подсчитывал на своем калькуляторе.

—Три процента,—объявил он, поднимая глаза.—Это мое последнее слово. Меньше просто не могу. Соглашайся на три процента, и я пожму твою честную руку.

—Извини, Вик,—ответил Тед Стокер.—Ты на два процента не дотягиваешь до того, что мне предложили в другом месте.

Уже сидя в машине, Робин спросила:

—Зачем вы делали все эти вычисления, если заранее были готовы уступить три процента?

—Чтобы ему казалось, будто он загнал меня в угол. Но его не обманешь. Тед Стокер—хитрый старый мерзавец.

—Он так и не сказал вам, что это за другая компания.

—А я на это и не рассчитывал. Просто хотел посмотреть на выражение его лица, когда буду спрашивать.

—И о чем оно вам поведало?

—Он не блефует. Ему действительно кто-то предложил сделку по цене ниже нашей на четыре-пять процентов. Но гораздо важнее то, что этот кто-то уже делал поставки для «Ролинсон». А значит, я смогу выяснить, кто это.

—Каким образом?

—Посажу пару своих парней в машине перед въездом в «Ролинсон», пусть перепишут все грузовики, которые въезжают в ворота. Если надо, будут сидеть неделю. Повезет — узнаем, кто и откуда привозит им цилиндрические блоки.

—Но есть ли смысл так далеко ездить? — удивилась Робин.— Насколько вам выгодны эти поставки?

Уилкокс немного подумал и ответил:

—Не очень выгодны. Но это дело принципа. Ненавижу проигрывать,— сказал он и с такой силой выжал сцепление, что «ягуар» взвыл и сорвался с места.— Если таинственным поставщиком окажется «Фаундро», я сделаю так, что Норман Коул будет проклинать тот день и час, когда заварил всю эту кашу.

—И что же вы сделаете?

—Уничтожу его. Нападу на остальных его покупателей.

—Вы имеете в виду физическую расправу? —ужаснулась Робин.

Уилкокс рассмеялся. Впервые за время их знакомства Робин слышала его искренний смех.

—Вы думаете, мы кто? Мафия?

Робин смутилась. Их мелодраматическая беседа о парнях, ведущих слежку за «Ролинсон», сбила ее с толку.

—Я имел в виду, что буду атаковать их низкими ценами,— объяснил Уилкокс.—И оставлю Коула без дела. Зуб за зуб. Только его зуб будет куда крупнее нашего. И он никогда не узнает, кто ему это устроил.

—Но я не вижу смысла в играх, интригах и махинациях,— возразила Робин.— Как только вы получите преимущество в одном, вы тут же потеряете в другом.

—Это бизнес,— пожал плечами Уилкокс.— Я всегда говорил, что тут как в эстафетной гонке. Сначала ты идешь впереди, потом роняешь эстафетную палочку, и лидером становится другой. Потом опять наступает твоя очередь. Только вот здесь нет финиша. Эта эстафета никогда не кончится.

— Тогда кому же она выгодна?

— Потребителю,— ответил Уилкокс.— Кто-то купит на удивление дешевый насос.

— Тогда почему бы всем вам — вам, Норману Коулу, Теду Стокеру,— почему бы вам не объединиться и не выпускать более дешевые насосы, вместо того чтобы ссориться из-за нескольких процентов то там, то тут?

— А как же конкуренция? — удивился Уилкокс.— Она непременно должна быть.

— Почему?

— Сейчас объясню. Как вы попали на свое место?

— В каком смысле?

— Как вы стали преподавателем университета? Сдали экзамены лучше других, так?

— Конечно. Я прошла отбор,— кивнула Робин.

— Именно так,— сказал Уилкокс.— Только вырвавшись вперед, завоевываешь место под солнцем.

Его слова разозлили Робин, но она не смогла придумать достойного ответа.

— Знаете, что мне напоминает ваша драгоценная конкуренция? — спросила она.— Свору собачонок, дерущихся за косточку. «Фаундро» стащила у вас из-под носа косточку под названием «Ролинсон», и пока они будут ее пережевывать, вы украдете у них другую.

— Мы еще не знаем, точно ли это «Фаундро»,— возразил Уилкокс, не обратив внимания на сравнение.— Не возражаете, если я закурю?

— Лучше не надо,— ответила Робин.— Можно включить «Радио-Три»?

— Лучше не надо,— буркнул Уилкокс.

Остаток пути они проехали в тишине.

Утром следующего понедельника Руперт Сатклиф просунул голову в дверь комнаты, где Робин вела семинар, и сообщил, что ее просят к телефону. В целях борьбы за экономию телефоны, по которым можно было связаться с внешним миром, убрали из всех помещений, кроме кабинетов университетского начальства. С тех пор львиная доля дорогостоящего рабочего времени преподавателей и секретарей уходила на пробеги по коридорам—к телефону на кафедре и обратно. Памела, секретарь кафедры, обычно старалась не отрывать преподавателей от занятий, но в этот раз ее попросту не оказалось на месте, а Сатклиф, который как раз оказался, решил позвать Робин.

—Мне показалось, что это важно,—сказал он, когда Робин вышла в коридор.—Звонит чья-то секретарша. Вдруг это ваш издатель?

Но когда Робин подошла к телефону, оказалось, что это совсем не издатель. Это была Ширли.

—С вами хочет переговорить мистер Уилкокс,—сообщила она.—Соединяю.

—Это «Фаундро»,—без всякого вступления объявил Уилкокс.—Я подумал, вам будет интересно. Два дня и одну ночь парочка наших ребят сидела в машине возле «Ролинсон». Говорят, чуть не закоченели до смерти, но переписали все въезжавшие грузовики. Больше всего подходил один—из фирмы под названием «ГТГ». К счастью, мой директор по перевозкам когда-то у них работал. Он озадачил своих бывших приятелей, и вскоре выяснилось, что именно они привезли в «Ролинсон». Догадались? Цилиндрические блоки из «Фаундро»!

—Вы позвали меня к телефону, исключительно чтобы поведать это?—ледяным тоном поинтересовалась Робин.

—Разве у вас нет личного телефона?

—Нет. Более того, меня сорвали посреди семинара.

—Ох, извините,—сказал Уилкокс.—Почему же ваша секретарша не сообщила об этом моей?

—У меня нет личной секретарши,—ответила Робин.—Она у нас одна на пятнадцать человек, и ее как раз не было на кафедре. Вероятно, пошла в буфет. Распечатывает над паром конверты, чтобы можно было их использовать еще раз. Вас интересует еще что-нибудь, или я могу вернуться к студентам?

— Нет, это все,— сказал Уилкокс.— Увидимся в среду.

— До свидания,— попрощалась Робин и повесила трубку. Обернувшись, она увидела только что вошедшего Филиппа Лоу. Он держал в руках какой-то документ и беспомощно озирался по сторонам, видимо, в поисках Памелы.

— Приветствую вас, Робин,— сказал он.— Как поживаете?

— По-всякому,— ответила Робин.— Этот Уилкокс, к которому я приставлена тенью, ведет себя так, словно я его собственность.

— Да, погода действительно унылая,— кивнул Лоу.— А как, кстати, идут ваши теневые дела? На днях вице-канцлер меня об этом спрашивал.

— Ну, они… идут.

— Вице-канцлер ждет не дождется вашего отчета. Он лично заинтересован в этом проекте.

— Может, он лучше заинтересуется тем, чтобы взять меня в штат? — сказала Робин с милой улыбкой, из чего Лоу сделал вывод, что она пошутила.

— Ха-ха! Очень мило,— засмеялся он.— Нужно не забыть при случае передать ему.

— Надеюсь на вашу память,— ответила Робин.— А теперь я должна бежать. У меня семинар.

— Да-да, конечно,— кивнул Лоу. «Семинар» — одно из тех слов, которые он всегда легко распознавал. Видимо, благодаря обилию гласных.

Когда Робин Пенроуз закончила разговор, Вик Уилкокс положил телефонную трубку так медленно и задумчиво, как если бы хотел убедить невидимого наблюдателя в том, что именно это он и собирался сделать. На самом же деле он всегда гордился тем, как быстро пользуется телефоном: снимает трубку после первого звонка и первым кладет ее, как только тема разговора бывает исчерпана. Уилкокс считает, что такая манера дает психологическое преимущество над противником. Робин Пенроуз его противником не была, но Вику не понравилось, как она поставила его на место, внезапно и резко прервав разговор. Да, он ошибся, предположив, что раскрытие тайны поставок «Ролинсону» вызовет у нее такой же восторг, как и у него самого. Вик ждал поздравлений, а нарвался на оплеуху.

Он даже потряс головой, как будто мог вытрясти из нее неприятные мысли, но они не вытряхивались и мешали сосредоточиться на документах. Вик пытался представить себе, в какой обстановке Робин с ним разговаривала. Где находится телефон, к которому ее позвали? Далеко ли ей пришлось идти? И что она делала на семинаре? Но то, что он смог вообразить, оказалось более чем расплывчато и не давало ответов на вопросы. И все-таки Вик стал выдумывать оправдания тому, что Робин не пришла в восторг от его новости. Настроение от этого не улучшилось, поэтому, когда Ширли принесла ему на подпись документы, надиктованные утром, он придрался к тому, что в одном из писем ему не нравится шрифт, и велел его перепечатать.

—Но я всегда оформляю цитаты именно так,— возразила Ширли.— И вы никогда не жаловались.

—А теперь жалуюсь,— буркнул Уилкокс.— Возьмите и переделайте. Да или нет?

Ширли вышла, ворча себе под нос что-то насчет людей, которым не угодишь.

Потом к Вику в кабинет, кипя и пыхтя, ворвался Брайан Эверторп, который приболел и не появлялся на работе в четверг и пятницу. Он где-то прослышал про сделку «Фаундро» и «Ролинсон». Вик вкратце ввел его в курс дела.

—Почему ты не сказал, что собираешься к Теду Стокеру?— возмутился Эверторп.— Я бы тоже поехал.

—Времени не было. Я назначил встречу буквально на ходу, после разговора с Норманом Коулом. Договорился через Ширли, а ей звонил из машины. Тебя не нашли,—соврал Вик. Впрочем, он ничем не рисковал, потому что Брайан Эверторп редко находился, когда был нужен.

—Зато, я слышал, ты брал с собой свою тень,— поддел его Эверторп.

— Так получилось, что она оказалась рядом,— объяснил Вик.— Был ее день.

— Звучит так, как будто он был скорее твой,— лукаво изрек Эверторп.— Ты темная лошадка, Вик.

Уилкокс пропустил его шпильку мимо ушей.

— В общем, как ты уже понял, мы выяснили, что Норман Коул подложил нам свинью, продав «Ролинсону» цилиндрические блоки на пять процентов дешевле.

— Но как он выкрутится при такой-то цене?

— Ему недолго придется крутиться.

— А как собираемся поступить мы? Тоже снизим цену?

— Нет,— ответил Вик.

— Нет? — Эверторп изумленно вскинул брови.

— Мы притворимся слабенькими, неспособными бороться с «Фаундро» за ролинсоновский заказ. Как собачонки, грызущиеся из-за косточки. Вот только мяса на этой косточке маловато. Пусть достанется Норману Коулу. И пусть он подавится.

— Ты позволишь ему безнаказанно оттяпать наш заказ?

— Я дам ему понять, что знаю про его игру. Он забеспокоится. Пусть мучается неизвестностью.

— По-моему, неизвестностью скорее мучаемся мы.

— А потом я нанесу удар.

— Каким образом?

— Я еще не решил.

— Не похоже на тебя, Вик.

— Когда решу — сообщу,— сухо ответил Уилкокс.— Тебе уже лучше?

— Что?

— Разве ты не был болен на прошлой неделе?

— Ах да! Совершенно верно.— Брайан Эверторп явно запамятовал о своем недуге.— Простыл.

— У тебя наверняка накопилось много работы,— сказал Вик и открыл папку с документами, давая понять, что разговор окончен.

Чуть позже он позвонил Стюарту Бакстеру и сообщил о своем желании убрать Брайана Эверторпа из фирмы.

—Почему, Вик?

—От него никакой пользы. Он бездельник. И работает по старинке. А еще ему не нравлюсь я, а он не нравится мне.

—Но он очень давно работает в компании.

—Знаю.

—И не уйдет без борьбы.

—С удовольствием поборюсь.

—Он запросит колоссальную компенсацию.

—Это будут деньги, потраченные с толком.

Стюарт Бакстер молчал. Вик услышал щелчок зажигалки. Потом Бакстер сказал:

—По-моему, ты должен дать Брайану приспособиться.

—К чему?

—К тебе, Вик, к тебе. Ему это трудно. Ты, наверно, знаешь, что он мечтал получить твое место.

—Ума не приложу, зачем ему это?—ответил Вик.

Стюарт Бакстер вздохнул. Вик представил себе, как шеф выпускает из ноздрей струйки дыма.

—Я подумаю,—наконец произнес Бакстер.— Не совершай поспешных действий, Вик.

Во второй раз за день Вик услышал в трубке частые гудки прежде, чем сам успел дать отбой. Он нахмурился, недоумевая, почему Стюарт Бакстер так рьяно защищает Брайана Эверторпа? Может, оба они — масоны? Сам Вик масоном не был. Правда, однажды чуть не стал, но не смог осилить все эти обряды инициации племени мумбо-юмбо.

Вошла Ширли, принесла перепечатанное письмо.

—Теперь нормально?—поинтересовалась она, заискивающе улыбаясь.

—Прекрасно,—похвалил Вик и подмахнул письмо.

—Брайан, конечно, уже обсуждал с вами идею про календарь,—сказала Ширли, нависая у него над плечом.

—Да,—кивнул Вик,—обсуждал.

—Он говорит, что вы не загорелись.

—Ну, это мягко сказано.

—Для Трейси это была бы такая возможность! — мечтательно произнесла Ширли.

—Возможность деградации,— отозвался Вик, протягивая ей письмо.

—Что вы хотите этим сказать?—возмутилась Ширли.

—Вы действительно мечтаете о том, чтобы фотографии вашей дочери пришпиливали на стенку где ни попадя и на них пялились все кому не лень?

—Не понимаю, что в этом плохого?.. А как же картинные галереи?

—Галереи?

—В них полно обнаженной натуры. Старые мастера.

—Это совсем другое дело.

—Не вижу разницы.

—Патлатые парни не ходят в музеи, не пялятся на Венеру и не тычут друг друга кулаком в бок, говоря: «Я бы не прочь перепихнуться с ней вечерком в субботу».

—Ох!—задохнулась Ширли.

—И не притаскивают картину домой, чтобы онанировать, глядя на нее,—безжалостно продолжал Вик.

—Я не слушаю,—пролепетала Ширли, убегая в свой кабинет.—Не понимаю, что за бес в вас вселился?

А я—тем более, подумал Вик Уилкокс, устыдившись своего порыва, едва за Ширли закрылась дверь. Оставалось еще несколько недель до того момента, когда он поймет, что влюбился в Робин Пенроуз.

2

Зимний семестр в Раммиджском университете, как и осенний и летний, продолжался десять недель, но казался самым длинным из-за унылого времени года. Утром было темно, смеркалось рано, а днем солнце очень редко пробивалось сквозь пелену облаков. В кабинетах и аудиториях весь день горел свет. Воздух на улице был холодный и насквозь пропитан сыростью.

От него тускнели все цвета и размывались контуры городского пейзажа. Даже циферблат часов на университетской башне различался с большим трудом, а их бой казался приглушенным и унылым. Воздух холодил кости и застревал в легких. Некоторые приписывают характерный аденоидный прононс местного диалекта именно особенностям зимнего климата: постоянный насморк и хронический синусит принуждают жить с открытым ртом и заглатывать воздух, как рыба. Зимой невозможно понять, что именно подвигло людей поселиться и размножиться в таком холодном, сыром и мрачном месте. Единственный возможный ответ — работа. Ничто иное не заставит человека приехать сюда, а если приехал, остаться. Вот уж не позавидуешь тем, кто не нашел работы ни в Раммидже, ни в его пригородах, и обречен бездействовать в городе, где кроме как работать делать попросту нечего.

Робин Пенроуз не была безработной. Пока. И работы у нее было хоть отбавляй: преподавательская, научная, а на кафедре еще и административная. Прошлую зиму она пережила лишь потому, что с головой ушла в работу. Только и ездила туда-сюда: из своего маленького домика в теплый, хорошо освещенный кабинет и обратно, не обращая внимания на отвратительную погоду. Дома она читала, делала выписки, разбирала эти выписки и на компьютере превращала в связные тексты, проверяла студенческие рефераты. В Университете читала лекции, проводила семинары, консультировала студентов, беседовала с кандидатами на преподавательские места, ходила на заседания всяческих комиссий и опять-таки проверяла рефераты. Дважды в неделю она играла в сквош с Пенни Блэк. Это такая форма отдыха, не связанная с климатическими условиями или каким-либо другим воздействием окружающей среды: лупить по мячу, потеть и пыхтеть на ярко освещенном корте спортивного центра можно где угодно — в Кембридже, в Лондоне или на юге Франции. Напряженная умственная работа, изредка прерываемая короткими вспышками физических упражнений,—таков был ритм жизни Робин в ее первую раммиджскую зиму.

Но этот зимний семестр стал иным. Каждую среду Робин покидала привычную обстановку и ехала через весь город (более коротким и прямым путем, чем в первый раз) на завод в Вест-Уоллсбери. По дороге она злилась на необходимость тащиться туда. Эти поездки отвлекали ее от работы. Дома ее ждало множество книг и статей в журналах, которые нужно было прочитать, осмыслить, извлечь из них суть, после чего выстроить систему. Жизнь коротка, критика вечна. Нужно было подумать и о карьере. Единственный способ закрепиться в академических кругах — это крепкая и впечатляющая обойма исследований и публикаций. И тут от Теневого Резерва нет никакой пользы. Напротив, он мешает, отнимая у Робин драгоценный свободный день, когда она не занята делами кафедры.

Впрочем, раздражение было отчасти напускным. Теневой Резерв — это то, на что можно пожаловаться Чарльзу, Пенни Блэк, то, чем можно объяснить заминку с другими делами. В глубине души Робин даже получала смутное удовольствие от поездок на завод и чувствовала свое превосходство над друзьями. Чарли и Пенни жили той жизнью, какую раньше вела Робин, — ограниченной узким академическим кружком. А у нее раз в неделю была другая жизнь и даже другая индивидуальность. Наименование «тень», казавшееся поначалу таким абсурдным, начинало приобретать наводящий на размышления смысл. Тень — это нечто вроде дубля, *doppelgänger*[1], но дублировала она не Уилкокса, а себя. Получалось, что Робин Пенроуз, которая один день в неделю проводила на заводе, была тенью той Робин, которая остальные шесть дней занималась женской прозой, викторианским романом и теорией постструктурализма. И тень эта была менее важной, куда более обманчивой, но такой же настоящей. Робин вела двойную жизнь и благодаря этому стала казаться самой себе более интересной и сложной личностью. Заповедник заводов и складов, дорог и транспортных развязок, испещренный железнодорожными ветками, как поверхность Марса каналами, Вест-Уоллсбери казался

---

[1] Двойника (*нем.*).

царством теней, темной стороной Раммиджа, о существовании которой не догадывались те, кто грелся в лучах культуры и учился в университете. Конечно, для сотрудников «Принглс» все было наоборот: Университет и все прочее располагалось в тени, чуждое, непостижимое, смутно пугающее. Постоянно порхая через границу этих двух зон, чьи ценности, приоритеты, язык и обычаи столь разительно отличались, Робин чувствовала себя секретным агентом. И, как все секретные агенты, время от времени испытывала сомнения в правоте своего лагеря.

— Знаешь,— сказала она однажды Чарльзу,— ведь миллионы людей не питают ни малейшего интереса к тому, чем мы занимаемся.

— Что?—рассеянно переспросил Чарльз, отрываясь от книги и прижимая палец к тому месту, до которого дочитал. Было это в одно из воскресений. Они сидели в гостиной-кабинете у Робин. В последнее время Чарльз стал приезжать чаще.

— Конечно, они не знают точно, чем мы занимаемся. Но даже если им объяснить, они не поймут. И даже если поймут, что мы делаем, они все равно не поймут зачем. И уж тем более — с какой радости кто-то нам за это платит.

— Тем хуже для них,— пожал плечами Чарльз.

— Неужели тебе совсем безразлично?—удивилась Робин.— Что вещи, которые нас так искренне волнуют… Например, сочувствует ли Деррида тайком идеализму, занимаясь критикой метафизики? Или является ли теория психоанализа Лакана фаллоцентричной по своей сути? Или совместима ли с диалектическим материализмом идеология Фуко? Неужели тебе наплевать, что все, о чем мы безостановочно спорим, читаем и пишем, для девяноста девяти и девяти десятых процента народонаселения — не пришей рукав?

— Не пришей что?— переспросил Чарльз.

— Рукав. То есть совершенно ни к чему.

— А ты знаешь, что рукав этот пришивают вон туда? — И Чарльз показал, куда именно.

— Серьезно?— захихикала Робин.—Тогда понятно, почему Вик Уилкокс потерял дар речи, когда я это сказала.

— Ты от него набралась?

— Наверно. Хотя он редко пользуется подобной лексикой. Он вообще-то пуританского склада.

— Протестантская мораль.

— Ну да… Слушай, я забыла, о чем говорила…

— Ты говорила о том, что на заводе никто не интересуется постструктурализмом. Что тут удивительного?

— Но неужели тебя это не огорчает? Для большинства людей не пришей… тьфу, безразлично то, что так важно для нас.

— Нет, не огорчает. С какой стати?

— Когда Уилкокс начинает доказывать мне, что научные степени в области изящных искусств—это перевод денег…

— И часто он об этом говорит?

— Да, мы с ним все время спорим… Знаешь, когда он это говорит, я прибегаю к аргументам, в которые и сама уже не верю. К таким, как необходимость сохранения культурных традиций, развитие у студентов навыков общения. В общем, к тем аргументам, на которых зациклены старомодные консерваторы вроде Филиппа Лоу. Ведь если я скажу, что мы рассказываем студентам о постоянном соприкосновении означаемого и означающего или о том, что любой текст непременно опровергает свое собственное требование ясности значения, Уилкокс поднимет меня на смех.

— Невозможно объяснить систему постструктурализма человеку, не знакомому даже с традиционным гуманизмом.

— Совершенно верно. Но не значит ли это, что маргиналы—именно *мы*? Это мы стоим на краю.

Чарльз некоторое время молчал, обдумывая ответ.

— Край подразумевает наличие центра,— наконец произнес он.— Но понятие центра и есть то самое, что постструктурализм подвергает сомнению. Если бы люди типа Уилкокса или Лоу признали наличие центра, они стали бы претендовать на него и оправдывать все свои поступки этим стремлением. Объясни им, что это иллюзия,— и их положение пошатнется. Мы живем в децентрализованной Вселенной.

— Знаю,— кивнула Робин.— Но кто платит?

— Кто платит? — удивленно повторил Чарльз.

— Уилкокс все время повторяет: «Кто платит?», «Не бывает бесплатного сыра». Я все жду, когда он скажет, что не бывает бесплатных семинаров по деконструктивизму. Почему общество должно платить за объяснение, что люди подразумевают не то, что говорят, и говорят не то, что подразумевают?

— Потому что это правда.

— Я склонна считать, что не существует правды в абсолютном значении этого слова.

— Нет-нет, не в абсолютном, — раздраженно ответил Чарльз. — Послушай, Робин, а на чьей ты стороне?

— Я просто адвокат дьявола.

— Между прочим, нам не так уж и много платят, — подвел итог Чарльз и вернулся к чтению книги.

Робин посмотрела на заголовок и произнесла его вслух:

— «Финансовая революция». Господи, зачем тебе это?

— Я же говорил. Собираюсь написать статью о том, что происходит в Сити.

— Ты серьезно? А я думала, ты шутишь. По-моему, это адски скучно.

— Нет, это вполне увлекательно.

— Ты поедешь смотреть, как работает Дебби, девушка Бэзила?

— Собираюсь, — ответил Чарльз с кошачьей улыбкой. — Почему бы и мне не побыть тенью?

— Не думала, что тебя может заинтересовать бизнес.

— Это не бизнес, — поправил Чарльз и снова отложил книгу. — Там не покупают и не продают конкретные товары. У них все на бумаге или в компьютере. Все абстрактно. И жаргон очень соблазнительный: арбитраж, отсроченный фьючерс, плавающий курс. Прямо как в теории литературы.

Компания «Принглс», напротив, занималась бизнесом, связанным с куплей-продажей конкретных товаров, и управление ею не имело ничего общего с занятием литературной критикой, но Робин коробило, когда Вик Уилкокс общался с подчиненными, как преподаватель с учениками. Робин мало что понимала в разговорах на инженерные и бухгалтерские темы, которые велись на совещаниях, они казались ей скучными и утомительными, но несмотря на это она видела, что Уилкокс пытается *учить* других людей, уговаривает и убеждает их по-новому взглянуть на работу завода. Сам Уилкокс очень бы удивился, если бы ему сообщили, что он пользуется приемами Сократа: подталкивает директоров, менеджеров и даже мастеров к самостоятельному принятию решений, но так, чтобы они пришли к тому же выводу, к которому он уже пришел сам. И проделывал он это настолько виртуозно, что порой Робин с трудом удавалось побороть восхищение: она напоминала себе о том, что его действия продиктованы корыстными интересами и что за стенами уютного кабинета Уилкокса гудит завод, где полным-полно мужчин и женщин, выполняющих опасную, унизительную и убийственно однообразную работу. Эти люди — всего лишь винтики в колоссальной машине директорской стратегии. Уилкокс—искусный тиран, но все-таки тиран. А кроме того, он ведь не выказывает ответного восхищения ее профессиональной квалификацией.

Очень типичным для них с Уилкоксом был бурный спор по поводу рекламы «Силк Кат»[1]. Они возвращались на его машине из поездки на литейный завод в Дерби. Тамошнее начальство намеревалось продать автоматический формовочный станок, который Уилкокс хотел купить. Но на месте выяснилось, что тот слишком устарел. Через каждые несколько миль им попадался огромный рекламный щит: на фотографии был изображен отрез лилового шелка, разрезанный посередине, словно бритвой. Никакого текста на плакате не было, если не считать предупреждения о том, что курение вредит здоровью. Этот навязчивый образ и раздражал, и заинтриговывал Робин, потому что она по привычке пыталась найти в нем скрытый смысл.

На первый взгляд вам предлагалась загадка. Иными словами, чтобы разгадать ее, необходимо было знать о существова-

---

[1] «Силк» — шелк, «кат» — резать (*англ.*).

нии марки сигарет «Силк Кат». Плакат представлял собой графическое изображение зашифрованного названия, то бишь являлся ребусом. Но в то же время это была метафора. Блестящий шелк с его роскошными складками и чувственной фактурой явно символизировал женское тело, а овальный разрез, закрашенный более светлым тоном — это определенно влагалище. Таким образом, реклама взывала одновременно и к чувственным, и к садистским импульсам: к желанию калечить женское тело и проникать в него.

Когда Робин изложила Уилкоксу свою интерпретацию, тот чуть не задохнулся от смеха. Он курил другие сигареты, но в анализе рекламы, проделанном Робин, вдруг ощутил угрозу всей своей жизненной философии.

— Чтобы увидеть такое в безобидном куске тряпки, нужно обладать поистине извращенным умом,— заявил он.

— Тогда объясните, зачем это сделано? — нападала Робин.— Почему нужно использовать ткань для рекламы сигарет?

— Потому что у сигарет такое название — «Силк Кат». Здесь нарисовано название, не больше и не меньше.

— Допустим, они бы нарисовали рулон шелка, разрезанный пополам. Это годится?

— Думаю, да. Почему бы и нет?

— Да потому, что это был бы разрезанный пополам пенис, вот почему.

Вик выдавил из себя смех, чтобы скрыть замешательство.

— Почему вы, люди, не можете воспринимать все буквально?

— К каким людям вы сейчас апеллируете?

— К высоколобым интеллектуалам. Вы во всем ищете скрытый смысл. Зачем? Сигарета есть сигарета. Кусок шелка есть кусок шелка. Почему бы этим не удовлетвориться?

— Выступая в роли эквивалента, они получают дополнительное значение,— не унималась Робин.— Знаки не бывают бесхитростны. Этому учит семиотика.

— Семи… что?

— Семиотика. Наука о знаках.

— Я вам вот что скажу: она учит грязному мышлению.

— Как вы думаете, почему эти несчастные сигареты назвали «Силк Кат»?

— Понятия не имею. Обычное название, не хуже других.

— «Кат» имеет нечто общее с табаком, не так ли? Листья табака ведь режут. Вот, например, «Плейер Нэви Кат» — его курил мой дядя Уолтер.

— Ну и что? — насторожился Уилкокс.

— А вот шелк с табаком никак не связан. Это метафора, что-то вроде «нежный, как шелк». В рекламном агентстве имели в виду, что «Силк Кат» не вызовет першения в горле, покашливания или рака легких. Но со временем потребители привыкли к этому названию, слово «силк» утеряло первоначальное значение «шелк», и было решено провести рекламную кампанию, чтобы освежить интерес к торговой марке. Некая светлая голова из агентства предложила сюжет про разрезанный кусок шелка. Изначальная метафора уже не выражена вербально. Но возникли новые метафорические коннотации — сексуальные. Были они осмысленны или же нет — не имеет значения. И это великолепный пример постоянного соприкосновения означаемого и означающего.

Некоторое время Уилкокс переваривал услышанное.

— Тогда почему их курят женщины? — спросил он с победным видом, вероятно считая свой аргумент сногсшибательным. — Если курение «Силк Кат» есть форма жестокого насилия над женщиной, как вы пытаетесь внушить, почему же их курят сами женщины?

— Многие женщины не чужды мазохизма, — парировала Робин. — Они давно усвоили, чего именно ждет от них патриархальное общество.

— Ха! — воскликнул Уилкокс, запрокинув голову. — Я как чувствовал, что у вас готов какой-нибудь идиотский ответ.

— Не понимаю, почему вы так злитесь? — сказала Робин. — Можно подумать, вы курите этот «Силк Кат».

— Нет, я курю «Мальборо». Наверно, это смешно, но мне просто нравится их вкус.

— Это у которых реклама с одиноким ковбоем?

— И что, я — скрытый гомосексуалист?

— Нет, но это довольно откровенная метонимическая информация.

— Мето-какая?

— Метонимическая. Один из фундаментальных вопросов семиотики — разграничение метафоры и метонимии. Если хотите, я могу объяснить.

— Что ж, это поможет скоротать время.

— Метафора есть фигура речи, основанная на подобии, в то время как метонимия основана на смежности понятий. Употребляя метафору, вы подбираете образ, сходный с тем, который хотите описать. Для метонимии же требуется некий атрибут, свойство или сущность самого описываемого понятия.

— Не понял ни единого слова.

— Хорошо, возьмем для примера одну из ваших литейных форм. Нижняя часть называется «полуформа», потому что это половина предмета. Верхняя называется «крышка», потому что прикрывает нижнюю.

— Я же сам вам это и рассказывал.

— Да, я знаю. Вот только вы не говорили мне, что «полуформа» — это метонимия, а крышка — «метафора».

— А какая разница? — буркнул Вик.

— Это просто пример того, как работает язык. Мне казалось, что вы интересуетесь тем, как что работает.

— Не вижу связи с сигаретами.

— Рисунок на рекламном плакате обозначает женское тело метафорически: прорез на шелке выглядит *как* влагалище…

Услышав последнее слово, Вик вздрогнул.

— Это вы так считаете.

— Любые дыры, полые емкости, щели и складки содержат намек на женские половые органы.

— Докажите.

— Фрейд уже доказал, весьма успешно проанализировав сновидения,— сказала Робин.— А вот в рекламе «Мальборо» не используются никакие метафоры. Может, поэтому вы их и курите.

— Что вы имеете в виду? — насторожился Уилкокс.

— Вы ведь не одобряете метафорический взгляд на вещи. Когда речь идет о вас, сигарета есть всего лишь сигарета.

— Именно так.

— Реклама «Мальборо» не вступает в конфликт с наивной верой в постоянство означаемого. Она устанавливает метонимическую связь — разумеется, однозначно фальшивую, но вполне правдоподобную — между курением этой марки сигарет и здоровым, героическим образом жизни ковбоя на свежем воздухе. Покупая «Мальборо», вы приобретаете образ жизни или иллюзию того, что ведете именно его.

— Ерунда! — взорвался Уилкокс. — Я ненавижу жизнь за городом и свежий воздух. Я боюсь идти в поле — там коровы.

— Тогда вас, вероятно, привлекает одиночество рекламного ковбоя. Уверенный в себе, независимый, настоящий мачо.

— Первый раз в жизни разговариваю с человеком, у которого шарики так прочно заскочили за ролики, — сказал Вик Уилкокс. Для него это было почти ругательство.

— Шарики… Какой интересный образ… — задумчиво произнесла Робин.

— О нет! Только не это! — простонал Уилкокс.

— Когда вы одобрительно говорите, что у кого-то в голове «есть шарики», это метонимия. А вот «шарики за ролики» — это разновидность метафоры. Иными словами, метонимия здесь используется для придания положительного оттенка значения, а метафора — уничижительного.

— Послушайте, я больше не могу, — взмолился Вик. — Не возражаете, если я закурю? Самую обыкновенную, бессмысленную сигарету?

— Только если включите мне «Радио-Три», — смилостивилась Робин.

В «Принглс» они вернулись поздно вечером. Посреди стоянки одна-одинешенька стояла машина Робин. Уилкокс остановил свой автомобиль рядом с ней.

— Спасибо, — сказала Робин.

Она попыталась открыть дверь, но замки были заблокированы. Уилкокс нажал на кнопку.

— Ненавижу эту штуковину,— фыркнула Робин.— Мечта насильника.

— Мозги у вас давно уже изнасилованы,— ответил Уилкокс и добавил, глядя в сторону: — Приезжайте в воскресенье к нам на ленч.

Предложение было столь неожиданным и было сделано столь небрежно, что Робин даже засомневалась, правильно ли она расслышала. Но следующие слова Уилкокса подтвердили, что со слухом у нее все в порядке.

— Ничего особенного,— сказал он.— Будет только моя семья.

Робин чуть не спросила, зачем собственно, но это прозвучало бы чересчур грубо. Она была вынуждена пожертвовать одним днем в неделю ради того, чтобы стать тенью Уилкокса, но вовсе не собиралась посвящать ему часть драгоценных выходных. Да и Чарльз будет не в восторге.

— К сожалению, на эти выходные ко мне должен приехать один человек,— ответила она.

— Тогда через воскресенье.

— Он приезжает почти каждые выходные.

В первый момент Уилкокс явно огорчился, но после минутных раздумий предложил:

— Приезжайте вместе.

Робин ничего не оставалось, кроме как сказать:

— Хорошо. Большое спасибо.

Вик направился к административному зданию. Внутренняя деревянная дверь была заперта, стеклянная дверь-вертушка— тоже. Лишь одна тусклая лампочка сигнализации освещала вестибюль, и выглядел он еще более убогим, чем обычно. Все сотрудники, включая Ширли, уже ушли домой. Дирекция, по-видимому, тоже.

Вик любил находиться здесь в одиночестве. Лучшего времени для работы не придумаешь. Но в этот вечер настроение было нерабочим. Вик прошел к себе, нигде не включив ни одной лампы, при тусклом свете, пробивавшемся со стоянки сквозь жалюзи. Он повесил пиджак на спинку крутящегося стула, но вместо того, чтобы сесть за стол, пристроился в кресле.

Разумеется, у такой привлекательной и современной молодой женщины, как Робин Пенроуз, не могло не быть мужчины или любовника. Это естественно. Почему же это его так удивило? Почему он так… расстроился, когда она упомянула мужчину, приезжающего к ней на выходные? Вик и не думал считать ее девственницей, боже упаси! Она ведь даже не краснеет, говоря о пенисах и влагалищах. Она и не лесбиянка, хоть и с короткой стрижкой. Но есть в ней нечто такое, что отличает ее от других знакомых ему женщин — от Марджори, Сандры, от Ширли с ее Трейси. Ну, во-первых, одежда. В то время как все они одеваются (или в случае с Трейси — раздеваются) так, словно хотят сказать «Посмотри на меня, заинтересуйся мной, захоти меня и женись на мне», Робин Пенроуз выбирает одежду из соображений практичности и удобства. Стильно — да, но без намека на кокетство. Она никогда не теребит юбку, не поправляет волосы и не бросает украдкой взгляды на свое отражение в какой-нибудь зеркальной поверхности. Мужчинам она смотрит прямо в глаза, и Вику это нравится. Она уверена в себе, порой даже самонадеянна, но самовлюбленной ее не назовешь. Робин Пенроуз — самая независимая женщина, которую Вик когда-либо встречал, и поэтому он решил, что она свободна… Ему в голову вдруг пришло очень забавное слово — *целомудренная*.

Вику вспомнилось живописное полотно, которое он видел на школьной экскурсии в Раммиджской картинной галерее. Было это тридцать с лишним лет назад, но картина врезалась в память, и он снова подумал о ней, когда на днях спорил с Ширли об обнаженной натуре. В лесном пруду купаются греческая богиня и несколько нимф, а на заднем плане какой-то паренек подглядывает за ними из-за кустика. Богиня только что заметила парня и смотрит на него очень откровенным взглядом. И кажется, будто ее взгляд сошел с картины, чтобы усмирить даже школьников, всегда готовых похихикать и попихать друг

друга локтем при виде обнаженного женского тела. Картина
почему-то ассоциировалась у Вика со словом «целомудрие», а
теперь еще и с Робин Пенроуз. Он представил себе Робин в по-
зе той самой богини — высокую, белокожую, негодующую, ме-
чущую стрелы в незваного гостя. На картине не было места ни
для любовника, ни для мужа — богине не нужен мужчина-за-
щитник. Именно такой рисовалась ему Робин Пенроуз, и до
сих пор она не сказала ничего, что развеяло бы это представление. Потому и было так обидно.

Обидно? Да разве у него есть право или повод обижаться на
наличие у Робин Пенроуз личной жизни? Не твое дело, злобно
одернул самого себя Вик. Твое дело — работать. Он стукнул себя кулаком по лбу, чтобы вбить в свою голову трезвые мысли
или выбить из нее глупости. Что это он делает, исполнительный директор компании с дефицитом на этот месяц в тридцать тысяч фунтов? Почему он сидит впотьмах и грезит гре-
ческими богинями? Он должен сидеть за столом, работать над
планом компьютеризации производства и закупок.

И все-таки Вик остался сидеть в кресле, думая о Робин Пенроуз и о том, что пригласил ее в следующее воскресенье на
ленч. Произошло это совершенно неожиданно и удивило самого Вика не меньше, чем Робин. И вот теперь он жалел о своем приглашении. Нужно было быстренько закрыть тему, как
только она упомянула о любовнике. Какого черта он настаивал? Зачем пригласил этого мужика, видеть которого у него нет
ни малейшего желания? Ведь как пить дать, еще один заумный,
но лишенный привлекательности Робин Пенроуз в качестве
компенсации. Это будет не ленч, а стихийное бедствие. Мысль
эта пронзила Вика, как острый кинжал. Теперь каждое утро
вплоть до воскресенья она будет первой приходить ему в голову. Ситуацию усугубит Марджори: каждый раз, когда они кого-
нибудь приглашают к себе, она заранее впадает в истерику. На
нервной почве переберет шерри и спалит обед или разобьет
тарелки. А если представить себе их беседу с Робин Пенроуз…
Нет, лучше не надо. Слишком страшно. Какие темы они будут
обсуждать? Семиотический аспект мебельной обивки? Мета-

фору и метонимию рисунка на обоях? Мистер Уилкокс-старший тем временем будет развлекать друга Робин ценами образца 1948 года, а дети — как всегда ухмыляться или хандрить. Жуткая картина настолько потрясла Вика, что он всерьез подумал позвонить Робин Пенроуз и отменить приглашение. Изобрести причину легко — скажем, он забыл, что следующее воскресенье у него уже занято. Но это будет только отсрочка. Он настаивал на приглашении и теперь должен это пережить. И чем раньше, тем лучше. Возможно, Робин Пенроуз сейчас чувствует то же самое.

Представив себе последствия собственной глупости, Вик буквально скукожился в кресле. Он ослабил галстук, расстегнул воротничок и сбросил с ног ботинки. Ему было душно. Центральное отопление в пустом здании работало слишком сильно, и даже несмотря на переживания личного характера он сделал в уме отметку, что на ночь нужно убавлять температуру — это сэкономит сотни фунтов при оплате электроэнергии. Вик закрыл глаза. Это его несколько успокоило. В памяти всплыл недавний спор с Робин Пенроуз по поводу «Силк Кат», когда они ехали в машине. Приходится признать, что она умна, хотя ее теории какие-то сырые и непропеченные. Надо же, влагалище! А ведь в самом деле, его иногда называют щелью. «Силк», «силка», «щелка»... А «кат»... перетасовывается в «акт». Акт со щелкой... До такого даже она не додумалась! Миленькое названьице для пачки сигарет. Уже проваливаясь в сон, Вик еле заметно улыбнулся.

Вик проснулся с тяжелым сердцем и стойким ощущением, что совершил какую-то роковую ошибку. И тут же вспомнил, какую именно: он пригласил Робин Пенроуз на ленч в следующее воскресенье. В первую секунду Вик подумал, что лежит в постели, и сейчас пять часов утра, но одежда и кресло напомнили ему о том, где он. Вик выпрямился и зевнул. Посмотрел на часы, нажав на кнопочку и высветив циферблат. Девять двадцать три. Должно быть, он проспал почти два часа. Марджори будет спрашивать, где его носило. Лучше позвонить ей.

Вик встал и направился к своему столу, но замер на месте, услышав странный приглушенный звук. Он был очень тихим, но во-первых, Вик отличался острым слухом, а во-вторых, в здании царила мертвая тишина. Вику показалось, что звук доносится из кабинета Ширли. Не надевая ботинок, Вик крадучись двинулся по ковру через приемную в комнату секретарши. В приемной было темно, и только свет со стоянки чуть-чуть освещал пустое помещение. Но звук стал громче. Ничего странного или дурного в том, что поздним вечером в здании раздаются звуки, разумеется, не было, но Вику приспичило выяснить, что это такое. Может, кто-нибудь из директоров заработался допоздна? Или зашел охранник, хотя обычно он обходит здания только снаружи. Но если это он, с какой стати ему разговаривать или стонать себе под нос? А звук был именно такой: неразборчивая человеческая речь, или стоны от боли, или…

И тут Вик понял, что это за звук и откуда он доносится: из вестибюля по ту сторону стены с замазанными краской стеклами. Вик поднял глаза на потайную дырочку. Сквозь нее пробивался слабый свет. Тихо и осторожно Вик подставил стул и взобрался на шкафчик прямо под «глазком». Делая это, он вспомнил, как шпионил за Робин Пенроуз в день ее первого визита, и со стыдом понял, почему она ассоциировалась у него с картиной из Раммиджской галереи: он и был тем самым подглядывавшим парнем на заднем плане. Он даже подумал, что все еще спит. Сейчас он посмотрит в «глазок» и увидит Робин — ее одеяние богини соскальзывает с мраморного тела, а она возмущенно смотрит на подсматривающего Вика.

На самом же деле он увидел Брайана Эверторпа, который совокуплялся с Ширли на диване в вестибюле. Вик не видел лица Эверторпа, а прикрытая рубашкой огромная задница, которая двигалась вниз-вверх между раскинутыми ногами Ширли, могла принадлежать кому угодно. Но Вик опознал бакенбарды и лысину на макушке. Лицо своей секретарши он видел плохо. Глаза ее были закрыты, а разинутый рот смахивал на темно-красную букву «о». Насторожиший его звук издавала именно Ширли. Вик тихонько слез со шкафчика, вернулся в свой кабинет, закрывая по дороге все двери. Он сел в кресло и заткнул уши.

Следующие несколько дней прошли словно во сне. Марджори обратила его внимание на то, что он рассеян больше обычного. То же самое сказала и Ширли, которой Вик старался не смотреть в глаза, особенно когда пришел в офис на следующий день после подсмотренной сцены между ней и Брайаном Эверторпом. Вик словно прозрел, ему многое стало ясно: почему Эверторп всегда хорошо информирован обо всех делах «Принглс» и почему он так усиленно пропихивал Трейси в фотомодели. Вик не знал, как долго длится эта связь, но приподнятое настроение Ширли свидетельствовало о том, что Брайан Эверторп трахнул ее на диване в вестибюле далеко не в первый раз. Они здорово рисковали, занимаясь этим здесь. Хотя, с другой стороны, в пустом здании с запертыми входными дверями их вряд ли потревожит кто-нибудь, кроме охранника, а с ним Эверторп наверняка договорился. Должно быть, они вернулись сюда через черный ход, когда Вик уже спал в своем кабинете, или притаились у Эверторпа и ждали, когда все уйдут. Вестибюль перед офисом Брайана они, видимо, выбрали из-за дивана. А может, повышенный риск быть застуканными добавлял возбуждения в их амуры.

Вику казалось, что он столкнулся с глубинами и тайнами человеческого поведения, в которые раньше никогда не погружался, и он размышлял над ними со смешанными чувствами. Он не одобрял то, чем занимались Эверторп и Ширли. У самого Вика никогда не было времени на разные шуры-муры между женатыми людьми, особенно на работе. В принципе, он должен был бы испытывать праведный гнев и прикидывать, как можно воспользоваться своей осведомленностью, чтобы избавиться от этой парочки. Но почему-то Вику этого совсем не хотелось. Он даже стыдился собственной роли в этом эпизоде. Никому, включая самих виновников, не сможет он поведать эту историю, не описав при этом себя: как он в одних носках, без ботинок, в полной темноте стоит на шкафчике и смотрит в «глазок». Но кроме всего прочего, присутствовало и еще одно обстоятельство, в котором было больно признаваться даже самому себе. Несмотря на то, что этим любовникам было далеко до очаровательной пары — Эверторп толстый и лысеющий, а лучшие времена Ширли давно миновали, оставив ей двойной подбородок и крашеные волосы; несмотря на то, что совокуплялись они в неподобающем месте и в полураздетом виде — штаны и трусы Эверторпа вместе с юбкой, панталончиками и колготками Ширли валялись на столах и стульях вперемешку с экземплярами «Инжениринг Тудей»; несмотря на все это, невозможно было отрицать, что ими двигала настоящая африканская страсть. Сам Вик не испытывал подобного уже очень-очень давно и сомневался в том, что Марджори вообще когда-либо испытывала нечто подобное. Их занятия любовью никогда не вызывали у Марджори стонов наслаждения, подобных тем, что донеслись до Вика сквозь перегородки через два помещения. Вик и не подозревал, что когда-нибудь будет завидовать Эверторпу, и вот — на тебе. Он завидовал тому, что Брайан занимался любовью со страстной женщиной, завидовал, что эта женщина кричала. В каком-то смысле Вик потерпел поражение, и ему не хотелось наказывать Эверторпа, ощущая на губах горечь этого поражения. Он больше не заикнется Стюарту Бакстеру об увольнении Брайана Эверторпа.

Сцена в вестибюле снова и снова разыгрывалась в его воображении, как эпизод из фильма, но не такого, как показывают по телевизору поздней ночью,— где все прилизано, а постельные сцены изрядно смягчены. Больше было похоже на то, что Вик однажды видел в Сохо, тайком заглянув на стриптиз-шоу за пятьдесят фунтов. Снова и снова он видел дергающуюся задницу Эверторпа, раздвинутые ноги Ширли с белыми коленками, ее красные губы, от удовольствия превратившиеся в букву «о», ее длинные ногти с маникюром, впившиеся в плечи Эверторпа с такой силой, что Вику были видны вмятины. Впрочем, теперь трудно было сказать, что он действительно видел, а что дорисовало его воображение. Порой Вик сомневался, не во сне ли все привиделось? Может, эта сцена попросту приснилась ему, пока он дремал в кресле у себя в кабинете? Он тщательно осмотрел диван в вестибюле, выискивая улики. Изучил несколько пятен, которые могли остаться как от спермы, так и от кофе с молоком, и обнаружил черный волосок — то ли с лобка, то ли от обивки. Но исследования пришлось прервать: Вика спугнул изумленный взгляд вошедшей телефонистки.

По мере того как приближалось воскресенье вкупе с ленчем, Вик отнюдь не становился спокойнее. Он мучил Марджори допросами про меню, советуя приготовить молодую баранину, а не говядину, потому что ее не так страшно пережарить, и требовал от жены, чтобы она по пунктам перечислила все овощи, которые собирается подать на стол. В качестве десерта он настаивал на яблочном пироге вместо менее надежного лимонного, потому что яблочный был фирменным блюдом Марджори. А еще Вик требовал подать закуску.

— Но мы никогда не едим закуски, — возразила Марджори.

— Все когда-нибудь бывает в первый раз.

— Что с тобой, Вик? Можно подумать, мы ждем саму королеву.

— Не будь дурой, Марджори. Закуска — это нормально.

— В ресторане — да. Но не дома.

— У Робин Пенроуз, — ответил Вик, — всегда едят закуски. Могу поспорить на что угодно.

— Если она такая выскочка…

— Никакая она не выскочка.

— А я-то думала, что она тебе не нравится. Ты столько раз жаловался.

— Это было в самом начале. Мы оба встали не с той ноги.

— Значит, теперь она тебе нравится, да?

— Она нормальный человек. Я не могу сказать, что она мне нравится или не нравится.

— Тогда зачем ты пригласил ее на ленч? К чему вся эта кутерьма?

Вик помолчал минуту-другую, потом сказал:

—Потому что она—интересный человек, вот почему. С ней можно вести интеллектуальную беседу. Хоть какое-то разнообразие. Я до смерти устал от наших воскресных ленчей, во время которых дети пререкаются друг с другом, а отец блещет знаниями по поводу уровня жизни и…—Вик понял, что такую длинную речь Марджори воспринять не в состоянии, и потому закруглился: — Я просто решил привнести разнообразие.

Марджори, у которой как раз случился насморк, громко высморкалась.

—Тогда чего же ты хочешь?

—А?

—На твою драгоценную закуску.

—Не знаю. Я же не повар.

—Я тоже не специалист по салатам.

—Не обязательно готовить салат. Это может быть что-нибудь готовое. Купи дыню.

—Где я найду дыню в это время года?

—Ну, тогда что-нибудь другое. Копченого лосося.

—Копченого лосося! А ты знаешь, сколько он стоит?

—Раньше тебя не интересовало, что сколько стоит.

—Зато *тебя* интересовало. И твоего папочку.

Вик представил себе, как папа прокомментирует цену копченого лосося, и снял вопрос с повестки дня.

—Тогда авокадо,—предложил он, вспомнив, что в ресторане в Манчестере Робин заказывала именно его.—Порежь на половинки, вынь сердцевину и положи туда масло с уксусом.

—Папе не понравится,—возразила Марджори.

—Он может его не есть,—сказал Вик, начиная злиться. Еще его беспокоило вино. Конечно, к баранине нужно красное, но покупать ли еще и белое к авокадо, и если да, то насколько сухое? Вик не был знатоком вин, но он почему-то убедил себя в том, что друг Робин непременно в них разбирается и будет насмехаться над выбором хозяина.

—Для авокадо поставим вон те стеклянные тарелочки, которые я купила на распродаже,—уступила Марджори. Мысль о тарелочках ей так понравилась, что примирила с закуской.

— И скажи Реймонду, что я убедительно прошу его хотя бы в это воскресенье не заявляться из паба посреди ленча,— сказал Вик.

— Почему бы тебе не сказать это самому?

— Он слушает только тебя.

— Он слушает меня, потому что ты с ним вообще не разговариваешь.

— Я теряю самообладание.

— Ты должен попробовать, Вик. Ты же ни с кем из нас не разговариваешь. Совершенно замкнут в себе.

— Не поддразнивай,— буркнул Вик.

— Я все-таки дала ему деньги.

— Какие деньги?

— На эту их демку. Для группы,— вызывающе сообщила Марджори.— Это мои личные деньги, с моего счета.

В другое время и в другом настроении Вик устроил бы страшный разнос. А сейчас он просто пожал плечами.

— Тем более идиотка. И не забудь бумажные салфетки.

Марджори тупо уставилась на него.

— В воскресенье,— пояснил Вик.

— Ах, ты об этом! Я всегда кладу салфетки, если у нас гости.

— Иногда они кончаются.

— Не припомню, чтобы тебя волновали салфетки,— сказала Марджори. В ее светлых, обычно невозмутимых глазах Вик заметил, словно сверкающий глубоко под водой, огонек страха или тень подозрения. И впервые в жизни он понял, что у жены есть все основания испытывать эти чувства.

3

Половина опасений Вика по поводу воскресного ленча рассеялась, когда в субботу утром позвонила Робин и сообщила, что ее друг Чарльз подхватил простуду и в эти выходные в Раммидж не приедет. Сама она появилась у Уилкоксов довольно поздно, и они сразу же сели за стол. На столе возле каждого прибора лежали бумажные салфетки, а в голубых стеклянных тарелочках красовались половинки авокадо. Они-то и вызвали у детей удивление и насмешки.

— Это что? — спросил Гэри, накалывая на вилку свою половинку авокадо и поднимая ее в воздух.

— Это авокадо, балбес, — ответила Сандра.

— Закуска, — пояснила Марджори.

— Обычно у нас не бывает закуски, — напомнил Реймонд.

— С вопросами — к папе, — бросила Марджори.

Все посмотрели на Вика, включая и Робин Пенроуз. Она улыбалась так, словно поняла, что авокадо — его личная дань утонченности ее вкуса.

— Захотелось чего-нибудь новенького, — угрюмо произнес Вик. — Не нравится — не ешьте.

— Это фрукт или овощ? — поинтересовался Уилкокс-старший, с подозрением разглядывая свою порцию.

— Скорее овощ, — ответил Вик. — В него наливают масло с уксусом и едят ложкой.

Мистер Уилкокс зачерпнул ложкой самую малость желтой мякоти и изучающе пригубил.

— Довольно странный вкус, — констатировал он. — Похож на мягкий свечной воск.

— Дед, они стоят по пять фунтов каждый, — информировал Реймонд.

— Сколько?!

— Не обращай внимания, пап, они тебя подначивают, — сказал Вик.

— Сказать по чести, я бы не дал и пяти пенни, — буркнул отец.

— Они гораздо вкуснее с уксусом, прованским маслом и пряностями, мистер Уилкокс, — сказала Робин. — Хотите попробовать?

— Нет уж, спасибо, моя дорогая. Я не переношу оливкового масла.

— У тебя от него понос, да, дед? — брякнул Гэри.

— Какой ты гадкий, Гэри, — возмутилась Сандра.

— Ну да, малыш, — кивнул мистер Уилкокс. — Когда я был маленьким, мы называли его «бегом за дверь». Это потому, что…

— Мы знаем почему, пап. Во всяком случае, догадываемся, — перебил Вик, бросив на Робин извиняющийся взгляд. Но ее эта перепалка, казалось, скорее позабавила, чем покоробила. И Вик понемногу начал успокаиваться.

Благодаря Робин, вопреки его опасениям трапеза не превратилась в минное поле. Вместо того чтобы говорить самой и дать всем почувствовать себя невежами, Робин только задавала им вопросы об их жизни. Реймонд рассказал про свой ансамбль, Сандра поведала о работе парикмахера-стилиста, Гэри — о компьютерных играх, а Уилкокс-старший — о том, как они с матерью Вика поженились и жили на тридцать пять шиллингов в неделю, отнюдь не считая себя бедными. Каждый раз, когда старик пытался вырулить на тему «иммигрантов», Вику удавалось сбить его со скользкого пути каким-нибудь провокационным вопросом об уровне жизни. И только Марджори не вступала в общение с Робин, отвечая на все ее вопросы или односложным мычанием, или смутной отрешенной улыбкой. Но такова уж Марджори. Когда в доме гости, она всегда держится либо на заднем плане, либо на кухне. Но именно она приготовила восхитительный обед, если не считать авокадо, которые оказались недоспелыми и довольно жесткими.

Впервые в спокойном течении событий возникло неожиданное затруднение, когда после обеда Робин попыталась взять на себя мытье посуды, а Марджори решительно этому воспротивилась. Некоторое время между двумя женщинами происходила вежливая битва характеров, но в конце концов Вик нашел компромиссное решение: посуду вымоет он, а дети ему помогут. Затем он предложил пойти прогуляться, пока не стемнело, но Марджори отказалась, сославшись на то, что слишком холодно. Реймонд ушел к друзьям репетировать в чьем-то гараже, Сандра свернулась калачиком перед телевизором, а Гэри неубедительно сослался на необходимость делать уроки. Мистер Уилкокс сказал, что пойдет, но когда Вик, вымыв посуду, вернулся в гостиную, отец уже сладко похрапывал, сидя в кресле. Вик не стал его будить, равно как и убеждать других членов семьи составить им компанию. Он втайне надеялся, что сможет прогуляться наедине с Робин.

— Я и не думала, что у вас такие взрослые дети,— сказала Робин, когда они вышли на улицу.

— Мы женаты уже двадцать три года. И сразу же решили завести детей. Марджори была только рада бросить работу.

— А кем она работала?

— Машинисткой.

— А-а…

— Марджори отнюдь не интеллектуал,— сказал Вик,— как вы, вероятно, уже заметили. Она окончила школу с аттестатом нулевого уровня.

— Ее это беспокоит?

— Нет. Иногда это беспокоит меня.

— Тогда почему бы вам не предложить ей пройти какой-нибудь курс?

— Какой? Средней школы? Марджори? В ее возрасте? — его смех прорезал холодный воздух и получился громче, чем хотел бы Вик.

— Не обязательно средней школы. Есть множество курсов, на которых она смогла бы учиться. В Открытом университете есть курсы, куда принимают без экзаменов.

— Марджори не потянет,— покачал головой Вик.

— Потому что вы ее в этом убедили,— возразила Робин.

— Ерунда! Марджори всем довольна. У нее прекрасный дом с ванной *en suite* и четырьмя туалетами, достаточно денег на то, чтобы ходить по магазинам, когда ей этого хочется.

— Вы беспощадно заботитесь о своей жене,— сказала Робин Пенроуз.

Некоторое время они гуляли молча, и Вик думал, чем бы ответить на этот выпад. Потом решил не отвечать вовсе.

Они бесцельно бродили по тихим улицам. Был холодный туманный день. Сквозь голые ветки деревьев светило красное закатное солнце. За всю прогулку им встретились только одинокий бегун, супружеская пара с собакой и несколько мрачных студентов-африканцев, ждавших автобуса. На каждом перекрестке им попадались свидетельства разгула вандализма — бетонные столбы, закрывавшие проезд, везде лежали на боку, вывороченные из земли.

— Если кто и должен думать о получении профессии, так это мои дети,— сказал Вик.— Реймонд в прошлом году вылетел из университета. Провалил экзамены и пересдачи.

— Где он учился?

— На инженера-электронщика. Он неглупый парень, но всегда терпеть не мог трудиться. А Сандра говорит, что не хочет поступать в университет. Мечтает быть парикмахером или, как это теперь называется, стилистом.

— В сегодняшней молодежной культуре волосы играют очень важную роль,— задумчиво произнесла Робин.— Это инструмент самовыражения. И даже новый вид искусства.

— Разве это серьезная профессия? Вот *вы* стали бы этим зарабатывать?

— Есть множество вещей, которых я не стала бы делать. Работать на заводе. Или в банке. И домохозяйкой тоже бы не стала. Когда я думаю о том, как живут многие люди, особенно женщины, я просто не верю, что такое вообще возможно.

— Кто-нибудь должен это делать,— сказал Вик.

— Именно это и огорчает.

— Но Сандра могла бы добиться большего. Может быть, вы поговорите с ней о поступлении в университет?

— А почему, собственно, она должна меня послушаться?

— *Меня* она в грош не ставит, а Марджори наплевать. Потом, вы ближе к ней по возрасту. Она прислушивается к вашему совету.

— А она знает, что в следующем году я скорее всего останусь без работы? — спросила Робин.— Не очень хорошая реклама университетского образования, не правда ли? В качестве парикмахера-стилиста она заработает гораздо больше.

— Деньги — это еще не…— начал было Вик, но осекся.

— Еще не все? — закончила вместо него Робин, удивленно вскинув брови.— Не ожидала услышать это от вас.

—Я хотел сказать, что деньги—это еще не то, в чем она разбирается,—выкрутился Вик.—И остальные мои дети тоже. Они думают, что деньги поступают к нам из банка, как вода из крана. Во всяком случае, будут поступать, пока старик-отец контролирует этот поток.

—Плохо, что они даются им так легко. Им не приходилось самим зарабатывать на жизнь. И они принимают все как данность.

—Точно!—радостно согласился Вик и слишком поздно понял по выражению лица Робин, что она просто пародирует его.—Что ж, это верно,—язвительно заметил он.

Дорога привела их к небольшому парку возле жилых кварталов университета, и Робин предложила свернуть в ворота и прогуляться вокруг озера.

—Но это же частные владения,—засомневался Вик.

—Не волнуйтесь, я знаю пароль,—снова пошутила Робин.—Нет-нет, не частные. Здесь всем можно гулять.

В зимних сумерках длинные здания, чуть подсвеченные красными закатными лучами, напоминали огромные корабли на якоре. Освещенные окна отражались в темной поверхности озера. Несколько молодых людей в теплых тренировочных костюмах играли в мяч, выкрикивая имена друг друга. Парень с девушкой стояли на горбатом деревянном мостике и кидали хлебные корки плавающим в озере уткам и канадским гусям.

—Мне здесь нравится,—сказала Робин.—Это одна из немногих архитектурных удач университета.

—Да, очень мило,—согласился Вик.—Но, если вам интересно мое мнение, слишком мило для студентов. Никогда не понимал, зачем строить для них эти громоздкие трехзвездочные отели.

—Но они должны где-то жить.

—Большинство может жить дома и учиться в местных колледжах. Как я когда-то.

—Но отъезд из дома—неотъемлемая часть поступления в университет.

— И очень дорогая его часть,— возразил Вик.— На деньги, вложенные в эти дома, можно построить целый политехникум.

— Политехникумы — кошмарное место,— сказала Робин.— Как-то раз я ездила на собеседование в один из них. Больше похоже на школу-переростка, чем на университет.

— Зато дешево.

— Дешево и скверно.

— Странно, что вы защищаете эту элитарную структуру, учитывая ваши левые взгляды.— Вик обвел рукой симпатичные здания, ухоженные лужайки и искусственное озеро.— Почему мои рабочие должны платить налоги, чтобы эта молодежь среднего класса жила здесь так, как привыкла?

— Двери университетов открыты для всех,— напомнила Робин.

— Теоретически. Скажите, кому принадлежат машины, припаркованные вон на той стоянке?

— Студентам,— ответила Робин.— Я признаю, что у нас в основном учится средний класс. И это неправильно. Обучение бесплатное. Тем, кто нуждается в средствах, выплачивают стипендию. Нужно призывать как можно больше детей из рабочих семей поступать в университеты.

— И вышвырнуть средний класс, чтобы освободить место?

— Нет, создать новые места.

— И побольше живописных домов с искусственными озерами, в которых плавают уточки.

— А почему нет? — вскинулась Робин.— Они улучшают окружающую среду. Уж лучше это, чем очередной район роскошных особняков с георгианскими окнами. Или теперь вставляют времен короля Якова? Университеты — это современные соборы. К вопросу их существования нельзя подходить с утилитарных позиций. Проблема в том, что многие не понимают, для чего вообще нужны университеты. А университеты не считают необходимым объяснять это обществу. День открытых дверей у нас проводится раз в год. А ведь таковым должен быть каждый день. В выходные и в каникулы кампус похож на кладбище. А нужно, чтобы в это время местные жители приходили туда и пользовались библиотекой, лабораториями, слушали лекции и концерты, посещали спортивный центр. Пусть пользуются всем! — Она раскинула руки, раскраснелась, взволнованная представившейся ей картиной.— Нужно избавиться от охранников и шлагбаума у ворот. Нужно впустить сюда людей!

— Отличная мысль,— отозвался Вик.— Но вскоре все стены покроются шедеврами граффити, а в туалетах настанет разруха.

Робин опустила руки.

— Кто из нас защитник элиты? — спросила она.

— Я всего лишь трезво смотрю на вещи. Людям вполне достаточно политехникумов без всяких прибамбасов. И не нужно имитировать оксфордские колледжи.

— Это чересчур снисходительное отношение.

— Мы живем в эпоху молокососов. То, что молокососам непонятно и никак не защищено, они уничтожают, не оставляя другим. Когда мы шли сюда, вы обратили внимание на бетонные столбы?

— Во всем виновата безработица,— ответила Робин.— Политика Тэтчер породила отчужденный низший класс, который ищет выхода своей обиде в преступлениях и вандализме. Нельзя их в этом обвинять.

— Вы начнете их в этом обвинять, если они на вас нападут, когда вы будете возвращаться домой сегодня вечером,— сказал Вик.

— Это чисто эмоциональный аргумент,— парировала Робин.— Вы ведь поддерживаете Тэтчер, не правда ли?

— Я ее уважаю,— уточнил Вик.— Как уважаю любого, у кого есть сила воли.

— Даже несмотря на то, что она разорила здешнюю промышленность?

— Она избавилась от раздутых штатов и нарушений свободы конкуренции. Да, она переборщила, но сделать это было необходимо. Кстати, мой отец может подтвердить, что в тридцатые годы здесь была куда большая безработица и нищета, но молодые подонки не избивали и не грабили стариков-пенсионеров, как это случается сейчас. Люди не ломали дорожные знаки и телефонные будки просто удовольствия ради. Что-то случилось с этой страной. Не знаю почему и уж тем более когда это стряслось, но где-то по дороге мы растеряли представления о базовых нормах, таких как уважение к чужой собственности, к женщинам и старикам...

— В тех старомодных представлениях было много лицемерия,— возразила Робин.

— Возможно. Но лицемерие находило применение.

— Уважение, которым порок платит добродетели.

— Что-что?

— Кто-то сказал, что лицемерие есть уважение, которым порок платит добродетели. По-моему, Ларошфуко.

— Кто бы это ни сказал, у него была голова на плечах,— кивнул Вик.

— Иными словами, вы связываете это с упадком религиозности? — со снисходительной улыбкой спросила Робин.

— Возможно,— ответил Вик.— Возможно, ваши университеты и являются соборами современной эпохи, но преподают ли в них мораль?

— Специально — нет,— признала Робин, немного подумав.

В ту же секунду, как нарочно, вдалеке протяжно зазвонил церковный колокол.

— Вы ходите в церковь? — спросила Робин.

— Я? Нет. Только в особых случаях — на венчания, похороны или крещение. А вы?

— Не ходила с тех пор, как окончила школу. Я росла довольно набожной девочкой. До того, как узнала, что такое секс. По-моему, религия служит тем же психологическим целям. Это тоже глубоко личное, интимное и весьма сильное чувство. Вы верите в Бога?

— Что?.. Ох, не знаю. Впрочем, пожалуй, да. Но несколько смутно.— Вик, смущенный упоминанием о том, как Робин открыла для себя секс, никак не мог сконцентрироваться на вопросах теологии. Интересно, сколько у нее было любовников? — А вы верите?

— Во всяком случае, не в патриархального библейского Бога. В Америке есть несколько довольно интересных теологов-феминисток, которые считают, что Бог женского рода, но они никак не могут избавиться от метафизического багажа христианства. Если вкратце, я думаю, что Бог есть первичное изменчивое означающее.

— Сдаюсь! — сказал Вик.— Хотя и не понимаю, что это значит.

— Извините,— ответила Робин и засмеялась.

Но Вик и не думал обижаться на ее заумные речи. Разговаривая с ним, Робин пользовалась языком неосознанно, в то время как в беседе с остальными членами его семьи изъяснялась на обычном английском. И Вик воспринял это как своеобразный комплимент.

Когда они вернулись в дом, Робин отказалась снять пальто и выпить чаю.

— Мне нужно возвращаться,— объяснила она.— Очень много работы.

— Сегодня же воскресенье, моя дорогая,— напомнил мистер Уилкокс-старший.

— Увы. Нужно проверить работы студентов. Я все время с этим запаздываю. Спасибо за чудесный ленч,— сказала она, обращаясь к Марджори, которая в ответ лишь неопределенно улыбнулась.— Сандра, ваш отец просил меня поговорить с вами о преимуществах университетского образования.

— В самом деле? — скривилась Сандра.

— Может быть, вы как-нибудь приедете ко мне в Университет?

— Ладно,— пожала плечами Сандра.— Могу.

Вику мучительно захотелось дать дочери по ушам, оттаскать за волосы или отшлепать ее. А лучше — все сразу.

— Скажи «спасибо», Сандра,— сказал он.

— Спасибо,— злобно буркнула дочь.

Вик проводил Робин до машины.

—Извините мою дочь за ее манеры,— сказал он.— Это Свойство Молокососов.

Робин задорно рассмеялась в ответ.

—Что ж, увидимся в среду,—напомнил Вик.

—Все будет хорошо,—сказала Робин и села в машину.

Вик вернулся в гостиную. Там мистер Уилкокс в одиночестве попивал чаек из блюдца.

—Симпатичная девчонка,— заметил он.— Почему она называет себя Робин? Разве это не мужское имя?

—Оно может быть и женским.

—А-а… И стрижка у нее под мальчика. Она часом не из… этих… ну, ты понял?

—Не думаю. У нее есть друг, просто он не смог приехать.

—Я спросил, потому что она из университета. А там полно всяких разных.

—Что ты знаешь об университетах?—удивился Вик.

—Видел по телику. Там полно странных типов с нездоровым отношением друг к другу.

—Нельзя верить всему, что показывают по телевизору, папа.

—Ну вот, и ты туда же, сынок,—расстроился мистер Уилкокс.

Вернувшись домой, Робин позвонила Чарльзу.

—Как ты себя чувствуешь?—спросила она. Оказалось, нормально.— А как твоя простуда?

Чарльз ответил, что простуда рассосалась.

—Наверно, ты ее выдумал, чтобы отвертеться от ленча с Уилкоксами.

Пропустив обвинение мимо ушей, Чарльз поинтересовался, как все прошло.

—Нормально. Но тебе было бы очень скучно.

—А тебе не было?

—Мне было интересно посмотреть на Уилкокса в домашней обстановке.

—И как у него дома?

—Шикарно. Вопиюще безвкусно. В гостиной висит репродукция — негритянка с зеленым лицом. А камин — это что-то невероятное. Сооружение из разноцветного камня, высотой до потолка. Смотришь на него, и хочется обвязаться веревкой и совершить восхождение. Камин, конечно, *trompe-l'œil*[1] — газовый. Дрова в нем горят вечные, и ко всему этому — представь себе! — старинный бронзовый каминный набор. Напоминает Магритта.— Робин вдруг стало стыдно, что она ударилась в кембриджский снобизм. Она почему-то не стала рассказывать Чарльзу о том, какой интересный разговор они вели с Уилкоксом во время прогулки. Чарльза проще заинтересовать домашними зарисовками раммиджской буржуазности.— Да, и еще у них четыре туалета! — вспомнила Робин.

—Тебе так часто пришлось туда ходить? — засмеялся Чарльз на том конце провода.

—Нет, об этом мне таинственным шепотом сообщил отец Уилкокса. Он немножко расист, но впрочем очень милый старик.

—А остальные?

—Ну, о хозяйке почти ничего не могу сказать. По-моему, она меня опасалась.

—Да, Робин, ты у нас очень опасная.

—Глупости.

—Я имею в виду — для женщин, не блещущих интеллектом. Вы говорили о теории литературоведения?

—Конечно нет. За кого ты меня принимаешь? Я со всеми говорила о том, что им интересно, но у хозяйки никаких интересов не обнаружилось. Может, их и совсем нет. По-моему, это типичная задавленная домохозяйка, которой нечем заняться, потому что дети уже выросли. Вся сцена напоминала комедию положений в духе Фрейда. Старшему сыну двадцать два, но он все еще страдает эдиповым комплексом. К дочери Уилкокс испытывает инцестуальные чувства, но подавляет их, и они замещаются тем, что он ее постоянно пилит.

---

[1] Обман зрения (*фр.*).

—Ты говорила ему об этом?

—Ты шутишь?

—Поддразниваю.

—Я сказала ему, что с моей точки зрения он подавляет свою жену.

—И как он отреагировал?

—Я думала, он выйдет из себя, но обошлось.

—Знаешь, Робин,—вздохнул Чарльз у себя в Ипсвиче,—вот бы мне тебя в качестве консультанта.

—В каком смысле?

—Ты прирожденный педагог. Всех вокруг заставляешь стоять по стойке смирно, и вместо того чтобы обижаться или возмущаться, люди проникаются чувством глубокой признательности.

—Я не уверена, что Уилкокс был мне признателен,—возразила Робин. А потом вдруг злобно прибавила: — Черт! Не было у тебя никакой простуды. А вот у меня, кажется, уже есть.

Когда в следующую среду Робин не появилась в назначенный час, Вик очень удивился тому, что ее отсутствие его беспокоит. Он никак не мог сосредоточиться на ведении совещания с менеджерами по продажам, и финансовый директор несколько раз поправлял его, уточняя цифры — к вящему удовольствию Брайана Эверторпа. В половине одиннадцатого совещание закончилось, и Вик позвонил Робин в Университет. Там ему сообщили, что ее по средам не бывает. Тогда он позвонил по домашнему номеру. Звонка после пятнадцатого, когда Вик уже хотел повесить трубку, он услышал хриплый голос:

—Алло?

У нее простуда. Или даже грипп. Судя по голосу, ей совсем плохо.

Она сказала, что как раз спала.

—Тогда простите, что потревожил. Но вы не предупредили…

—У меня нет телефона возле кровати,—перебила Робин.—Чтобы ответить на звонок, мне пришлось спуститься. Видимо, у вас вошло в привычку звонить мне в неудобное время.

—Извините,— обиженно ответил Вик.— Возвращайтесь в постель. Примите аспирин. Вам что-нибудь нужно?

—Ничего кроме тишины и покоя.—И она повесила трубку.

Днем Вик заказал в Раммиджском супермаркете корзину фруктов с доставкой на дом, но почти сразу же перезвонил и отменил заказ, вспомнив, что Робин придется снова вставать с постели и спускаться, чтобы принять подарок.

В следующую среду Робин появилась — немного бледная, даже вроде бы похудевшая, но выздоровевшая. Когда она вошла, Вик не смог сдержать довольную улыбку. За несколько недель Робин Пенроуз непостижимым образом превратилась из обузы и головной боли в человека, которого Вик был рад видеть больше всех на свете. Он считал дни до очередного ее появления в «Принглс»: неделя теперь начиналась со среды. Когда Робин Пенроуз ходила за ним по пятам, как тень, он все делал правильно. Когда ее не было, он вел себя так, словно она рядом, и старался заслужить ее аплодисменты. Только с ней он мог поделиться своими надеждами и планами, касающимися компании, обсудить любые проблемы и найти их решение. Никому из сотрудников он не доверял настолько, чтобы вести с ними подобные разговоры, а Марджори попросту не поймет, о чем речь. Робин тоже не разбиралась в деталях, но ее цепкий ум быстро ухватил основные принципы, а беспристрастность делала ее справедливым судьей. Именно Робин помогла ему понять, что бессмысленно мстить «Фаундро» по принципу «зуб за зуб». До Вика дошли слухи, что у «Фаундро» возникли финансовые проблемы — неудивительно, если они снабжают «Ролинсон» себе в убыток. Уилкоксу оставалось только подождать, когда «Фаундро» выдохнется или совсем прогорит, и тогда возобновить с Тедом Стокером переговоры о поставках по разумной цене. Брайан Эверторп не одобрил эту выжидательную тактику, но его вообще не спрашивают, не так ли?

О пантомиме на диване с участием Эверторпа и Ширли Вик старался не думать. И в этом ему тоже помогла Робин Пенроуз. Рядом с ней, молодой и стройной, Ширли казалась старой коровой. Кроме того, Ширли явно ревновала к Робин, а Брайан

Эверторп злился, не понимая, почему Вик берет над ним верх. Он с самого начала недвусмысленно намекал на близкие отношения между шефом и его тенью. Когда Робин обмолвилась о том, что ее должность в Университете называется «утешение декана», Эверторп не смог сдержать ликование.

— А как насчет «утешения директора», Вик? — спросил он.— Не нужно будет для поднятия тонуса ходить в «Сауну Сюзанны». Можно обойтись своими силами.

Если бы Робин выказала хоть малейший признак недовольства, Вик нашел бы способ отвести Эверторпа в сторонку и попросить его прекратить дурацкие шутки. Но Робин сохраняла железное спокойствие, а Вик не возражал против того, чтобы Эверторп подозревал интрижку между шефом и Робин, тем более что, по иронии судьбы, мысль эта посещала и самого Вика. Ему было приятно думать об этом по дороге на работу и с работы. В эти дни Вик слушал в основном Дженнифер Раш: ее голос — глубокий, дрожащий, сильный, звучащий на фоне нервного ритмичного аккомпанемента — странным образом волновал его, окружая мечты надежными стенами звука. Она пела:

> Когда случившееся — правда,
> Уже не нужно убегать,
> Ведь если на душе тепло,
> Тогда пора начать.

Она пела:

> Сдавайся! Есть у тебя один лишь шанс —
> Сдавайся! И поскорей пойми —
> Ее глаза тебе ответят: «Навсегда».

Вик так часто слушал эту кассету, что выучил слова наизусть. Его любимой песней была последняя на второй стороне — «Сила любви»:

> Потому что я твоя женщина,
> А ты мой мужчина,
> Когда бы ты ни пришел,
> Я сделаю все, что сумею.

У нас все впереди,

Там, где я не бывала.

Иногда я боюсь,

Но готова выучить все

О силе любви.

Однажды, отсидев подряд несколько совещаний по рационализации с младшими менеджерами, Робин спросила Вика, не хочет ли он посвятить и рабочих в тонкости основной стратегии компании. Эта мысль никогда не посещала Вика, но чем больше он о ней думал, тем больше она ему нравилась. Люди воспринимают свою работу как маленький вклад в общее дело, а следовательно, любые изменения кажутся им попыткой начальства получить от них больше, недоплатив при этом. Конечно, на самом деле так оно и есть. Но если Вик объяснит им, что эти изменения связаны с общим планом, который в будущем принесет всем защищенность и экономическое процветание, тогда у него будет больше шансов получить их поддержку.

Вик зашел к директору по персоналу, чтобы обсудить с ним этот вопрос. Джордж Прендергаст сидел на полу посреди кабинета, скрестив ноги по-турецки и положив руки на колени.

— Что вы делаете?— удивился Вик.

— Дышу,— ответил Прендергаст, поднимаясь на ноги.— Дыхательные упражнения по системе йогов— от моего несварения желудка.

— Если позволите мне высказать свое мнение, вы производите впечатление чокнутого.

— Но они помогают,— ответил Прендергаст.— Ваша тень мне посоветовала.

— Она сама вам их показывала?— Вик почувствовал совершенно необоснованные уколы ревности.

— Нет, я по вечерам хожу на занятия,— сообщил Прендергаст.

— Что ж, на вашем месте я оставил бы упражнения для вечерних занятий,— сказал Вик.— Я не хочу, чтобы вы медитировали посреди завода. Это может отвлечь рабочих. Кстати, раз уж о них зашла речь… У меня есть предложение.

Прендергаст буквально загорелся этой идеей.

— В наши дни обучение рабочих имеет огромное значение, — говорил он. — Это называется диалог руководства и персонала. — Прендергаст закончил бизнес-колледж и обожал подобный жаргон.

— Ну, диалога тут будет мало, — уточнил Вик. — Я произнесу речь, в которой расскажу, что мы собираемся делать.

— А вопросы задавать будут?

— Если они возникнут, можно и ответить.

— Пожалуй, потом я организую обсуждение по цехам, — предложил Прендергаст.

— Только не переусердствуйте. Мы не собираемся открывать вечерний институт. Назначьте серию встреч во время ленча, хорошо? Скажем, человек по триста. Начнем со следующей среды. — Вик специально выбрал этот день недели, чтобы Робин смогла присутствовать на вступительном собрании.

Брайан Эверторп отнесся к плану скептически и заявил, что он только выбьет людей из колеи и вызовет у них подозрения.

— А кроме того, они не скажут тебе спасибо за то, что ты съел у них половину обеденного перерыва.

— Присутствие будет добровольным, — сказал Вик. — Для всех, кроме дирекции.

Настроение у Эверторпа явно упало.

— Ты хочешь сказать, что мы должны приходить на каждую встречу?

— Бесполезно распинаться перед рабочими, что мы должны трудиться сообща, если они будут знать, где в этот момент мои директора — в «Лунатике», пьют пиво.

В следующую среду, в час дня, Вик сидел на импровизированной сцене в старом транспортном цехе — тускло освещенном ангаре, пустовавшем с тех пор, как «Принглс» стала пользоваться услугами транспортных компаний по контракту. Иногда здесь проводились собрания, если столовая была занята. Вик сидел в окружении своих директоров, устроившихся на пластиковых стульях. На полу в несколько рядов расставили скамейки и стулья лицом к сцене, и Вик удивился, заметив, что не только Робин, но и Ширли уже на месте. Остальные слушатели толпились позади скамеек, под прикрытием облака табачного дыма. Изо рта у всех шел пар. Хотя Вик и распорядился включить в тот день отопление, в ангаре все еще было сыро и холодно. Директора сидели в пальто, но Вик остался в одном костюме, который считал своей рабочей одеждой. Он оглядел зал и потер руки.

—Пожалуй, можно начинать,—шепнул он Прендергасту, сидевшему рядом с ним.

—Хотите, чтобы я вас представил?

—Нет, они все меня знают. Давайте начнем. Здесь настоящий ледник.

Вик вдруг почувствовал непривычный нервный спазм, когда встал и сделал шаг к специально установленному микрофону, подсоединенному к паре переносных колонок. Зал утих. Вик пробежал глазами по лицам собравшихся —выжидающим, угрюмым, насмешливым —и пожалел, что не заготовил какую-нибудь шутку, чтобы разрядить обстановку. Но он никогда не отличался чувством юмора и забывал анекдоты через пять минут после того, как ему их рассказали. Вероятно, потому что они не казались ему смешными.

—Обычно все речи начинаются с шутки,—произнес Вик.—Но я ее не заготовил. Буду с вами откровенен: управлять нашей компанией совершенно не смешно.—В зале раздались смешки. Лед был растоплен.—Вы все меня знаете. Я начальник. Вы, наверно, думаете, что я здесь царь и бог и могу делать все что угодно. Но это не так. На самом деле по собственному почину я не могу сделать вообще ничего.

По мере выступления Вик становился все увереннее в себе. Слушали его внимательно. Скуку и непонимание выражали лишь несколько лиц. И вдруг, когда Вик явно достиг определенных успехов, все лица неожиданно расплылись в широких ухмылках. Раздались хлопки, уханье, свист и гогот. Вик, который знал, что не сказал ничего смешного, замолчал на полуслове. Он огляделся и увидел направлявшуюся к нему девушку.

С головой у нее явно было не все в порядке, потому что шла она в одном нижнем белье. Девушка дрожала от холода, ее руки и плечи покрылись гусиной кожей, но улыбалась она кокетливо.

— Мистер Уилкокс? — спросила девушка.

— Уходите, — сказал Вик. — Здесь собрание.

— У меня для вас сообщение, — продолжила она, приподняла согнутую ногу в сетчатом чулке и достала из-под резинки сложенный листок бумаги.

Толпа одобрительно загудела.

— Покажи нам сиськи! — выкрикнул кто-то. А другой поддержал: — Снимай штанишки!

Девушка улыбнулась и нервно помахала залу рукой. За ее спиной Вик увидел красное и надутое, как воздушный шарик, ухмыляющееся лицо Брайана Эверторпа.

— Снимай! Снимай! Снимай! — скандировала публика.

— Убирайтесь вон! — прошипел Вик.

— Это очень быстро, — сказала девушка и развернула послание. — Будьте человеком!

Вик схватил ее за руку, намереваясь стащить со сцены, но девушка так завизжала, что Вик отпрянул, словно обжегся. Прильнув к микрофону, она запела:

В «Принглс» звон, в «Принглс» звон, звон идет с утра:
Под Уилкоксом работать весело всегда!
В «Принглс» звон...

— Мерион! — окликнула ее Робин, неожиданно появившись у самого края сцены. — Немедленно прекратите.

Девушка посмотрела вниз и остолбенела.

— Доктор Пенроуз! — взвизгнула она, впхнула послание Вику в руки, развернулась и упорхнула.

— Эй! Хотелось бы дослушать до конца! — прокричал ей вслед Брайан Эверторп.

Толпа свистела и вопила, глядя, как девушка исчезает через дверцу в конце ангара.

— Почему вы не продолжаете? — спросила Робин и поспешила следом за девушкой. Вик даже не успел спросить, почему та ее послушалась.

Он постучал по микрофону, призывая к вниманию.

— Итак, я говорил о том…

В зале добродушно загоготали, после чего дослушали до конца.

Когда встреча закончилась, Вик нашел Робин в своем кабинете. Она читала книгу.

— Спасибо, что помогли избавиться от девицы,— поблагодарил Вик.— Вы с ней знакомы?

— Она моя студентка,— объяснила Робин.— У нее нет стипендии, а родители не могут платить за обучение, вот ей и приходится подрабатывать.

— И *это* вы называете работой?

— Я, разумеется, осуждаю сексуальный аспект. Но ей хорошо платят, и работа не занимает много времени. Между прочим, называется «поцелограмма». Хотя сегодня до финального поцелуя не дошло.

— Благодарю Тебя, Господи,— сказал Вик, уселся в крутящееся кресло и достал сигареты.— Вернее, благодарю *вас*.

— Могло быть и хуже. Есть еще такая штука под названием «гориллограмма».

— Мне и этого хватило. Еще минута, и встреча была бы сорвана.

— Я поняла,— кивнула Робин.— Поэтому и вмешалась.

— Вы спасли мою шкуру,— улыбнулся Вик.— Могу я пригласить вас выпить и съесть по бутерброду? Увы, на полноценный ленч уже нет времени.

— Бутерброд — это то, что нужно. Спасибо. Мерион очень переживала, что не получит денег, ведь она не доделала свою работу. Я сказала, что если понадобится, вы возместите убытки.

— Вы правда так сказали?

— Да.— Спокойные серо-зеленые глаза смотрели на Вика испытующе.

—Хорошо,—кивнул он.—Я заплачу вдвое, если она скажет, кто заказчик.

—Я уже спрашивала,—пожала плечами Робин.—Она говорит, что имя клиента не разглашается. Его знает только шеф агентства. А у вас есть предположения?

—Только подозрения.

—Брайан Эверторп?

—Да. Тут кругом его отпечатки пальцев.

Вик не повел Робин ни в «Лунатика», ни в «Королевскую голову» — там они наверняка встретили бы его коллег. Вместо этого он поехал чуть дальше, в «Кожу да кости» — весьма оригинальный старый паб, построенный в местечке, изобилующем заброшенными шахтами, где до сих пор шло оседание пород, и поэтому дом здорово перекосило. Двери и окна переделали, и они стали ромбовидными, чтобы скрыть кривизну. А пол был настолько кривым, что приходилось придерживать свой стакан, иначе он бы съехал со стола.

—Забавно,—осматриваясь, сказала Робин, когда они уселись возле камина.—Я уже сейчас чувствую себя пьяной.

—Что вам заказать?—спросил Вик.

—В таком месте, как это, пожалуй — пиво. Полпинты лучшего темного.

—А поесть?

Робин заглянула в меню.

—«Завтрак крестьянина со стилтоном».

Вик одобрительно кивнул.

—Здесь его отлично готовят.

Вернувшись от стойки бара со стаканами в руках, он сказал:

—Впервые покупаю темное бочковое для женщины.

—В таком случае, у вас небогатый жизненный опыт,— улыбнулась Робин.

—Вы чертовски правы,— ответил Вик без тени улыбки.— Ваше здоровье!—Он глотнул пива.—Иногда на рассвете я лежу в постели и не могу снова уснуть. Тогда вместо того чтобы считать овечек, я считаю вещи, которых никогда не делал.

—Например?

—Никогда не катался на лыжах и не занимался серфингом. Никогда не учился играть на музыкальных инструментах, говорить на иностранном языке, ходить под парусом, ездить верхом. Никогда не лазил по горам, не ставил палатку, не ловил рыбу. Никогда не видел Ниагарского водопада, не поднимался на Эйфелеву башню, не любовался пирамидами. Никогда... Нет, этот список можно продолжать до бесконечности.— Он чуть было не сказал «никогда не спал ни с одной женщиной, кроме своей жены», но решил промолчать.

—У вас еще есть время.

—Нет, слишком поздно. Все, что мне осталось,— это работа. И это единственное, на что я гожусь.

—Но это уже немало: иметь работу, которую любишь и хорошо умеешь выполнять.

—Да, это немало,— согласился Вик и подумал, что на рассвете кажется, будто это ничтожно мало. Но и этих слов он не произнес вслух.

Они замолчали. Первой неуютную тишину нарушила Робин.

—Что ж,— сказала она, оглядываясь по сторонам,— когда кончится семестр, по средам все будет иначе.

И тут Вика как обухом по голове ударило.

—А когда кончится семестр?— в ужасе спросил он.

—На следующей неделе.

—*Что*? Но ведь еще не было Пасхи!

—Этот семестр десятинедельный,— сказала Робин.— Сейчас девятая неделя. И приходится признать, что девятая среда уже кончается.

—Не понимаю, как люди оправдывают столь долгие выходные,— пробурчал Вик, чтобы скрыть разочарование. Он знал, что Теневой Резерв—явление временное, но не подсчитывал, когда все закончится.

—Каникулы—совсем не выходные,—страстно произнесла Робин.— И вам следовало бы знать об этом. Мы занимаемся научной работой, консультируем дипломников.

Им принесли заказ. Это позволило Вику не отвечать. Робин с наслаждением переключилась на «Завтрак крестьянина». Вик достал органайзер.

— Итак, осталась всего одна неделя,— подытожил он.— Здесь записано, что в следующую среду я еду во Франкфурт. А я и забыл.

— Что ж,— ответила Робин.— В таком случае, *эта* неделя последняя. Позвольте мне тоже угостить вас стаканчиком.

— Нет, не последняя,— возразил Вик.— Вам придется поехать со мной во Франкфурт.

— Я не могу,— сказала Робин.

— Всего на два дня. С одной ночевкой.

— Нет, это невозможно. У меня в четверг много занятий.

— Отмените. Или пусть их проведет кто-то другой.

— Это проще сказать, чем сделать,— ответила Робин.— Вы же знаете, я не профессор. Моя должность самая низкая на кафедре.

— Таковы условия Теневого Резерва,— настаивал Вик.— Раз в неделю вы должны следовать за мной по пятам. Если уж так получилось, что в этот день я оказался во Франкфурте, вы обязаны быть там же.

— А зачем вы туда едете?

— Там сейчас огромная выставка промышленного оборудования. Мне нужно встретиться с производителями. Хочу купить новый формовочный станок взамен устаревшего. Вам будет интересно. Никаких грязных заводов. Номер в шикарном отеле. Сходим куда-нибудь поужинать.— Вику вдруг стало жизненно важно, чтобы Робин Пенроуз поехала с ним во Франкфурт.— Там есть рестораны на лодочках,— соблазнял он.— На Рейне.

— Видимо, на Майне?

— Ну да, на Майне. У меня всегда было плохо с географией.

— Кто будет за меня платить?

— Об этом не беспокойтесь. Если не заплатит Университет, заплатим мы.

— Хорошо, я подумаю,— сказала Робин.

— Я распоряжусь, чтобы Ширли сегодня же заказала для вас номер.

— Нет, не надо. Подождите.

— Заказ всегда можно отменить,— напомнил Вик.

— Не думаю, что у меня получится поехать,— сказала Робин.

Возвращаясь домой ближе к вечеру, Робин заметила, что небо еще светлое. Фонари только зажигались, время от времени то там, то тут вспыхивали их желтые огни, украшая собой гудронно-бетонно-кирпичный Вест-Уоллсбери. Обычно Робин ехала из «Принглс» уже в темноте. Но сейчас уже была середина марта. Наступала весна, даже если в воздухе ею еще и не пахло. Слава Богу, что есть пасхальные каникулы. Осталась всего одна неделя бесконечной подготовки к занятиям, неделя лекций, семинаров и проверки работ. Все это интересно, но долго так нельзя — выдохшись на одном литературном шедевре, сразу перескакиваешь на другой, переходишь из одной группы взволнованных, жаждущих знаний бедных студентов в другую такую же. Кроме того, Робин мечтала вернуться к «Домашним ангелам и несчастным женщинам». В этом семестре она даже не заглянула в рукопись, отчасти из-за Теневого Резерва. Не то чтобы Робин жалела о своем участии в программе, особенно теперь, когда осталось совсем чуть-чуть. Опыт оказался любопытным, а результаты деятельности Робин — более чем удовлетворительными. За пару месяцев Вик Уилкокс из врага и обидчика превратился в дружелюбного, открытого человека. Он был явно рад видеть ее по средам на заводе и заметно расстроился, когда она напомнила, что программа подходит к концу. Робин снова оказалась ценным сотрудником. И если Вик Уилкокс напишет отчет, это будет ей крайне полезно.

Робин самодовольно улыбнулась, вспомнив, как она в то утро выпроводила Мерион Рассел, как был ей благодарен Вик и как он настаивал на том, чтобы она сопровождала его во Франкфурт. Это было бы здорово, подумала Робин. Франкфурт — не то место, упоминание о котором заставляет сердце радостно колотиться, но она там никогда не была. Впрочем, в последние два года она вообще не выезжала за пределы Англии, так была занята — сначала поисками работы, потом попытками удержаться на кафедре. Ей вдруг ужасно захотелось попутешествовать, насладиться аэропортовской суетой, новизной иностранной речи и поведения, звоном трамвайчиков и отдыхом в кафе на тротуаре. Во Франкфурте, должно быть, уже совсем весна… Нет, это невозможно. Четверг — самый загруженный день: кроме обычных занятий — семинары по женской прозе в двух группах, самые важные из всех ее еженедельных часов. По опыту она знала, что невозможно перенести их на другое время так, чтобы все студенты смогли прийти: слишком сложное и путаное у них расписание. А провести их в четверг не сможет ни один преподаватель, даже если и найдутся охотники, что тоже сомнительно. Ни у кого, кроме нее, не хватит квалификации. Жаль. Можно было бы неплохо развеяться.

Робин передумала. Она приняла решение отказаться от поездки. Надо не забыть завтра позвонить Вику Уилкоксу.

Тем же вечером ей позвонил Бэзил, чем ее очень удивил. Он сказал, что звонит из офиса, откуда все уже ушли. По его голосу Робин показалось, что он немножко, самую малость пьян.

— Ты давно видела Чарльза? — спросил он.

— Довольно давно, — ответила Робин. — А что?

— Вы что, разбежались?

— Конечно нет. Просто он давно не приезжал. Сначала приболел, или ему казалось, что приболел. Потом у меня был грипп… А в чем дело, Бэзил?

— Ты знаешь, что он встречается с Дебби?

— Встречается?

— Да, *встречается*. Ты поняла, что я имею в виду.

— Я знаю, что он собирался заехать к ней на работу.

— Куда больше. Он провел с ней ночь.

— Ты хочешь сказать, что он переночевал у нее?

— Да.

— Ну и что? Наверное, он повел Дебби ужинать, опоздал на последний поезд, и она пригласила его переночевать.

— Вот и Дебби так говорит.

— Тогда в чем дело?

— Ты не находишь это подозрительным?

— Конечно нет.

На самом деле Робин насторожило только то соображение, что во время их телефонного разговора Чарльз ничего ей об этом не сказал. Но Бэзилу она в этом не призналась.

— А если я скажу тебе, что так было уже дважды?

— Дважды?

— Да. В первый раз — на прошлой неделе, а второй — вчера. Опоздать на один поезд — невезение, опоздание на два уже выглядит подозрительно. Ну, что скажешь?

— Откуда ты это узнал, Бэзил? Я думала, вы с Дебби не встречаетесь в будние дни.

— В прошлый четверг я позвонил ей в десять часов вечера, и к телефону подошел Чарльз. А вчера я за ними следил.

— *Что* ты делал?

— Я узнал, что он снова в городе, трудится над своей дурацкой статьей, или еще над чем-то. После работы я за ними следил. Сначала они поехали в бар, а потом я видел, как они прошли к Дебби. Я ждал, пока они не выключили свет. Последним погасло окно в спальне.

— Что ж, это в порядке вещей, разве нет?

— Да, если он спал в комнате для гостей.

— Бэзил, у тебя развивается паранойя.

— Даже паранойикам иногда изменяют их девушки.

— Я уверена, что всему есть очень простое объяснение. Впрочем, спрошу у Чарльза. Я увижу его в выходные.

— Что ж, уже легче.

— Почему?

— Дебби утверждает, что на выходные поедет к родителям. Ума не приложу, что вы, женщины, находите в Чарльзе? По-моему, он просто снулая рыба.

— Я не хочу обсуждать с тобой достоинства Чарльза, — сказала Робин и повесила трубку.

Через некоторое время позвонил Чарльз.

— Дорогая,— сказал он,— ты не рассердишься, если я все-таки не приеду в эти выходные?

— Почему? — спросила Робин и удивилась, отметив, что ее слегка трясет.

— Хочу дописать статью про Сити. В Кембридже есть один парень, который сотрудничает с «Марксизмом сегодня», так вот он заинтересовался моим творением.

— Значит, ты не поедешь навестить маму Дебби?

В трубке повисло удивленное молчание.

— А почему, собственно, я должен это делать? — наконец спросил Чарльз.

— Мне только что звонил Бэзил,— объяснила Робин.— Он сказал, что ты ночевал у Дебби. Дважды.

— На самом деле трижды,— спокойно уточнил Чарльз.— А что, есть причина, по которой я не могу там переночевать?

— Конечно нет. Просто интересно, почему ты мне об этом не рассказал.

— Я не счел это существенным.

— Понятно.

— Честно говоря, Робин, мне кажется, что ты немножко ревновала меня к Дебби, и я не видел необходимости лишний раз тебя провоцировать.

— Я ревновала? С чего бы это?

— С тех деньжищ, которые она заработала.

— Мне глубоко плевать, сколько она заработала,— с чувством сказала Робин.

— Дебби оказала мне неоценимую помощь в подготовке статьи. Поэтому я и остался у нее — спокойно поговорить. Не понимаю, как она вообще работает. Это же кромешный ад в одной отдельно взятой комнате. Невероятно.

— Так ты не спал с ней?

И снова тяжелое молчание.

— В техническом смысле — нет.

— Как это — в техническом смысле?

— Ну, я делал ей массаж.

—Ты делал ей массаж?! — Перед глазами Робин возникла живая и неприятная картина: обнаженная Дебби извивается от удовольствия под жирными от масла пальцами Чарльза.

—Да. Она была очень взвинчена. Конечно, это специфика ее работы, постоянный стресс… Она страдает мигренями…

Пока Чарльз описывал симптомы недомоганий Дебби, Робин быстро проанализировала двусмысленную ситуацию. Он делал ей массаж, их массаж. Можно ли считать этот массаж изменой, если он сделан третьему лицу? И можно ли *вообще* говорить об измене применительно к ней и Чарльзу?

—Честное слово, мне не интересны все эти подробности,— сказала Робин, перебив Чарльза на полуслове.— Я просто хочу прояснить самое главное. У нас с тобой свободные взаимоотношения, лишенные каких бы то ни было обязательств, во всяком случае после моего переезда в Раммидж.

—Именно так я и думал,— ответил Чарльз,— и я рад услышать это от тебя.

—Но Бэзил относится к этому иначе.

—Не беспокойся о Бэзиле. Дебби все уладит. Мне кажется, она была слегка охмурена им. А он — типичный собственник. По-моему, она хочет с моей помощью поставить его на место.

—И ты не возражаешь против того, что тебя используют?

—Но я ведь ее тоже использую. Для написания статьи. А у тебя как дела? — вдруг спросил он, явно стараясь перевести стрелку.

—Отлично. На следующей неделе я еду во Франкфурт.

Она сказала это вдруг—просто вырвалось, потому что только об этом и думала.

—Правда? Каким образом?

—По Теневому Резерву. Вик Уилкокс в среду летит туда на выставку, и мне придется поехать с ним.

—Слушай, это просто здорово.

—Вот и я так подумала.

—И сколько ты там пробудешь?

—Два дня с одной ночевкой. Вик говорит, что в шикарном отеле.

—Могу я приехать в следующие выходные?

—Пожалуй, нет.

—Хорошо. Ты ведь на меня не сердишься?

—Конечно нет,—ответила Робин и засмеялась чуть резче, чем было нужно.—Я тебе позвоню.

—Хорошо.—В голосе Чарльза слышалось облегчение.— Что ж, желаю насладиться Франкфуртом.

—Спасибо.

—А что с занятиями, пока тебя не будет?

—Посоветуюсь с Лоу,—сказала Робин.—В конце концов этот Теневой Резерв—его затея.

На следующее утро после десятичасовой лекции Робин постучалась в дверь кабинета Филиппа Лоу и спросила, может ли он уделить ей несколько минут.

—Да, да, входите,—пригласил Лоу. В руках он держал толстую пачку каких-то ксерокопий, и вид у него был измученный.—Вы случайно не знаете, что такое «вирамация»?

—Извините, нет. А в каком контексте?

—Это документ, касающийся следующего совещания ректоров и деканов. Здесь сказано: «В настоящее время ресурсы распределены по всем кафедрам для использования руководством без права их вирамации».

Робин покачала головой.

—Никаких догадок. Более того, это слово мне явно раньше не встречалось.

—Вот и мне тоже, пока не начались сокращения. Потом оно вдруг стало появляться чуть ли не во всех документах—в протоколах комиссий, отчетах рабочих групп, циркулярах УГК. Вице-канцлер его просто обожает. Но я до сих пор не знаю, что за ним скрывается. Его нет в «Кратком Оксфордском словаре». И в других моих словарях тоже.

—Как странно,—сказала Робин.—Но почему вы не спросите кого-нибудь, кто знает? Например, того, кто написал этот документ.

— Казначея? Я не могу спросить *его лично.* Я месяца́ми просиживал на заседаниях комиссий и горячо обсуждал вирамацию при казначее. Теперь я не могу признаться, что не понимал, о чем шла речь.

— Возможно, этого вообще никто не знает, но все боятся в этом признаться,— предположила Робин.— Может правительство выдумало это слово, чтобы запугивать университеты?

— Да, звучит устрашающе,— согласился Филипп Лоу.— «*Вирамация*»…— И он грустно посмотрел на стопку ксерокопий.

— Я пришла к вам вот по какой причине…— напомнила Робин.

— Ах да, извините,— откликнулся Филипп Лоу, отвлекаясь от загадочного слова.

— Это касается Теневого Резерва,— начала Робин.— Мистер Уилкокс, тот человек, чьей тенью я являюсь, в следующую среду летит во Франкфурт. Он считает, что я должна поехать с ним.

— Да, я знаю,— кивнул Лоу.— Он звонил сегодня утром.

— В самом деле? — Робин попыталась не выдать своего удивления.

— Да. Мы договорились, что половину издержек заплатит Университет, а половину — его компания.

— То есть я могу поехать?

— Он настаивал. Мне кажется, он понял условия Теневого Резерва слишком буквально.

— А как мне быть с моими часами в четверг? — спросила Робин.

— О, это очень сложное немецкое блюдо,— отозвался Лоу.— Оно готовится из свинины, квашеной капусты и заваривается клецками.

— Нет, нет. Я говорю про мои *часы* в четверг,— громко повторила Робин.— Как мне поступить? Не хочется отменять занятия в последнюю неделю семестра.

— Разумеется,— довольно резко ответил Лоу, словно это Робин была повинна в недоразумении.— Сейчас посмотрим на ваше расписание. О, у вас очень много часов, не так ли?

— Да,— кивнула Робин, польщенная тем, что Лоу наконец-то это заметил.

— Десятичасовой лекцией можно поменяться с Бобом Басби. Он читает такую же в следующем семестре. Трехчасовой семинар я попрошу провести Руперта Сатклифа…— Робин кивнула, а сама подумала: интересно, кого эта новость огорчит больше — Сатклифа или студентов? — Самое трудное — это два семинара по женской прозе — в двенадцать и в четырнадцать. В это время свободен только один преподаватель кафедры. Я.

— Ох,— вздохнула Робин.

— Что у вас там за тема?

— Женское тело в современное женской поэзии.

— Уф. Боюсь, я маловато об этом знаю.

— Студенты приготовят доклады,— успокоила Робин.

— Что ж, я не против попредседательствовать на дискуссии, если это…

— Это будет здорово,— заверила его Робин.— Огромное вам спасибо.

Лоу проводил ее до двери.

— Франкфурт…— мечтательно произнес он.— Однажды я был там на очень живенькой конференции…

Часть V

—Существует мнение,— продолжал
он все так же неуверенно,— что есть
мудрость ума и мудрость сердца. Я с
этим не соглашался, но, как я тебе говорил, я уже себе не доверяю. Я считал, что достаточно мудрости ума; но
могу ли я ныне утверждать это?

Чарльз Диккенс. Тяжелые времена.
Пер. В. Топер.

1

Видимо, то, что Виктор Уилкокс и Робин Пенроуз окажутся во Франкфурте в одной постели, было предрешено, несмотря на то, что ни один из них не уезжал из Раммиджа с таким намерением. Вику просто хотелось побыть в обществе Робин и доставить ей удовольствие этой поездкой. Робин хотела получить удовольствие и хоть ненадолго вырваться из раммиджского однообразия. Но на подсознательном уровне ими двигали одни и те же мотивы. Растущий интерес Вика к Робин почти достиг стадии страстной влюбленности. Связь Чарли с Дебби, воспринятая Робин довольно спокойно, все же породила в ней чувство ущемленной гордости, и теперь Робин была готова отстаивать собственную свободу интимной жизни. Поездка за границу, во время которой не встретишь друзей или родственников, обеспечивала железное алиби, а первоклассный отель был самым что ни на есть подходящим местом для *affaire*[1], время для которой наконец настало. Тут вряд ли требовались длительные взаимоотношения, одурманивание Робин шампанским или увлечение диск-жокея творчеством Дженнифер Раш. Иными словами, как сказала бы сама Робин, такой поворот сюжета был обусловлен целым рядом причин.

В половине седьмого утра Вик заехал за Робин, и они помчались в аэропорт через спящие пригороды. Робин подремывала

---

[1] Здесь: любовной связи (*фр.*).

на переднем сиденье рядом с Виком. Пока он припарковывал машину, она выпила чашечку кофе и вернулась к жизни. В Раммиджском аэропорту Робин оказалась впервые. Новенький терминал поразил ее блеском стекла и металла, куполообразной крышей и электронным табло, сообщавшем о рейсах в добрую половину европейских столиц. Построенный (по словам Вика) на грант Европейского экономического сообщества, аэропорт стал своего рода связующим звеном между захиревшими замкнутыми Центральными графствами Англии и куда более самоуверенным и открытым миром. Дородные раммиджские бизнесмены сдавали в багаж огромные сумки и кожаные чемоданы с кодовыми замками со столь беззаботным видом, будто каждый божий день летали в Цюрих, Брюссель, Париж или Милан.

— Места для курящих или для некурящих? — спросили у Вика, проверяя билеты. Тот растерялся и вопросительно взглянул на Робин.

— Мне все равно, — уступила она.

— Для некурящих, — решил Вик. — Полтора часа могу пережить без сигарет.

Всего полтора часа! Если у тебя есть деньги, можешь проснуться в шесть утра, а позавтракать уже в Германии. Но денег должно быть очень много: Робин удалось подсмотреть цену на билетах — двести восемьдесят фунтов. Впрочем, включая завтрак. Они летели VIP-классом, и услужливая стюардесса принесла им компот из абрикосов с грушей, яичницу с ветчиной, булочки, круассаны и кофе, а еще джем в маленьких глиняных плошечках. Робин (которая всегда летала по самым дешевым билетам и обычно сидела в хвосте самолета, рядом с туалетом, и поедала нечто безвкусное, подтянув колени к подбородку) оценила уровень сервиса.

— У вас, бизнесменов, есть основания гордиться собой, — сказала она.

— Что ж, мы это заслужили, — ухмыльнулся Вик. — На нас держится страна.

— А мой брат Бэзил считает, что страна держится на коммерсантах и банкирах.

— Не говорите мне про Сити,— попросил Вик.— Их там интересует только мгновенная прибыль. Они получают шальные деньги от иностранных банков, инвестирующих в британские компании. Вот почему у них такой высокий уровень доходов. А тот станок, который я хочу приобрести, окупит себя только через три года.

— Никогда ничего не понимала в доходах и расходах,— призналась Робин.— А послушав Бэзила, поняла, что и не хочу ничего понимать.

— Там все на бумаге,— объяснил Вик.— Перемещаются только документы. А мы *делаем* вещи, которых без нас не было бы.

Самолет переменил курс, и салон залили солнечные лучи. Было ясное светлое утро. Робин посмотрела в иллюминатор на проплывавшую под ними Англию: крупные города и городишки, паутины их улиц сменялись прямоугольниками полей, соединявшихся тонкими линиями железных дорог и шоссе. Глядя с такой высоты, трудно себе представить, что внизу царит шум и суета. Заводы, магазины, офисы и школы начинают новый рабочий день. Люди впихиваются в переполненные автобусы и поезда, стоят в пробках или моют посуду после завтрака. Они населяют свои узкие мирки, не задумываясь над тем, как они вписываются в общую картину. Домохозяйка включает электрочайник, чтобы выпить чашечку чая, и не думает о том, что именно делает возможной эту привычную операцию: о строительстве и работе электростанций, дающих электричество, о добыче угля или нефти для генераторов, о прокладке кабелей, по которым электричество побежит в дома, о переработке руды или бокситов в листы стали или алюминия, о прессовке и отливке металла для изготовления чайника, ручки и подставки, о сборке всех этих деталей воедино — о спиралях, винтиках, гайках, болтах, шайбах, заклепках, шнурах, проводах, резиновой изоляции, пластиковой отделке. Равно как и об упаковке готового чайника, его рекламе и продаже, транспортировке на склады и в магазины, о подсчетах цены и об объяснении, чем удобен чайник миллионам людей, а также агентствам, заинтересованным в его производстве и распространении. Домохозяйка не думает об этом, когда включает свой чайник. Робин тоже не думала — до этой самой минуты. Такие мелочи не интересовали ее, пока она не познакомилась с Виком Уилкоксом. Другой вопрос — как быть с этими мыслями? Трудно решить, является ли система, породившая чайник, торжеством человеческого разума и сотрудничества или колоссальным растранжириванием человеческих и природных ресурсов? Может, лучше кипятить воду в котелке над огнем? Или это приспособление, включаемое простым нажатием кнопки, освободило людей (преимущественно женщин) от рабского труда и дало им возможность стать литературными критиками? Ей вспомнилась фраза из «Тяжелых времен», которую она с известной долей иронии приводила в своих лекциях, но над которой в последнее время задумалась всерьез: «Это все сплошная каша…» Робин отказалась от решения этой задачи и попросила стюардессу принести еще чашечку кофе.

А Вик тем временем думал о том, что сидит с самой привлекательной женщиной во всем самолете, включая стюардесс. Робин поразила его, появившись на пороге своего домика, одетая так, как он ее еще не видел: в дорогом костюме-двойке, плаще в тон костюма — нежного оливкового цвета, который выгодно подчеркивал ее медные кудри и оттенял серо-зеленые глаза.

— Вы потрясающе выглядите,— неожиданно для себя выпалил Вик.

Робин улыбнулась, подавила зевок и ответила:

— Спасибо. Решила постараться, чтобы соответствовать.

Чему соответствовать? Остальные пассажиры самолета прекрасно знали это про себя. Они, как и Вик, были бизнесменами, многие летели на ту же выставку, и он видел их оценивающие взгляды, которые они бросали на Робин, проходя на посадку. Она — его любовница, содержанка, куколка, птичка, ягодка, пристроенная секретаршей, и она летит во Франкфурт за счет фирмы. Получить такую работу—большое счастье. Везучая! Немцы, скорее всего, подумают то же самое.

—Как мне представить вас немцам?—спросил Вик.—Я больше не могу нести эту околесицу про Теневой Резерв каждый раз, когда знакомлю вас с кем-нибудь. К тому же сомневаюсь, что они поймут, о чем я говорю.

—Я сама представлюсь,—успокоила его Робин.—Я говорю по-немецки.

—Да вы что?! Не может быть!

—*Ja, bestimmt. Ich habe seit vier jahren in der Schule die Deutsche Sprache studiert.*

—Что это значит?

—Да, говорю. Я четыре года учила немецкий в школе.

Вик изумленно уставился на Робин.

—Вот бы и мне так,—мечтательно произнес он.—*Guten Tag* и *Auf Wiedersehen*—мой предел в немецком.

—Тогда я буду вашим переводчиком.

—Они все как один говорят по-английски… Между прочим,—оживился Вик, пораженный внезапной мыслью,—будет очень кстати, если вы не покажете, что знаете немецкий, когда мы встретимся с людьми из «Альтенхофера».

—Почему?

—До этого я вел дела с фирмой «Краутс». Иногда в процессе разговора они обмениваются репликами по-немецки. Мне бы хотелось знать, что они говорят.

—Хорошо,—кивнула Робин,—но как тогда вы объясните им мое присутствие?

—Я скажу, что вы мой личный ассистент,—решил Вик.

Из «Альтенхофера» в аэропорт прислали машину, чтобы встретить Вика и Робин. Шофер стоял у выхода и держал табличку с надписью «м-р Уилкокс».

—Гм… Это они нас обрабатывают,—сказал Вик, увидев шофера.

—Насколько выгодна для них эта сделка?—спросила Робин.

— Я рассчитываю купить станок за сто пятьдесят тысяч фунтов. *Guten Tag,*— обратился он к шоферу.— *Ich bin Herr Wilcox.*

— Сюда пожалуйста, сэр,— пригласил тот, забирая у них вещи.

— Вот видите! Что я говорил? — шепнул Вик.— Даже простой шофер говорит по-английски лучше, чем я.

Когда Вик сказал название отеля, шофер одобрительно кивнул. Отель находился на окраине, потому что там, где Вик обычно останавливался, не получилось заказать еще один номер—для Робин.

— Но в этом будет вполне удобно,— оправдывался Вик.— Он достаточно дорогой.

Это оказался самый шикарный из отелей, в каких Робин когда-либо бывала в качестве гостя, хоть обстановка и напоминала скорее эксклюзивный загородный клуб: натуральное дерево с отделкой из кирпича, все что душе угодно для отдыха и спортивных занятий: красивый салон, гимнастический зал, сауна, игровой зал и бассейн.

— *Schwimmbad!* — воскликнула Робин, увидев табличку.— Знала бы — взяла бы купальник.

— Купите,— предложил Вик.— Вон там есть магазин.

— Что, для одного раза?

— Почему бы и нет? Вы ведь потом будете им пользоваться.

Пока Вик регистрировался, Робин зашла в спортивный магазинчик на другом конце вестибюля и пересмотрела ряды самых разных бикини и цельных купальников. Чем дешевле они были, тем больше нравились Робин.

— Слишком дорого,— сказала она, вернувшись к стойке портье.

— Позвольте мне купить его для вас,— предложил Вик.

— Нет, спасибо. Я хочу посмотреть свой номер. Могу поспорить, он огромный.

Так и оказалось. В номере была монументального вида кровать, огромный письменный стол, кофейный столик со стеклянной столешницей, телевизор, мини-бар и целая система шкафов, в которой нехитрый багаж Робин выглядел потерянным. Робин пощипала виноград из вазы с фруктами на кофейном столике — реверанс администрации отеля. Потом включила радио на панели возле кровати, и комнату наполнила музыка Шуберта. Робин нажала соседнюю кнопку, и тюлевые занавески сами собой раздвинулись, открыв ее взору совершенно кинематографический пейзаж — живописные лужайки и искусственное озеро. В ванной, сияющей в ярком освещении, оказалось целых две раковины, отделанных чем-то похожим на мрамор. А еще здесь висело столько полотенец, что Робин не смогла придумать предназначение всех. На двери она обнаружила два банных халата в полиэтиленовых чехлах. Здесь тоже звучал Шуберт — из отдельного динамика. И это был единственный звук во всем номере: двойные рамы, мягкие ковры и тяжелая деревянная дверь глушили все звуки внешнего мира. Две недели жизни здесь, подумала Робин, и я бы дописала «Домашних ангелов и несчастных женщин».

Шофер ждал у входа, готовый отвезти их в центр города. Сидя на заднем сиденье быстроходного тихого «мерседеса», Робин была поражена ярким контрастом между улицами Франкфурта и улочками бедного старого Раммиджа. Все здесь было чистым, опрятным, свежевыкрашенным и ярко блестящим. В сточных канавах не валялись пакеты из-под чипсов, картонные коробки из-под жареной курицы, смятые банки из-под пива, прозрачные упаковки гамбургеров или треснувшие одноразовые стаканчики. Мостовые и тротуары, казалось, только что заасфальтировали. Коммерческие здания отличала холеность и изысканность архитектуры.

— Им ведь пришлось после войны восстанавливать все из руин, — сказал Вик, когда Робин обмолвилась о своих впечатлениях. — Мы здорово разбомбили Франкфурт.

— Центр Раммиджа тоже здорово разорен, — напомнила Робин.

— Но бомбежки здесь ни при чем.

— Да, это дело рук его создателей. Но они так ничего и не восстановили.

—Нет средств. Говорят, что мы выиграли войну и проиграли мир.

—Как это?

Вик некоторое время обдумывал ответ.

—Мы были слишком жадными и ленивыми,—сказал он.— В пятидесятые и шестидесятые годы, когда у нас было что продать, мы продолжали использовать устаревшее оборудование и платили профсоюзам, сколько бы те ни запросили. А «Краутс» тем временем финансировал новые технологии и добивался разумной платы по трудовым соглашениям. А когда настали тяжелые времена, ему уже не нужно было столько платить. Они считают, что у них сейчас экономический спад. Посмотрели бы, что у нас.

Странно и непривычно было слышать от Вика столь резкую критику британской промышленности.

—Мне казалось, вы говорили, будто наша проблема в том, что мы покупаем слишком много импортного? — напомнила Робин.

—И в этом тоже. Кстати, чей это на вас плащ?

—Понятия не имею,— призналась Робин. Посмотрев на этикетку, она воскликнула: — Сделано в Западной Германии!

—Вот видите.

—Но вы ведь сами сказали, что он красивый. Впрочем, о чем тут говорить? Он стоил восемьдесят пять фунтов. А вы собираетесь заплатить сто пятьдесят тысяч за немецкий станок.

—Это совсем другое дело.

—Нет, не другое. Почему бы вам не купить английский станок?

—Потому что у нас такого нет,— сказал Вик.— И это еще одна причина, по которой мы проиграли мир.

Выставочный центр, приютивший промышленную экспозицию, был похож на аэропорт без самолетов: внушительных размеров многоуровневый комплекс огромных залов, соединенных между собой длинными проходами и эскалаторами, повсюду бары и кафетерии. При входе Робин и Вик зарегистрировались. В графе *Компания* Робин написала: «Дж. Прингл и сыновья». В графе *Должность* — «Личный ассистент исполнительного директора». Ей на пиджак тут же прицепили карточку с этими фальшивыми данными.

Вик неодобрительно посмотрел на план выставки.

— Придется идти через САПСАП, — сообщил он и пояснил специально для Робин: — Системы автоматизированного проектирования и системы автоматизированного производства.

Робин отметила про себя, что нужно взять это на вооружение: она собиралась написать свой отчет ТФИИРУ так, чтобы в нем было как можно больше аббревиатур.

Они пробрались через душное, переполненное посетителями помещение, где жужжали компьютеры и верещали принтеры, расставленные на стендах так тесно, как грузовики на ярмарке, и оказались в просторном, проветренном зале, в котором были выставлены большие промышленные станки, некоторые — в виде действующих макетов. Вращались колеса, вертелись коленчатые валы, тыкались во все стороны пистолеты со смазкой, бежали конвейерные ленты, но станки пока ничего не производили. Все они работали, не выделяя запахов, все были свежевыкрашенными и блестели. Короче, не было ничего общего с вонью, грязью, жарой и шумом настоящего завода. Очень похоже на магазин игрушек для взрослых. Эти самые взрослые толпились вокруг гигантских машин — присаживались на корточки, нагибались, вытягивали шеи, чтобы лучше рассмотреть эти сложные приспособления. Женщин среди них почти не было, если не считать профессиональных моделей, которые раздавали рекламные листовки и буклеты. Они были в обтягивающих спортивных костюмах, сильно накрашены, с застывшими улыбками и выглядели так, словно их только что отлили на автоматическом формовочном станке фирмы «Альтенхофер».

Директор по сбыту компании «Альтенхофер» герр Винклер и его технический ассистент доктор Патч гостеприимно пригласили Вика и Робин к стенду своей фирмы и провели в застланное ковром помещение — выпить. Им предложили шампанское, кофе и апельсиновый сок.

— Кофе, пожалуйста,— попросил Вик.— А шипучку оставим на потом.

Гер Винклер, тучный улыбчивый человек с короткими ногами в удобных ботинках и с подпрыгивающей походкой, как у танцора на балу, весело хихикнул.

— Конечно, вам нужна трезвая голова. Но ваш очаровательный ассистент...

— Она может пить, сколько захочет,— небрежно бросил Вик, стараясь подчеркнуть, что присутствие Робин на этой выставке имеет всего лишь декоративное значение. Он уже скрыл ее докторскую степень, представив немцам как «мисс Пенроуз». И Робин решила, что с фиктивным бэджем на лацкане ей ничего не остается, кроме как соответствовать легенде и получать удовольствие.

— Я настороженно отношусь к шампанскому,— сказала Робин, глуповато улыбаясь.— Пожалуй, лучше смешаю его с апельсиновым соком.

— Генрих! Бокал шампанского с соком для леди и кофе для мистера Уилкокса, который хочет купить один из наших прекрасных станков.

— Если сойдемся в цене,— уточнил Вик.

— Ха-ха! Конечно,— хихикнул Винклер. Доктор Патч, высокий, угрюмый, с темной бородкой, налил в высокий бокал апельсиновый сок, потом игристое шампанское, проверив на глаз их соотношение. Винклер принял у него бокал и затанцевал к Робин. Он с легким поклоном передал ей бокал и прищелкнул каблуками.— Меня предупредили, что с вашим боссом нелегко договориться, мисс Пенроуз.

— Кто вам сказал?— удивился Вик.

— Мои агенты,— лучезарно улыбнулся Винклер.— У всех нас теперь есть агенты, не правда ли? Вы пьете кофе со сливками, мистер Уилкокс?

— Черный с сахаром, пожалуйста. А потом я хотел бы поближе рассмотреть ваш станок.

— Конечно, конечно! Доктор Патч вам все покажет. А после мы с вами обсудим денежный вопрос, что гораздо сложнее.

Следующий час выдался очень утомительным для Робин, и ей легко было притворяться скучающей. Они прошли в выставочный зал и посмотрели, как гигантская формовочная машина работает вхолостую. Доктор Патч на блестящем английском прокомментировал все операции, и Вик остался очень доволен. Но когда они вернулись в комнатку за стендом и стали обсуждать условия сделки, выяснилось, что разница между ценой и теми деньгами, которыми располагал Вик, очень велика. Винклер предложил продолжить разговор за ленчем и повел их в баснословно дорогой ресторан через дорогу от выставочного центра, там заранее заказали столик. Это был один из тех ресторанов, где официанты прежде всего убирают со столика всю сервировку и накрывают заново, еще тщательнее. Винклер помог Робин разобраться в меню на немецком языке, и она в порядке компенсации заказала самые дорогие блюда — копченую семгу и оленину. Вино было превосходным. В непринужденной беседе коснулись разницы между Англией и Германией, но Робин решила не высказываться на сей счет, дабы не вызвать подозрений высоким интеллектуальным уровнем. В конце ленча снова заговорили о деле.

— Очень красивая машина, — похвалил Вик, попыхивая сигарой между глотками кофе и коньяком. — Как раз то, что мне нужно. Беда в том, что вы хотите за нее сто семьдесят тысяч фунтов, а мне разрешено потратить сто пятьдесят.

Винклер горестно улыбнулся.

— Мы могли бы сделать небольшую скидку.

— Насколько небольшую?

— Два процента.

Вик покачал головой.

— Даже говорить не о чем. — Он посмотрел на часы. — У меня сегодня назначена еще одна встреча…

— Да, конечно, — уныло произнес Винклер и попросил официанта принести счет. Вик извинился и вышел в туалет. Винклер и Патч перебросились парой фраз на немецком, и Робин слушала их очень внимательно, делая вид, что поглощена второй чашкой кофе и шоколадными трюфелями. Через некоторое время она встала из-за стола и, изобразив смущение, спросила, как пройти в дамскую комнату. Возле туалета она стояла до тех пор, пока из двери с надписью «Herren» не появился Вик.

— Они собираются согласиться с вашей ценой, — сообщила Робин.

Вик просиял.

— В самом деле? — воскликнул он. — Это потрясающе!

— Но мне показалось, что там какой-то подвох. Патч сказал: «Мы не можем сделать это без *какой-то* системы». Слово было похоже на «цимес», и Винклер ответил: «В спецификации он *цимес* не указал».

Вик задумался.

— Вот мерзавцы. Они собираются всучить мне станок с электромеханической системой контроля.

— С чем?

— На станке, который мы видели утром, стоит контрольная система «Сименс» со специальной панелью для определения дефектов. Более старый тип — электромеханическая, с тумблерами и реле и без диагностики. Это небо и земля. Система «Сименс» — это плюс двадцать тысяч к цене станка, то есть к тем деньгам, которыми мы располагаем. Хорошая работа, Робин.

Вик рассказывал все это по дороге обратно в ресторан.

— Подождите меня, — попросила Робин. — Я ничего не хочу упустить, но мне нужно в туалет.

Когда они вернулись в ресторан, Робин боялась, что их долгое отсутствие вызовет у Винклера и Патча подозрения. Но у Вика уже была готова очередная легенда: он якобы звонил в Англию своему начальству.

— Увы, ответ отрицательный. Наш потолок по-прежнему сто пятьдесят тысяч.

— А мы тут посовещались, — широко улыбнулся Винклер, — и решили принять ваши условия.

— Тогда по рукам, — сказал Вик.

— Отлично! — просиял Винклер. — Давайте еще по коньячку, — предложил он и подозвал официанта.

—Я вышлю вам документы, как только вернусь в Англию,—пообещал Вик.—А сейчас давайте обговорим детали.— Он достал блокнот из внутреннего кармана пиджака и, послюнявив палец, пролистал до нужной страницы.—Итак, это модель «22ЕХ»?

—Совершенно верно.

—С системой контроля «Сименс».

Улыбка Винклера поблекла.

—Мне казалось, что в спецификации ее не было.

—Но на выставочном образце стоит именно она.

—Вполне возможно,— пожал плечами Винклер.— Наши станки комплектуются самыми разными контрольными системами.

—Наш «22ЕХ» снабжен электромеханической системой Клюгерманна,— объяснил доктор Патч.— Исходя из этого мы и определяли цену.

—Тогда говорить не о чем,— сказал Вик, закрыл блокнот и убрал его в карман.— Я заинтересован только в «Сименс».

К их столику подошел официант, но Винклер отослал его. Вик встал и положил руку на спинку стула Робин.

—Пожалуй, мы не будем терять время, мистер Винклер.

—Спасибо за прекрасный ленч,— поблагодарила Робин, вставая и одаривая немцев беззаботной улыбкой, которой очень гордилась.

—Одну минутку, мистер Уилкокс. Присядьте, пожалуйста,— попросил Винклер.— Если вы позволите, я бы хотел еще раз посовещаться со своим коллегой.

Винклер и Патч отправились в сторону гардероба, увлеченные беседой. Причем первый явно утерял львиную долю своей самоуверенности и даже, пробираясь между столиками, врезался в одного из официантов.

—Ну?—спросила Робин.

—Думаю, им придется это проглотить,— сказал Вик.— Винклер уже вцепился в наживку. Он не допустит, чтобы в последний момент сделка сорвалась.

Минут через пять немцы вернулись. Патч был угрюм, а Винклер снова игриво улыбался.

— Сто пятьдесят пять тысяч,— объявил он,— с системой «Сименс». Но это наше последнее слово.

Вик опять достал блокнот.

— Повторяем, чтобы больше не допустить ошибок,— сказал он.— Это модель «22ЕХ» с контрольной системой «Сименс», стоимостью сто пятьдесят пять тысяч, оплата в фунтах стерлингов по частям: двадцать пять процентов при оформлении заказа, пятьдесят в момент доставки, пятнадцать после тестирования нашими инженерами и десять процентов — после двух месяцев бесперебойной работы. Все верно?

— Верно.

— Не могли бы вы документально оформить условия, чтобы я смог сегодня же их проверить?

— Вам привезут документы в отель во второй половине дня.

— Что ж, договорились, мистер Винклер,— кивнул Вик.— А эти лишние пять тысяч я где-нибудь раздобуду.

Они пожали друг другу руки.

— Мои агенты правильно информировали меня о вас, мистер Уилкокс,— сказал Винклер и устало улыбнулся.

Они снова обменялись рукопожатиями, когда прощались в холле ресторана.

— До свидания, мисс Пенроуз,— сказал Винклер.— Желаю хорошо провести время во Франкфурте.

— *Auf Wiedersehen, Herr Winkler*,—ответила Робин.—*Ich wurde mich freuen wenn der Rest meines Besuches so erfreulich wird wie dieses köstliche Mittagessen.*

Винклер ошалело уставился на нее.

— Вы не сказали, что говорите по-немецки.

— А вы меня об этом не спрашивали,— мило улыбаясь, ответила Робин.

— Ну что ж, до свидания,— сказал Вик, беря Робин под руку.—На следующей неделе вы получите письмо. Потом с вами свяжутся мои инженеры.— И он потянул Робин к двери, а по дороге спросил ее шепотом:— Что вы ему сказали?

—Я сказала, что буду счастлива, если все мое пребывание здесь окажется таким же приятным, как этот ленч.

—Это дерзко,—упрекнул Вик, отворачивая от немцев расплывшееся в улыбке лицо. Когда за ними захлопнулась дверь, он победно поднял руки, как футболист, который только что забил гол.—Вот так вот им!—выкрикнул он.—Сто пятьдесят пять тысяч—это покупка века!

—Тсс! Они вас услышат.

—Назад пути нет. Что вы собираетесь делать теперь?

—Разве у вас не назначена еще одна встреча?

—Нет. Я блефовал, чтобы они задергались. У меня больше нет дел до завтрашнего дня. Если хотите, можем сходить в Старый город. Но имейте в виду: это подделка. Или к реке. Все что пожелаете. Сегодня ваш день. Вы это заслужили.

—Идет дождь,—сообщила Робин.

Вик вытянул вперед руку и посмотрел на небо.

—Действительно.

—Не очень-то приятно осматривать достопримечательности под дождем. Знаете, чего бы я хотела? Зайти в магазин за купальником, вернуться в наш замечательный отель и поплавать в бассейне.

—Отличная мысль. А вот и такси!

Итак, они вернулись в отель на такси, Робин выбрала в спортивном магазине сине-зеленый купальник и позволила Вику заплатить за него. Там же он купил себе плавки. Вик не был большим любителем плавания, но не собирался выпускать Робин из поля зрения на время большее, чем требуется для того, чтобы переодеться в купальные костюмы.

Он давно уже не покупал себе этот вид одежды и за это время то ли увеличился в размерах, то ли купальные костюмы уменьшились. Появление Робин из раздевалки свидетельствовало о том, что скорее все-таки уменьшились костюмы. Из-под ткани купальника Робин явственно проступали соски, а нижняя часть костюма была настолько сведена к минимуму, что в паху наружу выбивались рыжие кудряшки. Все это понравилось бы Вику гораздо больше, не будь он столь озабочен собственными гениталиями, повисшими под плавками, как гроздь винограда.

Весь бассейн был в их полном распоряжении: только двое ребятишек плескались в лягушатнике. Робин изящно нырнула, а потом стала плавать взад-вперед по всей длине бассейна. Вик отметил про себя, что она отлично плавает. Он прыгнул в воду, зажав пальцами нос, и степенным брассом поплыл вслед за ней. Потом Робин предложила плыть наперегонки. Вик поднажал, но она все равно легко обогнала его. Когда Робин вышла из бассейна, вода струями стекала по ее ногам, и она тщетно пыталась отлепить купальник от попки. Она постояла в конце бассейна, качнулась раз-другой и прыгнула в воду, подняв тучу брызг. Потом высунула голову, засмеялась и задыхаясь крикнула: «А ну-ка, еще разок!», после чего снова выбралась из бассейна. Вик стоял в воде, наблюдая за представлением.

В конце бассейна они увидели джакузи — бассейн с бурлящей горячей водой, нежным массажем расслабляющей мышцы до сладостной истомы. Они уселись в воду по шейку, лицом друг к другу.

— Никогда не сидел в такой штуке,— признался Вик.— Ощущения волшебные.

— Можно вычеркнуть этот пункт из списка,— сказала Робин.

— Из какого списка?

— Из списка того, чего вы никогда не делали.

— Ах да,— кивнул Вик, а сам подумал о другом пункте, о котором Робин не знала. И в его голове вдруг запела Дженнифер Раш:

И никуда не нужно убегать,
Когда ты чувствуешь, что это навсегда.
Ведь если на душе тепло и благодать,
Пора начать.

— Здесь нельзя сидеть слишком долго,— сказала Робин. Она вылезла из джакузи и снова нырнула в бассейн. Вик неуклюже поплелся следом и чуть не задохнулся от холодной воды после горячего массажа. Потом они снова полежали в джакузи и опять поплавали в бассейне, после чего разошлись по раздевалкам — принять душ и обсохнуть. В раздевалках их поджидали горы полотенец, халатов, спортивных костюмов, мыла, шампуней, лосьонов для тела и присыпок. После такого омовения они вышли розовые, сияющие, ароматные и тут же заказали чай в игровую комнату. Там они поиграли в настольный теннис, и Вик одержал победу в пяти партиях. Потом он учил Робин играть в снукер. До этого он прикасался к ней или случайно, или во время рукопожатия. Теперь же он обнял ее за плечи, поправляя ее стойку и то, как она держит кий. Дженнифер Раш нашептывала ему:

> Твое я тело обнимаю
> И чувствую твои движенья.
> Твой голос нежен, и я знаю:
> Любовь пришла, и нет спасенья.

Они позанимались в гимнастическом зале, покрутили педали велотренажера и еще какой-то перевернутой мельницы, весь вид которой намекал на то, что ее изобрели испанские инквизиторы. Короче, вспотели так, что пришлось снова идти в душ. А потом договорились часик передохнуть в своих номерах.

Вик лег на кровать, чувствуя приятную усталость, закрыл глаза и снова услышал Дженнифер Раш. Как будто его мозг превратился в магнитофон, в котором крутилась бесконечная кассета с ее записью:

> Сдавайся! Есть у тебя один лишь шанс —
> Сдавайся! И поскорей пойми —
> Ее глаза тебе ответят: «Навсегда».

Через час Вик встал с кровати и побрился второй раз за день. Он посмотрел на себя в зеркало: после стольких раз мытья и сушки волосы у него были легкие и пушистые, как у младенца. Вик тщательно разделил их пробором и зачесал назад, но одна маленькая прядь все же упала на лоб. Вик с раздражением сказал себе, что у других мужчин такого не бывает. Может, он всю жизнь неправильно зачесывал волосы? Тогда он попробовал зачесать их на другую сторону, но вид получился нелепым. Вик предпринял попытку уложить волосы, вообще не разделяя их пробором, но это было смешно. Он втер в непослушную прядь немного вазелина и зачесал волосы так, как всегда. Но стоило ему пошевелиться, как та самая прядь снова упала на лоб.

Вик надел свежую рубашку и очень тщательно осмотрел галстук, который за ленчем слегка забрызгал соком. Он протер его влажной салфеткой, но добился только, что вокруг маленького пятнышка расплылось большое мокрое пятно. Вик взял с собой один-единственный галстук, а надеть под полосатый костюм рубашку с открытым воротом не мог. Впервые в жизни он пожалел о том, что взял в поездку так мало вещей. Он был уверен, что Робин захватила какой-нибудь вечерний туалет. «Я решила постараться, чтобы соответствовать».

И она его не разочаровала. Когда Вик в условленное время постучался к ней в номер, Робин появилась на пороге, одетая в платье, которого он раньше не видел: нечто шелковистое, полупрозрачное и воздушное, в коричневых и сине-зеленых тонах. Туфли, серьги и даже сумочка были другие, не те, что днем.

— Вы прекрасно выглядите, — сказал Вик и сам удивился тому, как странно звучит его голос: казалось, он впитал в себя страстные интонации Дженнифер Раш. Судя по всему, Робин это заметила, потому что щеки ее вдруг порозовели.

— Спасибо, — сказала она. — Можно мы сразу пойдем? Я уже готова и голодна, как волк, хотите верьте, хотите нет. Наверно, от физических упражнений.

— Вы хотите пообедать где-нибудь в городе или прямо здесь?

— Мне все равно, — сказала Робин. — У вас есть предложения?

— Нет, — ответил Вик. — Сейчас везде будет полно тех, кто приехал на выставку.

— Тогда давайте поедим здесь.

— Хорошо, — согласился Вик.

Вик настоял на том, чтобы заказать шампанское.

—Отпразднуем. Мы это заслужили.— Он поднял бокал.— За «Альтенхофер 22ЕХ» с контрольной системой «Сименс» по цене сто пятьдесят пять тысяч.

—За него,— кивнула Робин, чувствуя, как пузырики шампанского приятно щекочут ноздри.—О, великолепно!

Робин не шутила, когда сказала Винклеру, что с подозрением относится к шампанскому. Сначала оно не оказывало на нее никакого действия, просто было вкусно и хотелось тут же выпить еще, чего не случалось с вином. И вдруг—бах!—она словно парила в небе. В этот вечер она пила медленно, по чуть-чуть, но бутылка загадочным образом опустела раньше, чем они покончили со своим меню, и Робин не возражала, когда Вик решил заказать еще шампанского. В конце концов, почему бы ей немножко не опьянеть? Настроение было праздничным: ею овладела беззаботность, жажда наслаждений, ощущение великолепной физической формы. Раммидж и связанные с ним заботы словно испарились. Ярко освещенный зал ресторана, наполненный звуками цивилизации—звоном хрусталя, мягким постукиванием ножей и вилок о тарелки из китайского фарфора, приглушенным смехом и разговорами,—превратился в кабину космического корабля с иллюминаторами, прячущимися за толстыми бархатными шторами, и Земля казалась отсюда не больше светлого воздушного шарика. Здесь не было земного притяжения, и можно было вдыхать парящие вокруг пузырьки шампанского. Пьянящее ощущение!

На другом конце стола Вик бессвязно рассуждал о том, какие преимущества получит «Принглс» в конкурентной борьбе благодаря новому станку. Робин отвечала патетическим мычанием, совершенно не следя за его монологом. Впрочем, Вик и сам едва ли за ним следил. Его темные глаза пристально смотрели на Робин из-под спадающей на них пряди волос. А он вполне привлекательный мужчина, хоть и невысокий, подумала Робин. Вот если бы одежда нормально на нем сидела, он был бы даже симпатичным. Уж лучше был бы и вовсе без одежды. Она вспомнила его торс и широкие плечи, которые видела в бассейне, плоский живот, сильные руки и очень красноречивые выпуклости под плавками. Робин под столом сняла одну туфлю и потерлась ногой об ногу Вика, с невозмутимым видом наблюдая за тем, как на его лице появляется более чем удивленное выражение, словно у узника, который подошел к двери камеры, подергал решетку и вдруг обнаружил, что дверь не заперта. И теперь он не знает, действительно ли это свобода или просто шутка. Робин сама еще не решила, просто поддалась настроению и позволила себе поозорничать.

—Наверно, если бы меня здесь не было, герр Винклер снабдил бы вас на сегодняшний вечер девушкой по вызову. Разве не так обычно бывает на подобных выставках?

—Говорят,— ответил Вик, крепче сжимая прутья решетки.— Я не знаю.

Официант принес счет, Вик подписал его.

—Что будем делать дальше? — спросил он.— Выпьем чего-нибудь в баре?

—Нет, пить больше не будем,— ответила Робин.— Я хочу танцевать.—И рассмеялась, увидев растерянность Вика.—Когда мы ехали в лифте, там говорили, что в отеле есть дискотека.

—Но я не умею так танцевать.

—После такого количества шампанского умеют все,— заявила Робин, неуверенно вставая из-за стола.

Оказалось, что в отеле целых две дискотеки: одна на первом этаже, орущая, с цветомузыкой — для молодежи, где в этот час веселились только диск-жокей и те двое ребятишек, которые до этого плескались в бассейне; другая рядом с баром, больше напоминающая ночной клуб, предлагала спокойную музыку более зрелым постояльцам. Вик огляделся по сторонам, и ему явно полегчало.

—Вот это я понимаю,— сказал он.— Здесь даже есть танцующие пары.

—Пары?

—Ну, которые танцуют, касаясь друг друга. Так, как меня учили.

—Тогда пошли,—решительно заявила Робин, взяла Вика за руку и повела в зал. Там как раз звучала некая возвышенно-легкомысленная песня, которую исполняла женщина с высоким девчачьим голосом:

> Я хочу флиртовать, а еще делать то,
> Что у нас хорошо получается вместе…

Вик повел в духе современного квикстепа, держа Робин за руки на некотором расстоянии от себя. Потом Робин изобразила несколько заурядных поворотов и резко откинулась назад так, что Вику пришлось нагнуться и подхватить ее.

—Вернитесь,—с комическим пафосом призвал он, неуклюже застыв в полупоклоне с прямой спиной и широко расставленными ногами.—Я так не умею.

—Вы отлично танцуете,—подбодрила Робин.—Продолжайте в том же духе.

—Я никогда не продолжаю в том же духе,—ответил Вик.—Это против моей природы.

—Бедный Вик!

В конце концов, после нескольких танцев, Робин сжалилась над ним. Они сели за столик и заказали легкие напитки.

—Спасибо вам, Вик. Это было чудесно,—сказала Робин.—Сто лет не танцевала.

—Разве у вас в университете не бывает балов? — удивился Вик.—Майских балов.—Он произнес это натужно, словно на иностранном языке.

—Майские балы проводятся в Кембридже. Наверно, в Клубе раммиджских преподавателей они тоже случаются, но я не знаю никого, кто бы туда ходил.

В зале приглушили свет. Зазвучала медленная музыка. Те, кто танцевал парами, прижались друг к другу. У Вика сделалось странное выражение лица. Робин решила, что можно назвать его благоговейным.

—Эта мелодия,—хрипло произнес он.

—Она вам знакома?

—Это Дженнифер Раш.

—Вам нравится?

Он поднялся со стула.

—Давайте потанцуем.

—Давайте.

Это была лирическая песня с пошленьким сентиментальным припевом, что-то про «я твоя, ты мой» и про «силу любви», но она удивительным образом повлияла на танцевальные способности Вика. Ноги его перестали быть как палки, двигался он точно в такт музыке. Он прижал Робин к себе, крепко, но нежно, и закружил, подталкивая бедрами. Вик не проронил ни слова, и Робин не видела его лица, потому что положила голову ему на плечо, но ей показалось, что он неслышно, про себя поет эту песню. Робин закрыла глаза и отдалась плавному ритму глупой и пошловатой песни. А когда музыка смолкла, она быстро поцеловала Вика в губы.

—Это к чему?—спросил он, с трудом выходя из транса.

—Пошли в постель,—сказала Робин.

2

Они не говорят друг другу ни слова до тех пор, пока не оказываются в номере Робин. Ей сказать попросту нечего, а он потерял дар речи. Взявшись за руки, они идут по застланным коврами коридорам отеля, ждут лифта и поднимаются на второй этаж. Настроение у них совершенно разное.

Робин блаженно счастлива, немножко возбуждена, но отнюдь не сгорает от страсти. Она не собирается соблазнять Вика, просто хочет положить конец его страданиям. Кроме того, в первый раз переспать с новым партнером—это всегда будоражит. Не знаешь, чего ждать. Ее сердце бьется сильнее, чем когда она ложится в постель с Чарльзом. Но Робин не теряет голову и контролирует ситуацию. Возможно, даже наслаждается своим триумфом: крупный промышленный босс у ног простой феминистки, литературного критика—очаровательная развязка.

Для Вика происходит событие гораздо более значительное, а потому он куда больше взволнован. Его тайная мечта последних недель — оказаться в постели с Робин Пенроуз — наконец сбывается, хотя в том, что происходит, есть что-то иллюзорное. Он искренне удивлен своими ощущениями. Очаровательная молодая женщина ведет его по коридору, ему кажется, что его душа плетется позади, следуя за телом. В зеркальной стенке лифта Вик видит свое отражение: он стоит плечом к плечу с Робин, которая выше его сантиметров на семь. Она перехватывает его взгляд и улыбается, берет его за руку и проводит ею по своей щеке. Похоже на то, как управляют марионеткой. Вик с трудом выдавливает из себя улыбку, глядя в зеркало.

Робин отпирает дверь номера, вешает на ручку табличку «Не беспокоить» и запирает дверь изнутри. Потом сбрасывает туфли и становится почти одного роста с Виком. Он прижимает ее к двери и начинает страстно целовать, прикасаясь руками к ее плечам, спине, бедрам... Вик чувствует, что только на волне страсти сможет перешагнуть порог, ведущий к супружеской измене, а то, что с ним сейчас происходит, и есть страсть.

Робин удивлена и даже напугана его поведением.

— Относись к этому проще, Вик, — говорит она, тяжело дыша. — Совсем не обязательно срывать с меня одежду.

— Извини, — отвечает Вик, немедленно останавливаясь. Он опускает руки и покорно смотрит на Робин. — Я никогда этого не делал.

— Пожалуйста, Вик, — говорит Робин, — не нужно так говорить, это ужасно скучно. — Она подходит к мини-бару и заглядывает внутрь. — Отлично. Есть полбутылки шампанского. Ты совершенно не обязан ничего делать, если не хочешь.

— Очень хочу, — признается Вик. — Я люблю тебя.

— Не говори глупости, — отвечает Робин, протягивая ему бутылку. — Тебе просто песня в голову ударила. Та, которая про силу любви.

— Это моя любимая песня, — говорит Вик. — А с этой минуты она будет нашей.

Робин с трудом верит своим ушам.

Робин достает два бокала. Вик наполняет только один.

— Я не буду,— отказывается он.

Робин испытующе смотрит на него поверх бокала.

— Ты случайно волнуешься не потому, что импотент?

— Нет,— отвечает он хриплым голосом. Конечно, импотент.

— Если у нас все будет, это не всерьез, ладно?

— Я не думаю, что возникнут какие-то сложности.

— Если хочешь, можешь просто сделать мне массаж.

— Я хочу заняться любовью.

— Массаж — тоже форма занятия любовью. Он нежный, ласковый, без применения фаллоса.

— А я бы как раз его применил,— говорит Вик, словно извиняясь.

— Что ж, это отличный вид эротического стимулирования,— соглашается Робин.

От слов «эротическое стимулирование» у Вика возникает чрезвычайно сильная эрекция.

Робин заводит руки за спину, расстегивает платье и снимает его через голову. Вешая его в шкаф, изучает бирку.

— «Сделано в Италии». Снова не прошла тест на патриотизм.

Потом снимает лифчик.

— «Сделано во Франции». О, господи!

Она как всегда относится ко всему легко. Робин смотрит на Вика, который так и замер с бутылкой в руке.

— Ты не хочешь раздеться? — спрашивает Робин.— Мне как-то неудобно стоять перед тобой в чем мать родила.— На ней только трусики и колготки.

— Извини,— спохватывается Вик, яростно стаскивая пиджак, галстук и срывая рубашку.

Робин поднимает рубашку с пола и смотрит на бирку.

— Ага! «Сделано в Гонконге».

— Рубашки покупает Марджори.

— Не оправдывайся… Впрочем, костюм английский.— Она вешает пиджак на деревянную вешалку.— Даже слишком английский, если можно так выразиться.

Единственный английский предмет одежды Робин снимает в последнюю очередь.

— Трусики я всегда покупаю в «Маркс и Спенсер», — улыбается она.

Робин стоит перед Виком — обнаженная богиня. Аккуратные нежно-розовые округлые груди с выпуклыми сосками. Тонкая талия, широкие бедра, чуть округлый живот. И языки рыжего пламени на лобке. Вик смотрит на нее с благоговением.

— Ты прекрасна, — говорит он.

— Хочешь, я признаюсь тебе в ужасной вещи? Я хотела бы грудь побольше. Зачем? Вот и я себя о том же спрашиваю. Причина может быть только одна — для большей сексуальности.

— У тебя прекрасная грудь, — уверяет Вик и нежно ее целует.

— Вот и славно, Вик, — говорит Робин. — У тебя возникло желание. Так осуществи его.

Она снимает покрывало с кровати, ставит флакон с массажным маслом на ночной столик и выключает весь свет, кроме одной лампы. Потом ложится на кровать и протягивает руку.

— Ты не хочешь снять трусы? — спрашивает она.

— А можно погасить свет?

— Ну конечно нельзя.

Вик поворачивается к ней спиной, снимает трусы и идет к кровати, прикрывая руками свидетельство своего крайнего возбуждения.

— Боже, вот это прибор! — восклицает Робин.

— Почему ты его так называешь?

— Интимная шутка. — Быстро, как ящерица, она высовывает язык и облизывает этот прибор от основания до самой головки.

— Боже! — стонет Вик. — Может, мы проскочим стадию массажа?

— Как хочешь, — говорит Робин, возбуждаясь от того, насколько возбужден Вик. — У тебя есть презерватив?

Вик растерянно смотрит на нее.

— Разве ты не принимаешь таблетки, или еще что-нибудь?

— Нет. Таблетки вредят здоровью. И спирали тоже.

—Что же нам делать? У меня ничего нет.

—Зато у меня есть. Дай, пожалуйста, мою косметичку.

Вик дотягивается до сумочки и протягивает ее Робин.

—Ну вот,—говорит она.—Хочешь, я сама тебе надену?

—О боже, нет! — восклицает он.

—Почему?

Вик громко хохочет.

—Хорошо, надевай.

Она ловко проделывает эту операцию. А когда заканчивает, у Вика уже все болтается из стороны в сторону, как непослушная прядь волос.

—Не может быть,—бормочет Вик.

Будучи преподавателем, Робин конечно же пытается все разъяснить и развенчать «любовь».

—Я люблю тебя,—говорит Вик, целуя ее в шею, поглаживая грудь, проводя ладонью по бедру.

—Нет, Вик, не любишь.

—Я люблю тебя вот уже несколько недель.

—Любви не существует,—заявляет Робин.—Это риторический прием. Буржуазное заблуждение.

—Ты что, никогда не влюблялась?

—Только когда была девчонкой,—отвечает Робин.—Позволила себе на некоторое время быть обманутой дискурсом романтической любви.

—Господи, что все это значит?

—Мы не сущности, Вик. Не уникальные сущности, главенствующие над языком. Важен только язык.

—А это?—спрашивает Вик, проводя рукой у нее между ног.

—Язык и физиология,—продолжает Робин, раздвигая ноги пошире.—Да, у нас есть тело, физиологические потребности и аппетиты. Когда ты трогаешь здесь, мои мышцы сокращаются. Чувствуешь?

—Чувствую,—кивает Вик.

—И это приятно. А дискурс романтической любви подразумевает, что твой палец и мой клитор есть продолжение двух уникальных индивидуальностей, которые необходимы друг другу, и только друг другу, и не могут быть счастливы друг без друга во веки веков.

— Именно так,— говорит Вик.— Я люблю твою щелку всем своим существом и во веки веков.

— Глупый,— улыбается Робин, не оставшись равнодушной к этому заявлению.— А почему ты так ее называешь?

— Интимная шутка,— отвечает Вик, ложась поверх Робин.— Как ты думаешь, может, теперь уже пора помолчать?

— Хорошо,— кивает Робин.— Но я предпочитаю быть сверху.

3

— Представь себе,— прошептала Робин,— он никогда раньше так не делал.

— Да ты что?— прошептала в ответ Пенни Блэк.— Сколько, ты сказала, он женат?

— Двадцать два года.

— Двадцать два года в миссионерской позиции? Смахивает на извращение.

Робин виновато хихикнула. Ей не хотелось подставлять Вика под насмешки Пенни, но нужно же было с кем-нибудь поделиться. Разговор происходил десятью днями позже ее поездки во Франкфурт. Они с Пенни расслаблялись в сауне после вечернего понедельничного сквоша — лежали на верхней, самой жаркой полке и болтали шепотом, потому что на нижней сидела жена Филиппа Лоу, целомудренно закутавшись в полотенце.

— По-моему, в последние годы они почти не занимаются сексом,— сказала Робин.

— Ничего удивительного,— ответила Пенни.

Миссис Лоу встала и вышла из сауны, по дороге куртуазно кивнув двум молодым женщинам.

— Ой!— воскликнула Робин.— Вдруг она подумала, что мы говорим о ней и Лоу?

— Да ну их, этих Лоу,— сказала Пенни.— Лучше расскажи, как повеселилась с Уилкоксом. Что тебя дернуло?

— Он мне нравился,— призналась Робин, подперев голову руками.— В тех конкретных обстоятельствах он мне нравился.

— А я-то думала, ты его терпеть не можешь? Он же мужлан, обыватель и женоненавистник.

— Да, поначалу он казался таким. На самом же деле, если узнать его получше, он совсем другой. И уж точно не дурак.

— По-моему, этого недостаточно, чтобы ложиться с ним в койку.

— Говорю же тебе, Пенни, в тот вечер он мне нравился. Знаешь, как это бывает: новое место, выпивка, объятия во время танцев...

— Да-да, знаю. Я же преподавала в Летнем Открытом университете. Но, Робин, он же немолодой владелец завода!

— Исполнительный директор.

— Без разницы... Но все равно круто.

— Он вовсе не крутой. Даже напротив...

— Я не в физическом смысле. В психологическом. По-моему, роковую роль сыграли его власть и деньги. Он — прямая противоположность тому, к чему ты привыкла.— Пенни Блэк укоризненно покачала головой.— Боюсь, в тебе проснулась старая добрая женская фантазия, тяга к изнасилованию. Когда Уилкокс трахался с тобой, на самом деле это завод насиловал университет.

— Не говори глупости, Пенни,— возразила Робин.— Если кто кого и изнасиловал, так это я его. Беда в том, что он-то мечтал развить это в пылкий роман. Уверяет, что любит меня. Я говорю, мол, не верю в саму концепцию, но все без толку. Звонит, просит о встрече. Я просто не знаю, что мне делать.

— Скажи, что у тебя есть Чарльз.

— В том-то и дело, что Чарльза у меня уже нет. Мы больше не встречаемся.

— Тогда скажи ему, что ты лесбиянка,— посоветовала Пенни, хитро подмигнув Робин.— Это должно его отпугнуть.

Робин смущенно засмеялась и покрепче сжала ноги. Она и раньше подозревала, что у Пенни Блэк есть такая склонность.

— Он знает, что я не лесбиянка,— сказала Робин.— Даже слишком хорошо знает.

— А что он себе думает? — спросила Пенни.— Хочет сделать тебя своей любовницей? — Она аж фыркнула.— Может, тебе стоит подумать об этом всерьез. Он пригодится, если ты останешься без работы.

— Он утверждает, что хочет на мне жениться,— сказала Робин.— Готов развестись и жениться.

— Ох! Это уже серьезно.

— По-моему, довольно забавно.

— И все из-за того, что один раз трахнул?

— Ну, на самом деле — три,— уточнила Робин.

Второй раз был сразу после того, как Робин села на Вика верхом, и сопровождался громким стоном. Так стонет дерево, с корнями вывернутое из земли. Немного спустя ему снова пришлось нелегко, ибо он добивался того, чтобы Робин испытала оргазм, но сам он смог кончить, только когда она помогла ему, использовав немного массажного масла. Вик прослезился — то ли от стыда, то ли от переполнившей его благодарности, то ли и от того и от другого. Робин так и не поняла. А рано утром, когда робкие рассветные лучи стали сквозь шторы заглядывать в комнату, Робин проснулась от того, что почувствовала его руку у себя между ног. Она перевернулась на спину и, все еще в полусне, отдалась ему так, как он того хотел, под одеялом и молча, не считая утробных стонов и беззвучных криков, в которые она тоже внесла свою лепту. А когда Робин наконец проснулась, уже при ярком дневном свете, Вик, к ее большому облегчению, успел уйти в свой номер. Надо отдать ему должное — он проявил неожиданное чувство такта. Значит, можно вести себя так, словно события этой ночи стоят особняком от привычных взаимоотношений и заключены в большие круглые скобки. На трезвую голову, проснувшись, Робин не хотела, чтобы ей о них напоминали.

Но во время завтрака в ресторане Вик смотрел на нее из-под пряди волос с беспокойством и собачьей преданностью.

Он с трудом поддерживал беседу и почти ничего не ел, только пил кофе чашку за чашкой и прикуривал свои «Мальборо» одну от другой. Когда они поднялись наверх, чтобы упаковать вещи, Вик пришел к ней в номер и спросил, что они теперь будут делать. Робин сказала, что хотела бы взглянуть на Старый город, пока он займется делами на выставке, а Вик пояснил, что имел в виду совсем другое: что они будут делать после прошлой ночи? Робин сказала: ничего не будем делать. Мы оба позволили себе расслабиться, и это было здорово. «Здорово,— пробормотал он.—Здорово… Это все, что ты можешь сказать? Ведь это было волшебно». Да, согласилась Робин, чтобы доставить ему удовольствие. Да, это было волшебно. Я прекрасно спала, а ты? Он сказал, что вообще не спал, и это было по нему заметно. «Да, это было волшебно, особенно последний раз. Мы ведь кончили вместе, не так ли?» «В самом деле? — спросила Робин.— Честно говоря, не помню. Я почти спала». «Не смейся надо мной»,— попросил он. «А я и не смеюсь»,— сказала Робин. «Наверно, для тебя все это ничего не значит. Просто… как это у них называется?.. постоялец с одной ночевкой. Наверно, у тебя так часто случается, а у меня нет». «У меня тоже,— возмутилась Робин.— Я уже много лет не спала ни с кем, кроме Чарльза, а с ним я сейчас не встречаюсь. Впрочем, это не твое дело». Но у Вика на лице было написано явное облегчение. «Что ж, значит, это любовь»,— решил он. «Нет, не любовь,— возразила Робин.— Говорю же тебе, никакой любви не существует. То, что ты так называешь, всего лишь литературное мошенничество. А еще мошенничество рекламное и массмедийное». «Я тебе не верю,— сказал Вик.—Мы должны подробно об этом поговорить. Встретимся на ленче в „Плазе“, где были вчера».

— Короче, я сбежала,— сказала Робин, вкратце изложив Пенни Блэк все события.— Позвонила в аэропорт — выяснилось, что я могу по своему билету вылететь в Раммидж через «Хитроу». Вот я и уехала.

— Не предупредив Уилкокса?

— Я оставила ему записку в «Плазе». Допрос за ленчем по поводу событий предыдущей ночи был бы невыносим. И потом, я чувствовала себя ужасно виноватой от того, что бросила своих студентов. Из-за разницы во времени я оказалась в Раммидже на удивление рано. Взяла такси до университета и примчалась как раз ко второму семинару по женской прозе. Лоу страшно обрадовался, когда меня увидел. В первой группе ему здорово досталось, когда зашла речь о менструации. Во всяком случае, выглядел он плоховато. К великому облегчению Руперта Сатклифа, я забрала обратно своих третьекурсников. В общем, вечером вернулась домой на автобусе, очень довольная собой. Но, сама понимаешь, завернув за угол, увидела его. Он меня уже подкарауливал.

— Ты не испугалась? — спросила Пенни Блэк. — Вдруг бы он на тебя напал?

— Конечно нет, — ответила Робин. — Разве можно всерьез бояться того, кто сантиметров на семь ниже тебя?

Когда Робин подошла к дому, Вик вышел из машины. Лицо у него было бледным и искаженным. «Почему ты сбежала?» — спросил он. «Потому что у меня были дела в Раммидже, — ответила она, шаря в сумочке в поисках ключей. — Если бы я знала, что это так просто, улетела бы вчера вечером, вместо того чтобы торчать там всю ночь. Так было бы лучше во всех отношениях». «Можно мне войти?» — спросил он. «Наверно, если это необходимо, — ответила она. — Разве тебя не ждут дома?» — «Нет еще. Я должен с тобой поговорить». — «Хорошо, — согласилась она, — если только не о любви и не о прошлой ночи». — «Ты же знаешь, что именно об этом», — сказал он. «Это мое условие», — предупредила она. «Ладно, — кивнул он. — Пожалуй, у меня нет выбора».

Робин пригласила его в гостиную и зажгла газовый камин. Вик огляделся по сторонам. «Тебе нужно нанять какую-нибудь женщину, чтобы она убиралась», — предложил он. «Никогда не стану переваливать на других женщин свою грязную работу, — возразила она. — Это противоречит моим принципам». — «Ну, тогда мужчину. Наверно, у них теперь есть уборщики-мужчины».— «Я не могу себе этого позволить»,— сказала Робин. «Я заплачу»,— предложил Вик, и она послала ему предупреждающий взгляд. «Мой дом нравится мне таким, какой он есть,— заявила она.— Тебе может сколько угодно казаться, что в нем царит хаос, но для меня здесь во всем есть система. Я точно знаю, в каком месте на полу лежит та или иная вещь. Горничная все перепутает, и я ничего не смогу найти».

Робин предложила выпить чаю, Вик пошел на кухню вслед за ней и в ужасе уставился на гору грязной посуды в мойке. «Почему ты не купишь посудомоечную машину?» — удивился он. «Потому что я не могу себе этого позволить, и ты не будешь мне ее покупать,— ответила она.— И вообще, я люблю мыть посуду. Это прекрасная терапия». «Ты не похожа на человека, которому так часто нужна терапия»,— сказал он.

— А он наглый,— прокомментировала Пенни Блэк.

— Я не обиделась,— ответила Робин.— Даже решила, что это хороший знак. Он борется со своей сентиментальностью.— Она спустилась с полки, чтобы плеснуть на печку воды из пластмассового ведерка. Пар злобно засвистел, температура поднялась еще на несколько градусов. Робин забралась обратно на полку.— Я старалась отвлечь его от любовной тематики и говорила только о деловой стороне поездки во Франкфурт. Но тут меня ждал самый настоящий удар.

«Так когда ты получишь эту свою новую игрушку?» — спросила Робин, когда они перенесли чай в гостиную. «О, это займет от шести до девяти месяцев. А может, и год»,— ответил он. «Как долго»,— удивилась Робин. «Это зависит от того, есть ли у них подходящий экземпляр или придется делать его специально. Очень надеюсь, не позднее, чем через девять месяцев,— сказал он.— У меня есть ощущение, что экономический кризис подходит к концу. В последний год дела несколько оживились, а с новой машиной мы сможем увеличить производство».— «Особенно после того, как станок себя окупит»,— предположила Робин. «Конечно,— кивнул Вик.— Ведь пойдет экономия средств. Перерывы в работе сократятся, а кроме того, я смогу избавиться от нескольких человек».— «Что значит избавиться?»—насторожилась она. «Новая машина заменит собой пол-дюжины старых,—объяснил он,—и большинство операторов станут лишними».— «Но это же ужасно,—возмутилась она.— Если бы я знала, я бы не помогла купить эту отвратительную штуковину».— «Но это в порядке вещей,—возразил он.—Мы покупаем новое оборудование, чтобы уменьшить зарплату».— «Если бы я знала, что это приведет к увольнениям, я бы вообще в этом не участвовала»,—возмутилась Робин. «Глупо,—сказал Вик.— Если хочешь закрепиться в бизнесе, нельзя руководствоваться сентиментальными соображениями и думать о нескольких людях, которых придется уволить».— «Сентиментальными!—воскликнула она.—Уж кто бы это говорил! Человек, у которого подгибаются коленки, когда он слышит голос Дженнифер Раш. Человек, который верит в любовь с первого траха».— «Это не то же,—сказал он,—что содрогаться от траха мирового масштаба. Я говорю о бизнесе, ты просто меня не поняла».— «Я поняла одно: несколько человек, у которых сейчас есть работа, в следующем году ее потеряют,—продолжала возмущаться она,—и все благодаря тебе, мне и Винклеру».— «Старые станки все равно пришлось бы заменить рано или поздно,—возразил он.—Они все время ломаются, ими трудно управлять, у нас с ними одни проблемы, ты же сама знаешь…» Он запнулся на полуслове, увидев выражение ее лица. Робин смотрела на него в ужасе. «Неужели ты хочешь сказать, что Денни Рэм работает как раз на одном из таких станков?» — спросила она. «Я думал, ты знаешь»,—ответил он.

— Можешь себе представить, какой дурой я себя чувствовала,—сказала Робин.—После всех моих усилий, приложенных в январе к тому, чтобы Денни Рэм не потерял работу, я вдруг выясняю, что помогла ему лишиться ее.

— Погано,—согласилась Пенни Блэк.— А как получилось, что ты не знала этого?

— Я понятия не имела, какую именно работу он выполняет,— объяснила Робин.— Я же не знаю, как называются все эти
станки и что на них делают. Я ведь не инженер.

— Что ж, не будем об этом,— сказала Пенни Блэк.— Могу
поспорить, Уилкокс все равно бы от него избавился сразу после твоего ухода. Он похож на упрямого мерзавца.

— Упрямого и сентиментального. Как только он заметил,
что я расстроилась, он тут же отказался от своих слов и стал
притворяться, что совсем не обязательно кого-либо увольнять, если все пойдет хорошо. Мол, тогда они перейдут в ночную смену. Представь себе, каково работать ночью там, где и
днем-то ад кромешный… Но это так, к слову. Потом он сказал:
я обещаю найти Денни Рэму другую работу на нашем заводе.

— Чтобы доставить тебе удовольствие, да? Вероятно, за счет
увольнения другого бедолаги.

— Именно. Так я ему и сказала.

«Ты играешь людскими жизнями так, как будто это вещи,
которые можно купить, продать или попросту выбросить. Ты
предлагаешь мне работу для Денни Рэма как взятку, подачку,
как подарок. Так мужчины дарят своим содержанкам нитки
жемчуга».— «Я не хочу, чтобы ты была моей содержанкой,—
сказал он.— Я хочу, чтобы ты была моей женой». Секунду-дру-
гую она пристально смотрела на него, потом запрокинула голову и расхохоталась. «Ты сошел с ума,— сказала она.— Ты не
забыл, что уже женат?» — «Я разведусь»,— ответил он. «Не хочу больше слышать об этом,— заявила она.— Иди-ка ты лучше
домой. Мне нужно проверить кучу рефератов. Завтра конец
семестра».— «Пожалуйста, выслушай меня»,— попросил он.—
Мой брак давно уже умер, у нас с Марджори нет ничего общего. Ни мыслей, ни ценностей, ни интересов. Прошлой ночью…» — «Нет, замолчи. Ни слова о прошлой ночи,— перебила она.— Мы просто трахались, и ничего больше».— «Не говори так»,— сказал он. «Ты относишься к этому так, как будто
ничего подобного раньше не случалось»,— сказала она. «Со
мной — нет,— ответил он.— Ничего подобного».— «Ради Бога,

замолчи! — не выдержала она. — И уходи. Иди домой». Она сидела в кресле с прямой спиной, закрыв глаза, и делала дыхательные упражнения по системе йогов. Она слышала, как заскрипел пол, когда он встал, и ощущала его присутствие так, словно на нее падала его тень. «Когда я тебя снова увижу?» — спросил он. «Понятия не имею, — ответила она, не открывая глаз. — Я не вижу причин встречаться, разве что случайно. Этот дурацкий Резерв кончился. Слава Богу, мне больше не нужно ездить на твой ужасный завод». — «Я позвоню», — сказал он и, воспользовавшись тем, что у нее закрыты глаза, быстро поцеловал ее в губы. Она тут же вскочила и, глядя на него с высоты своего роста, прошипела: «Оставь меня в покое!» — «Хорошо, — ответил он. — Я ухожу». В дверях он обернулся и снова посмотрел на нее. «Когда ты злишься, ты похожа на богиню».

— На богиню? — изумленно повторила Пенни Блэк.

— Он так сказал. Бог знает, что он имел в виду.

Пенни перевернулась с одного массивного бока на другой, при этом ее бюст тоже тяжело перевалился. По желобку между грудями заструился пот.

— Должна тебе сказать, Робин, на секунду забыв об идеологии... Знаешь, не каждый день женщину называют богиней.

— Когда речь идет обо мне, это вызывает лишь досаду и смущение. Он продолжает мне звонить и каждый день пишет письма.

— А что говорит?

— Не знаю. Я тут же кладу трубку, а письма выбрасываю, не читая.

— Бедный Вик!

— Не трать на него свою жалость. Подумай лучше обо мне. Я совершенно не могу заниматься наукой.

— Бедный влюбленный Вик! Знаешь, что он сделает в следующий раз? Будет петь серенады под твоим окном.

— Ага, поставив кассету с Дженнифер Раш или Рэнди Кроуфорд. — Робин захихикала, и Пенни вместе с ней. — Нет, это не смешно.

Дэвид Лодж

— А его жена знает об этом?

— Думаю, нет,— ответила Робин.— Но может подозревать. А сегодня ко мне приходила его дочь.

— Его *дочь*?

Сандра Уилкокс появилась на кафедре без предварительной договоренности, но Робин, к счастью, оказалась у себя в кабинете—вычитывала корректуру материалов для выпускных экзаменов. Девушка была очень ладно одета, во всем черном, со светлым макияжем, волосы затейливо уложены, как будто наэлектризованы. «Привет, Сандра! Заходи. Ты сегодня не в школе?» — спросила Робин. «Ходила к зубному,— ответила Сандра.— В школу возвращаться уже не стоило, вот и решила съездить сюда».— «Отлично,— сказала Робин.— Чем я могу тебе помочь?»—«Не мне, а папе»,—поправила Сандра. «А что с ним случилось?» — поинтересовалась Робин. «Это папа настоял, чтобы я приехала»,—объяснила Сандра. «Понятно»,—засмеялась Робин. Потом говорили о плюсах и минусах поступления в Университет. Почему бы не подать документы на набор 1988 года, чтобы годик после школы хорошенько все обдумать? «Пожалуй, можно,— кивнула Сандра.— А пока устроиться в „Твизерс". Я уже там работаю по субботам». «А что такое „Твизерс"?» — спросила Робин. «Салон-парикмахерская,— ответила Сандра и внимательно оглядела комнату.— Вы что, прочитали все эти книги?»—удивилась она. «Не все,— ответила Робин.— Но некоторые по нескольку раз».—«А зачем?»—спросила Сандра. «Ты ведь не собираешься заняться английским»,— предположила Робин. «Нет»,—подтвердила Сандра. «Жаль,— сказала Робин.—По-английски есть что почитать и перечитать».— «Если я вообще чем-нибудь и займусь, так это психологией,— заявила Сандра.—Мне интересно, что и как работает у человека в голове».—«Боюсь, психология тебе в этом не поможет. Насколько я знаю, там в основном речь идет о психах. Чтобы узнать, как и что работает у человека в голове, нужно читать художественную литературу».— «Как мои родители,— кивнула Сандра.— Я бы хотела узнать, что у них в голове. Папа в последнее время какой-то странный».— «Вот как,— насторожилась Робин.— А в чем это выражается?» — «Он не слышит, что ему говорят,— сказала Сандра,— и все время как будто во сне. На днях врезался в чужую машину».— «О Господи! Надеюсь, он не пострадал?» — «Нет, только стукнулся, но это первая авария за двадцать пять лет, что он за рулем. Знаете, мама очень переживает. У нее уже даже валиум кончается».— «А мама регулярно его принимает?» — спросила Робин. «Ну да,— кивнула Сандра.— А папа теперь читает романы, чего отродясь не делал». «Какие романы?» — поинтересовалась Робин. «Взял у меня библиотечную „Джен Эйр" — мы ее проходили. Я ее повсюду искала, даже опоздала в школу. А потом случайно нашла под подушкой в его кресле. Зачем ему „Джен Эйр" в его-то возрасте?»

— Он определенно пытается изучить твои интересы,— сказала Пенни Блэк.— Это очень трогательно.

— В смысле, он тронулся? — переспросила Робин.— А мне что делать? Следующим номером нашей программы, видимо, будет появление в моем кабинете одурманенной валиумом миссис Уилкокс, которая станет умолять меня не уводить у нее мужа. Такое впечатление, что я углубилась в классический реалистический текст, полный причинно-следственных связей и морализаторства. Куда мне теперь деваться?

— С меня довольно,— сказала Пенни Блэк, вставая с полки.

— Извини, Пенни,— смутилась Робин.

— Довольно пара,— уточнила Пенни.— Я иду в душ.

— Я тоже сейчас приду,— ответила Робин.— Так что же мне делать?

— Лучше всего снова сбежать,— посоветовала Пенни Блэк.

4

Итак, Робин сложила на заднее сиденье «рено» стопки книг, свои записи и портативный компьютер, заперла свой маленький домик и отправилась к родителям на Южный берег, чтобы провести там оставшиеся дни Пасхальных каникул. Перед отъездом она попросила Памелу, секретаря кафедры, никому не сообщать, куда она уехала, разве только в случае крайней необходимости, и объяснила, что хочет заняться научной работой, чтобы ее никто не беспокоил. То же самое Робин сказала и родителям, которые очень удивились, что она собралась к ним так неожиданно и надолго. В ее комнате все осталось, как было, когда она уехала поступать в университет: фотографии Дэвида Боуи, «Зе Ху» и «Пинк Флойд» сняли со стен, когда переклеивали обои, но косяки и деревянные панели по-прежнему были выкрашены в бешено-розовый цвет, который она сама выбрала на излете юности. Робин водрузила компьютер на письменный стол у окна, за которым готовилась к экзаменам. Отсюда во время работы можно смотреть на Ла-Манш, тонкой голубой полоской видневшийся между крышами двух соседних домов.

Большую часть времени Робин проводила в этой комнате, но когда выходила в город — пройтись по магазинам или просто размять ноги, — не могла отделаться от чувства, что хоть она всего в ста пятидесяти милях от Раммиджа, впечатление такое, будто в другой стране. Здесь не было промышленных предприятий, а стало быть, и рабочего класса. Темные и чернокожие лица встречались редко — в основном это были студенты местного университета или туристы, приехавшие полюбоваться старым собором, гордо возвышавшимся среди зеленых лужаек и вековых деревьев. Магазины здесь были маленькие, специализированные, и работали в них очень учтивые продавцы. Покупатели — все как на подбор в модной дорогой одежде и на последних моделях «вольво». Улицы и сады ухожены, воздух чист, свеж и слегка пахнет морем. Робин вспомнила Раммидж — темный и тесный городок в самом сердце Англии — с его шумом, вонью и уродством, заводами за высокими железными заборами, длинными улицами, петляющими по холмам, пробками на дорогах и черными канавами. Она вспомнила обо всем этом и подумала: интересно, это судьба или коварство, что английская буржуазия устроила промышленную революцию подальше от своих излюбленных мест?

— Живя здесь, вы понятия не имеете о том, как выглядит настоящий мир,— как-то вечером сказала Робин своим родителям.

— Именно что имеем,— возразил отец.— Поэтому здесь и живем. Несколько лет назад я чуть было не получил кафедру в Ливерпуле. Побродил там с утра по улицам и сказал вице-канцлеру: «Большое спасибо, но лучше я на всю жизнь останусь доцентом, чем перееду сюда».

— Не думаю, что ты будешь жалеть, если уедешь из Раммиджа. Правда, моя дорогая?— спросила мама.

— Я буду жалеть до слез, особенно если не найду другой работы.

— Может быть, подыскать что-нибудь здесь? — вздохнула мама.— Папа мог бы воспользоваться своим влиянием.

— Напротив,— сказал профессор Пенроуз,— даже если я заявлю о своих интересах, я ничем не смогу помочь с назначением.— Профессор всегда изъяснялся нарочито официально. Иногда Робин казалось, что он пытается таким образом скрыть свои австралийские корни.— Но я боюсь, что этой проблемы не возникнет вовсе. Мы страдаем от сокращений так же, как и все остальные. Вряд ли на факультете изящных искусств появятся вакансии, разве только письмо из УГК окажется куда лучше, чем ожидают.

— А что это за письмо?

— УГК собирается объявить, вероятнее всего в мае, о вложении определенных средств в каждый университет, в зависимости от его успехов в исследовательской работе и жизнеспособности его подразделений. Ходят слухи, что один-два университета даже закроют.

— Они не посмеют!— возмутилась Робин.

— Это правительство посмеет,— ответил профессор Пенроуз, который был членом социал-демократической партии.— Они планомерно разрушают лучшую в мире систему образования. Что мы видим в Докладе Роббинса? Высшее образование для каждого, кто может принести пользу обществу. Я тебе рассказывал,— спросил он у дочери, улыбаясь своим воспоминаниям,— как меня однажды спросили, не в честь ли Доклада Роббинса мы тебя назвали?

—Много раз, папа,— ответила Робин.— Нет смысла говорить, что я не одобряю сокращения. Но не считаешь ли ты ошибочным тот путь, по которому пошли, претворяя в жизнь этот план?

—Что ты имеешь в виду?

—А вот что: разве это было правильно — настроить так много университетов в парках на окраинах небольших городов и столиц графств?

—Почему бы университетам не находиться в красивых местах, а не в некрасивых? — с грустью спросил мистер Пенроуз.

—Потому что это увековечивает оксбриджскую идею высшего образования как варианта пасторальной, привилегированной идиллии, отрезанной от реального мира.

—Чепуха,— возразил профессор Пенроуз.— Новые университеты размещались в тех местах, которые по той или иной причине не были охвачены системой высшего образования.

—Это имело бы смысл, обслуживай они свои собственные общины, но это не так. Каждую осень начинается миграция обеспеченной молодежи из Норвича в Брайтон и из Брайтона в Йорк. И когда они прибывают к месту назначения, их приходится селить в дорогих комнатах.

—За время своего проживания в Раммидже ты усвоила весьма утилитарный подход к университетам,— сказал профессор Пенроуз. Робин знала, что он один из немногих, кто использует слово «проживание» в непринужденной беседе. Отвечать Робин не стала. Она прекрасно понимала, что пользуется аргументами Вика Уилкокса, но упоминать о нем при родителях не собиралась.

Когда мать и дочь мыли посуду, миссис Пенроуз спросила, не собирается ли Робин пригласить на выходные Чарльза.

—Мы с ним сейчас не встречаемся,— ответила Робин.

—Как, опять все кончилось?

—Что кончилось?

—Ты знаешь о чем я, дорогая.

—А ничего и не начиналось, мамочка, если ты говоришь с бракосочетании и семейной жизни.

—Не понимаю я вас, молодежь,— скорбно вздохнула миссис Пенроуз.— Чарльз такой милый молодой человек, и у вас так много общего.

—Пожалуй, слишком много,— сказала Робин.

—Что ты имеешь в виду?

—Не знаю,— ответила Робин, которая говорила, не обдумывая своих слов.—Это немножко скучно, когда два человека согласны друг с другом абсолютно во всем.

—Бэзил привозил к нам совершенно неподходящую девицу,— вспомнила миссис Пенроуз.—Надеюсь, он не собирается на ней жениться.

—Дебби? Когда это было?

—Как-то в феврале. Ты ее тоже видела?

—Да. По-моему, у них все кончилось, пользуясь твоим выражением.

—Слава Богу! Она чудовищная простушка.

Робин тайком улыбнулась.

Сам Бэзил подтвердил догадки Робин, когда приехал на Пасху. Он шумно восторгался собой, потому что перешел на работу в Японский банк в Сити с огромным повышением зарплаты.

—Нет, с Дебби я больше не встречаюсь,— сказал он,—ни в жизни, ни по работе. А Чарльз?

—Не знаю,—пожала плечами Робин.—Я сейчас вне пределов досягаемости, пытаюсь закончить книгу.

—Что за книга?

—Про образ женщины в литературе девятнадцатого века.

—Неужели мир действительно нуждается в еще одной книге о литературе девятнадцатого века?—удивился Бэзил.

—Не знаю, но он ее получит,— сказала Робин.— А я надеюсь с ее помощью получить постоянную работу.

Когда в понедельник вечером Бэзил уехал обратно в Лондон, в доме снова воцарились тишина и покой. Робин вернулась к работе над книгой и делала огромные успехи. В этом доме уважали научную работу. Радио молчало. Телефонный звонок приглушили. Применение пылесоса горничной строго контролировалось. Профессор Пенроуз работал в кабинете, Робин трудилась у себя в комнате, а миссис Пенроуз на цыпочках сновала между этими двумя помещениями, подавая кофе и чай через определенные промежутки времени, беззвучно ставила на столы новые чашки и забирала грязные. Чтобы как можно реже отвлекаться, Робин отказывала себе в ежедневном просмотре «Гардиан», и лишь вечером, совершенно случайно, до нее иногда долетали новости с Большой Земли: американское вторжение в Ливию, беспорядки в британских тюрьмах, яростные столкновения между бастующими печатниками и полицией в Уоппинге. Но Робин была настолько поглощена книгой, что почти не обратила внимания на общественные конфликты, которые обычно вызывали у нее бурный протест и даже решительные действия — подписание петиции или участие в демонстрации. К концу каникул три четверти книги были вчерне готовы.

В Раммидж Робин вернулась в приподнятом настроении. Она была довольна тем, что написала, хотя ей очень хотелось кому-нибудь это показать — какому-нибудь близкому по духу, знающему и доброжелательному читателю вроде Чарльза. Они всегда могли рассчитывать друг на друга. Очень жаль, что теперь они не видятся. Конечно, никаких окончательных, прощальных слов сказано не было. Почему бы не позвонить ему, когда она окажется дома, и не попросить прочитать ее черновик? Для этого совсем не обязательно встречаться, хотя гораздо удобнее, если он приедет на выходные и прочитает рукопись прямо при ней. Итак, Робин решила позвонить Чарльзу тем же вечером.

Подойдя к дому, она обнаружила на крылечке письмо от Чарльза и девять писем от Вика Уилкокса. Последние Робин тут же выбросила в мусорный бак. А письмо Чарльза распечатала. Оно оказалось очень длинным, и Робин читала его, стоя посреди кухни, даже не сняв куртку. Потом все-таки разделась, налила себе чаю и села за стол, чтобы дочитать.

Дорогая Робин!

Несколько раз безуспешно пытался тебе дозвониться, а ваша секретарша ни в какую не признавалась, где тебя искать. Поэтому я и пишу тебе. Впрочем, в сложившихся обстоятельствах это даже лучше. Телефон не вполне удобен для серьезного общения, ибо не допускает ни абсолютного отсутствия, как письмо, ни физического присутствия, как разговор с глазу на глаз. Сплошное подобие беседы. Отличная тема для семинара, не так ли? «Роль телефонного разговора в современной художественной прозе (на примере творчества Ивлина Во, Форда Мэдокса Форда и Генри Грина)»…

Впрочем, хватит об этом. Я хотел сообщить тебе, что собираюсь коренным образом сменить сферу деятельности. Хочу перейти в коммерческий банк.

«Вы уже засмеялись?», как спрашивал своих читателей Элтон Локк. Я, конечно, староват для таких перемен, но чувствую уверенность в успехе и воодушевлен подобным испытанием. Мне кажется, это первый рискованный поступок в моей жизни, вследствие чего я ощущаю себя человеком. Само собой, мне придется пройти через период обучения, но даже тут зарплата будет гораздо выше моей теперешней, а дальше — заоблачные выси. Впрочем, я принял это решение совсем не из-за денег, хотя чертовски надоело бороться за то, чтобы сводить концы с концами. Главное — это стойкое ощущение того, что университетский преподаватель, особенно в такой дыре, как Саффолк, обречен стоять на обочине исторического процесса, сидеть на мели устаревшей идеологии.

Мы с тобой, Робин, росли в период, когда государство было мудрым: люди верили в государственные школы, государственные университеты, финансируемое государством искусство, государственные пособия, государственную медицину, ибо все это было прогрессивным. Теперь все иначе. Левые подкидывают денег на все эти структуры, но не в состоянии убедить этим никого, даже самих себя. Люди, работающие в государственных институтах, подавлены и деморализованы. Свидетельством тому невероятное смирение, с которым академические учреждения встретили сокращение штатов. Разве имело место хоть одно заметное выступление против? Нет смысла обвинять Тэтчер, словно она одна и есть та ведьма, которая заворожила нацию. Тэтчер хорошо чувствует Zeitgeist [1]. *Когда профсоюзы велят своим членам выступать против сокращений, на стенах появляются лозунги в поддержку старого доброго социализма. Каким может быть новый социализм, я не знаю, но мне кажется, у него будет больше общего с Сити, чем с Саффолкским университетом. Первое, что поразило меня в Сити, когда я приехал посмотреть, как работает Дебби, это фонтанирующая энергия, а второе — демократичность. Девушка из рабочей семьи, вроде Дебби, зарабатывающей тридцать тысяч в год, без сомнения, фигура аномальная. В отличие от прежних лет, сейчас в Сити твое происхождение не имеет значения, если ты отлично справляешься с работой. Кроме того, деньги прекрасно уравнивают людей.*

Что же касается наших университетов, я пришел к выводу, что они элитарны в том, в чем должны устанавливать равенство, и устраивают уравниловку там, где необходима элитарность. Мы признаем только минимальную разницу в возрасте студентов одной группы и даем им знания, требующие высокой трудоспособности (элитарность), но притворяемся, будто все университеты и все преподаватели равны, а потому должны иметь одинаковое финансирование, зарплату и срок пребывания в должности (уравниловка). Все это прекрасно работало, пока государство вкладывало в образование все больше и больше денег, но как только финансирование сократилось, университеты стали едва сводить концы с концами, отправляя преподавателей на пенсию как можно раньше, и очень часто это были люди, которых хотелось потерять в самую последнюю очередь. Для тех, кто остался, перспективы весьма сомнительны: огромное количество часов, завал работы, отсутствие шансов на повышение или переход на другую работу. Ты не хуже меня знаешь, что кроме редких случаев назначения на пост завкафедрой

---

[1] Дух времени (*нем.*).

никаких перестановок не происходит, особенно на низшей ступени служебной лестницы. Я уверен, что останься я сейчас в науке, проторчу в Саффолке еще лет пятнадцать, а то и до конца своих дней. А мне бы этого ох как не хотелось!

Возможность сменить род занятий, причем весьма парадоксальным образом, появилась, когда я стал излагать свои соображения на вечеринке с участием директора банка, куда меня привела Дебби. Я страстно ораторствовал о необходимости приватизации университетов как пути решения их финансовых затруднений и о духе здоровой конкуренции. Преподаватели смогут купить акции своего университета и получать соответствующую долю прибыли. На самом деле, я был наполовину серьезен, наполовину пьян, но произвел неизгладимое впечатление на директора. Нам нужны люди с дерзкими идеями, сказал он, чтобы определить новые направления инвестиций. Тут-то я и задумался: а не сменить ли мне сферу деятельности? Когда через несколько дней я пришел на прием к боссу, он меня ободрил. Оказалось, что он хочет создать внутри банка нечто вроде комиссии по выработке стратегии, и его предложение состоит в том, чтобы я вошел в ее состав, когда закончится мое обучение. Я согласился с тем, что мне поможет учеба в Вестминстере, где сейчас находится его сын, и что придется сдать экзамен по математике.

Ты, конечно, спросишь: а как же те идеи, которым мы посвятили последние десять лет жизни? Как же литературная критика и все прочее? Знаешь, я не вижу тут коренной несовместимости. Я просто меняю одну семиотическую систему на другую, буквы — на цифры, игру с высокими философскими ставками на игру с высокими денежными ставками, но все равно игру, в которой получаешь удовольствие не только от выигрыша, но и от процесса, ибо в ней нет чистого победителя, ибо игра эта бесконечна. Кроме того, я совершенно не собираюсь забросить чтение. Почему бы деконструктивизму не стать моим хобби? Ведь собирают же люди экзотических рыб или модели железных дорог, и мне будет только легче предаваться этому занятию, если оно не связано с работой.

Дэвид Лодж

Честно говоря, я давно сомневался в целесообразности преподавания теории постструктурализма. Но душил в себе эти сомнения, как священник душит в себе сомнения теологические, прячет их одно за другим, пока в один прекрасный день не понимает, что в его душе не осталось свободного от сомнений места. И тогда он признается самому себе и всему миру в том, что утратил веру. Помнишь, пару месяцев назад у тебя дома мы разговаривали, и ты сказала: я преподаю постструктурализм, потому что я — адвокат дьявола? Ты хотела, чтобы тебя переубедили,— твой заводской приятель запудрил тебе мозги. В тот раз я ответил так, как тебе хотелось, но близко к истине. Ты тогда озвучила мои собственные сомнения, я вдруг услышал их со стороны.

Теория постструктурализма — это захватывающая философская игра для очень умных игроков. Но ирония ее преподавания молодым людям, которые не читали ничего, кроме хрестоматий и «Адриана Моля», которые ничего не знают о Библии и классической мифологии, которые не могут опознать эллиптическую конструкцию и читают стихи, не чувствуя ритма,— ирония преподавания им на третьей неделе первого курса произвольности означающего в конце концов становится болезненной…

Итак, я ушел из Саффолка, хоть они и сокрушались, и теперь у меня есть симпатичная сумма в тридцать тысяч фунтов, которую я собираюсь положить под двадцать пять процентов до конца года. Я переезжаю к Дебби, так что траты на жилье уменьшатся. Надеюсь, мы с тобой сможем остаться друзьями. Всегда буду думать о тебе с огромной симпатией и любовью.

Желаю удачи. Если кто и заслуживает постоянного места в университете, так это ты, Робин.

С любовью, Чарльз

— Ах ты, сволочь! — выругалась вслух Робин, дочитав письмо.— Законченная сволочь.

Но «законченная» в данном случае — гипербола. В письме были слова, которые особенно ее задели, а были и такие, которые Робин сочла лживыми и оскорбительными. Короче, все перепуталось.

Тем временем Вик Уилкокс переживал тяжелые времена, холил и лелеял свою безответную любовь. В будние дни еще ничего, можно завалить себя работой. Он сильнее прежнего поднажал на рационализацию производства в «Принглс», безжалостно мучил сотрудников, председательствовал на бесконечных совещаниях, вдвое чаще заглядывал без предупреждения в цеха. Результат его давления можно было услышать, приоткрыв дверь в механический цех: все гремело и скрежетало вдвое громче. В литейном начали расчищать место для нового станка, и Вик воспользовался этим, чтобы организовать генеральную уборку. Под его личным руководством выбросили груды мусора, скопившиеся за много лет.

Но даже для Вика количество рабочих часов в сутках было ограничено. Много времени оставалось и на другие дела: дорога на завод и обратно, вечера и выходные в кругу семьи, а главное — бессонные предрассветные часы в темной спальне, когда он не мог не думать о Робин Пенроуз и их ночи любви (а Вик настаивал на том, что это была именно ночь любви). Нет смысла во всех подробностях приводить здесь его мысли. Они не отличались разнообразием и легко угадываются: смесь эротических фантазий и эротических воспоминаний, подсознательного осуществления желания и жалости к себе, к тому же в сопровождении цитат из Дженнифер Раш. Все это сделало Вика еще молчаливее, и он совсем отстранился от домашних дел. Его все время обвиняли в невнимательности. Он вымыл чашки, которые уже были чистыми и сухими. Он пошел в гараж за инструментом, а придя туда, забыл, за чем пришел. Как-то утром он проехал полпути до Вест-Уоллсбери, удивляясь, как мало на дорогах машин, а потом вспомнил, что сегодня воскресенье и ехать он должен за отцом. А однажды вечером поднялся наверх, чтобы переодеть брюки, механически снял с себя всю одежду и облачился в пижаму. И только позже, ложась спать, заметил свою оплошность. В эту минуту в комнату вошла Марджори и уставилась на него.

— Что ты делаешь? — спросила она.

— Собираюсь лечь пораньше, — нашелся Вик, откидывая покрывало.

— Но сейчас только половина девятого.

— Я устал.

— Наверно, ты заболел. Может, вызвать врача?

— Нет, я просто устал. — Он лег в постель и закрыл глаза, чтобы не слушать взволнованных реплик Марджори.

— Что случилось, Вик? — кудахтала она. — Что-нибудь на работе?

— Нет, — ответил он. — На работе все волшебно. Завод расцветает. В этом месяце выходим на прибыль.

— Тогда что с тобой происходит? Ты сам не свой. Ты изменился после поездки в Германию. Может, подхватил вирус?

— Нет, — сказал Вик. — Вируса я не подхватывал. — Он не говорил Марджори, что Робин ездила во Франкфурт вместе с ним.

— Я принесу тебе аспирин.

Вик слышал, как она ходит по комнате, задергивает шторы, а потом просит Реймонда сделать музыку потише, потому что папе нездоровится. Чтобы больше ничего не объяснять, он проглотил аспирин и очень быстро уснул. А в три часа ночи проснулся. Все время, оставшееся до звонка будильника, у него в голове крутились кадры из фильма с ним самим и Робин Пенроуз в главных ролях, после чего он виновато прокрался в ванную *en suite*, чтобы предаться там юношескому удовольствию.

— Марджори очень беспокоится за тебя, — сказал в следующее воскресенье его отец, когда Вик вез его домой после чая.

Вик изобразил удивление.

— С чего бы это?

— Она говорит, что ты сам не свой. Не такой, как обычно.

— Со мной все в порядке, — заверил Вик. — А когда она это сказала?

—Сегодня днем, когда ты ушел. С какой стати ты отправился на прогулку один?

—Ты спал,—объяснил Вик.—А Марджори гулять не любит.

—Мог бы пригласить ее.

Вик промолчал.

—Дело, часом, не в подружке?—не унимался отец.

—В ком?—переспросил Вик и заставил себя рассмеяться.

—Ты случайно не завел себе молоденькую? Я много раз видел, как это бывает,—затараторил отец так быстро, словно боялся получить ответ на свой вопрос.—Боссы и их секретарши. На работе частенько закручивается.

—Моя секретарша—настоящая мегера,—ответил Вик.— Кроме того, она уже занята.

—Рад это слышать. Помяни мое слово, сынок, игра не стоит свеч. Много я видел парней, которые бросали жен ради молоденьких подружек. А кончалось все тем, что они оставались без гроша, потому что содержали две семьи из одного кармана. Лишились домов и всей обстановки. Жены забрали все подчистую. Подумай об этом, Вик, когда в следующий раз какая-нибудь птичка состроит тебе глазки.

На сей раз Вик действительно расхохотался.

—Смейся, смейся,—обиделся отец.—Но ты будешь не первым, кто повел себя как дурак из-за милой мордашки и ладненькой фигурки. А еще это быстро кончается.

—В отличие от недвижимости.

—Точно.

Этот абсурдный разговор не прошел для Вика даром: он насторожился. Письма Робин он писал на работе, во время обеденного перерыва, когда Ширли не было в офисе, и отправлял их собственноручно. Звонил он ей из автоматов по дороге на работу и с работы. Его попытки связаться с Робин не имели успеха, но Вику становилось легче. Секретность он не нарушал.

А вот Марджори действительно забеспокоилась. Ее хождения по магазинам приобрели оттенок маниакальности. Каждый день она приносила домой то новое платье, то туфли и частенько назавтра ходила их менять. Она сменила прическу и часами рыдала над результатом. Она села на диету, состоявшую из одних грейпфрутов, но через три дня отказалась от нее. Она купила велотренажер, поставила его в спальне для гостей, и из-за двери нет-нет да и раздавалось ее сопение и пыхтение. Она купила устройство для принятия солнечных ванн, которое привезли на дом и собрали, и лежала под лампой в раздельном купальнике и темных очках, включая кухонный таймер на случай, если сломается встроенный, потому что панически боялась пережариться. Вик понимал, что она хочет быть привлекательной для него, вероятно, следуя советам какого-нибудь дрянного женского журнала. Он был глубоко тронут, но воспринял это несколько отстраненно. Марджори взирала на него с противоположного берега его наваждения, и в ее взгляде сквозил немой ужас и беспокойство, как у собаки, боящейся лишиться дома. Иногда Вику казалось, что стоит протянуть руку, и Марджори подбежит к нему и начнет лизать его лицо. Но как раз этого он сделать не мог. Просыпаясь среди ночи, он больше не искал уюта, придвигаясь поближе к теплой жене. Он лежал на краю кровати, подальше от свернувшейся калачиком, одурманенной валиумом женщины, которая похрапывала и посвистывала, мешая ему думать о том, как связаться с Робин Пенроуз.

Часть VI

История рассказана. И мне кажется, я
вижу, как рассудительный читатель
надевает очки и ищет в ней мораль.
Для его проницательности будет ос-
корбительно получить рекомендации.
Могу лишь сказать следующее: Бог
помочь ему в его поисках!

Шарлотта Бронте. Ширли

1

Новый семестр начался с того, что распогодилось. Студенты резвились на лужайках кампуса, девушки в ярких платьях расцветали, как крокусы под теплыми солнечными лучами. Кругом слышался смех, музыка, под деревьями вовсю флиртовали. Некоторые группы настояли на проведении занятий под открытым небом: сидели по-турецки прямо на траве и беседовали о философии или физике, как эфебы золотого века. Но эта идиллия была обманчива. Студенты со страхом ждали предстоящих экзаменов и знали, что за порогом Университета им вполне может грозить безработица. А преподаватели ждали письма УГК, которое решит их будущее. Впрочем, для Робин это письмо было последней надеждой на продление срока ее работы. По словам профессора Лоу, если Раммиджский университет, и в особенности английская кафедра, получат финансовую поддержку от Комиссии по грантам, то тогда, как только в следующем году Руперт Сатклиф выйдет на пенсию (отнюдь не раньше положенного срока, подчеркнул Лоу), им позволят занять эту вакансию.

Все каникулы Робин проработала над книгой и, вопреки обыкновению, не очень хорошо подготовилась к занятиям, поэтому первая неделя получилась сумбатошной. Ей пришлось каждую ночь засиживаться допоздна, срочно освежая в памяти «Ярмарку тщеславия», «Портрет Дориана Грея», «Радугу» Д. Г. Лоуренса и «1984», по которым она назначила семинары.

Дэвид Лодж

Не говоря уже о том, что нужно было перечитать собственную лекцию по творчеству Вирджинии Вулф и впервые в жизни ознакомиться с романами Дороти Ричардсон к семинару по женской прозе. Впрочем, эта каторжная работа помогла на время забыть о Чарльзе и его вероотступничестве. Что касается Вика Уилкокса, то своим скоропалительным отъездом из Раммиджа Робин добилась желаемого результата: он больше не обрывал телефон и не заваливал ее письмами. И вдруг она почувствовала себя свободной от двух мужчин, повлиявших на ее жизнь: один — в недавнем прошлом, другой — на протяжении долгого времени. Она снова принадлежала только самой себе. Если бы рассудок не разжигал в ней вполне естественное удовлетворение, она почувствовала бы себя одинокой и забытой к концу недели. Но Робин решила, что она попросту переработала.

Суббота подарила приятное разнообразие. По пути из США куда-то еще, в Раммидж заглянул друг Филиппа Лоу, профессор Моррис Цапп, и Лоу устроил в его честь прием, на который в числе прочих пригласили и Робин. Она была знакома с его публикациями. Начав с весьма оригинального исследования творчества Джейн Остен в русле неокритического направления, в 70-е годы Цапп увлекся деконструктивизмом и обрел мировую известность в обеих своих ипостасях. Кроме того, он был чем-то вроде местной раммиджской легенды, умудрившись в 1969 году помочь кафедре без потерь пережить студенческую революцию. В то время он работал здесь по обмену с Филиппом Лоу, уехавшим в Америку. По словам Руперта Сатклифа, мужчины обменялись не только должностями. Он нашептал Робин, что между Цаппом и Хилари Лоу завязались более чем тесные отношения. В то же время Лоу сошелся с тогдашней супругой Цаппа, Дезире, впоследствии прославившейся книгами «Критические дни» и «Мужчины» — бестселлерами, написанными в стиле, который Робин окрестила «вульгарным феминизмом». Короче говоря, Робин было очень интересно познакомиться с Цаппом.

На модернизированную викторианскую виллу Лоу Робин приехала с некоторым опозданием, и в гостиной уже толпились гости. Но почетного гостя она опознала без труда, бросив взгляд в освещенное окно, когда шла по тропинке к парадному входу. На нем был летний пиджак канареечного цвета в голубую клетку, и еще он курил сигару размером с дирижабль. Цапп был скорее крепким, чем толстым, с седыми волосами и уже проявившейся лысиной, с морщинистым загорелым лицом и седыми усами, которые печально обвисли, вероятно, оттого что в этот момент он слушал Боба Басби.

Филипп Лоу открыл дверь и проводил Робин в гостиную.

— Позвольте представить вас Моррису,— сказал он.— Его пора спасать.

Робин послушно проследовала за Лоу сквозь толпу, и тот увел Морриса Цаппа от Боба Басби, слегка оттеснив последнего плечом.

— Моррис,— сказал он,— это Робин Пенроуз, та самая девушка, о которой я тебе рассказывал.

— Девушка? Что ты говоришь, Филипп? Девушка! У вас здесь что, одни кастраты? Ты хотел сказать: женщина. Или леди. Вам как больше нравится? — спросил он Робин, пожимая ей руку.

— Лучше всего—личность,—ответила Робин.

— Хорошо, личность. Ты не нальешь чего-нибудь этой личности, Филипп?

— Да, конечно,— спохватился несколько смутившийся Лоу.—Красное или белое?

— Может, чего-нибудь покрепче? — спросил Цапп, у которого в руке был стакан виски.

— Ну, да… э-э… конечно, если…— еще больше смутился Лоу.

— С удовольствием выпью белого,— спасла положение Робин.

— Всегда безошибочно определяю, что нахожусь в Англии,—сказал Моррис Цапп, когда Филипп Лоу ушел.—Потому что, оказавшись на вечеринке, сразу слышу это «красное или белое». Я даже думал, что это своеобразный пароль, как будто у вас все еще идет Война Алой и Белой Розы.

—Вы надолго приехали?—поинтересовалась Робин.

—Завтра лечу в Дубровник. Бывали там?

—Нет.

—Я тоже. Собираюсь нарушить правило никогда не ездить на конференции в коммунистические страны.

—Несколько нетерпимое правило, вы не находите?— спросила Робин.

—Дело не в политике, просто мне рассказывали страшные истории об отелях в Восточной Европе. Но, говорят, Югославия почти западная страна, вот я и решил рискнуть.

—Далековато вам придется ехать.

—О, у меня не одна конференция. После Дубровника поеду в Вену, затем в Женеву, Ниццу и Милан. В Милан у меня частная поездка,—уточнил Цапп, приминая кончики усов вверх тыльной стороной ладони.—Хочу повидаться со старым приятелем. Но все остальное—конференции. Бывали в последнее время на чем-нибудь интересненьком?

—Нет. К сожалению, в этом году пропустила конференцию университетских преподавателей.

—Если это то же самое, на чем я присутствовал в семьдесят девятом году, тогда вы правильно сделали,—сказал Моррис Цапп.—Я имею в виду настоящие конференции, международного масштаба.

—Я не могу себе этого позволить,—ответила Робин.—Наши фонды на загранпоездки сократили почти до нуля.

—Сокращения, сокращения…—проговорил Цапп.—Здесь все только об этом и говорят. Сначала Филипп, потом Басби, теперь вот вы.

—Такова сегодняшняя жизнь британских университетов, Моррис,—включился в беседу Филипп Лоу, передавая Робин ее бокал с тепловатым вином.—Все свое время я просиживаю на заседаниях разных комиссий, где мы обсуждаем, как нам реагировать на сокращения. За последние несколько месяцев не прочитал ни одной книги. Где уж тут говорить о том, чтобы ее написать…

—А я как раз это сделала,—заметила Робин.

—Прочитала или написала?—уточнил Моррис Цапп.

—Написала. Точнее, пока три четверти книги.

—Ох, Робин,—вздохнул Филипп Лоу,—вы пристыдили нас всех. Что мы будем без вас делать?—И он зашаркал прочь, сокрушенно качая головой.

—Вы уезжаете из Раммиджа, Робин? — спросил Моррис Цапп.

Она объяснила ситуацию.

—Как вы видите,— подытожила Робин,— эта книга очень важна для меня. Если в ближайший год где-нибудь появится свободное место, я постараюсь получить его, уже имея на счету две книги.

—Вы правы,—кивнул Цапп.—В этой стране найдется тьма профессоров, у которых гораздо меньше публикаций.— И он посмотрел туда, где стоял Филипп Лоу.—О чем ваша книга?

Робин рассказала. Моррис Цапп вкратце расспросил о содержании и методологии. Между ними, как в перестрелке, летали имена маститых критиков и теоретиков феминистской литературы: Илэйн Шуолтер, Сандра Гилберт, Сюзан Губер, Сусанна Фелман, Люс Ирригарэ, Катрин Клеман, Сюзан Сулейман, Мик Бол. Моррис Цапп читал работы всех этих авторов. И даже порекомендовал ознакомиться со статьей в последнем номере «Поэзии сегодня», которую Робин еще не видела. Под конец он спросил, договорилась ли она о публикации ее книги в Америке?

—Нет, мои издатели сами договаривалась с американскими коллегами насчет моей первой книги—о рабочем романе. Думаю, что так же будет и на этот раз.

—Кто ваши издатели?

—Ликки, Виндраш и Бернштейн.

Моррис Цапп состроил гримасу.

—Это ужасно. Неужели Филипп не рассказывал вам, что они с ним сделали? Потеряли все экземпляры, которые отправляли на рецензии. Прислали их только через год.

—О господи!—всплеснула руками Робин.

—В Америке ваш тираж разошелся?

—Точно не знаю. По-моему, не очень.

—Я сотрудничаю с издательством Эйфорийского университета, рецензирую рукописи,— сказал Моррис Цапп.— Пришлите мне распечатку, я посмотрю.

—Это невероятно любезно с вашей стороны,— поблагодарила Робин,— но у меня контракт с «Ликки, Виндраш и Бернштейн».

—Штат Эйфория может купить права на публикацию, и это будет в интересах ваших издателей,— заверил Цапп.— Они даже смогут продать пленки. Впрочем, мне еще может и не понравиться. Хотя вы производите впечатление умненькой девочки.

—Личности.

—Извините, личности.

—Как мне переслать вам рукопись?

—Может, вы завезете мне ее завтра утром, до половины девятого?—предложил Моррис Цапп.—Я вылетаю из «Хитроу» в девять сорок пять.

Робин рано уехала с банкета. Когда она пробиралась к выходу, ее перехватил Филипп Лоу.

—Почему вы так рано уезжаете?—спросил он.

—Профессор Цапп любезно согласился посмотреть мою рукопись. Работа пока на дискетах, вот я и еду, чтобы ее распечатать.

—Какая жалость, что вы приехали без него,— сказал Лоу.

—Без кого?

—Без вашего молодого человека из Саффолка.

—Ах, вы о Чарльзе! Мы больше не видимся. Он теперь работает в коммерческом банке.

—В самом деле? Как интересно.—Лоу пораскачивался взад-вперед, то ли от опьянения, то ли от усталости, этого Робин не поняла, и оперся рукой о стену, преграждая ей путь к выходу. Боковым зрением Робин увидела, что миссис Лоу взирает на них с подозрением.—Невероятно, насколько за последнее время возрос интерес к деньгам. Знаете, я и сам вдруг начал почитывать страницы о бизнесе в «Гардиан», хотя тридцать лет пролистывал ее от искусства до спорта.

— Не могу сказать, что меня это интересует,— сказала Робин, подныривая под рукой профессора.— Увы, мне пора.

— Наверно, все началось с того, как я купил акции «Бритиш Телеком»,— продолжал Лоу, провожая Робин до двери.— Знаете, с тех пор они вдвое подорожали.

— Поздравляю,— ответила Робин.— И какова ваша прибыль?

— Двести фунтов,— сообщил Лоу.— Теперь жалею, что мало купил. Вот думаю, может вложить деньги в газ? Как вы думаете, ваш молодой человек согласится дать мне дельный совет?

— Он не мой молодой человек,— сказала Робин.— Напишите ему письмо и спросите.

Всю ночь Робин распечатывала книгу и утешала себя тем, что ее усилия окупятся с лихвой, если она сможет проторить себе дорожку в такое престижное место, как издательство Эйфорийского университета. К тому же было в Моррисе Цаппе что-то внушавшее надежду. Он принес с собой свежий ветерок в затхлую атмосферу Раммиджского университета, одним своим присутствием показав, что есть еще в мире места, где преподаватели и критики уверенно добиваются своих профессиональных целей, где проводятся конференции и на них выделяют средства, где непринужденная беседа на вечеринке приведет скорее к публикации книги или статьи, чем к снижению финансирования твоей кафедры. Робин заново поверила в свою книгу и в свое призвание, а потому упрямо сидела, склонившись над компьютером, зевая и глядя на экран покрасневшими глазами.

Даже в черновом режиме распечатка шестидесяти тысяч слов заняла много времени, и когда Робин кончила работу, было четверть девятого утра. Она вскочила в машину и помчалась по пустынным улицам воскресного Раммиджа, чтобы успеть отвезти свое творение. Было ясное солнечное утро, дул сильный ветер, он срывал лепестки с цветущих вишневых деревьев. Перед домом Лоу пофыркивало такси. На крыльце Хилари Лоу в домашнем халате прощалась с Моррисом Цаппом, а Филипп, с чемоданом Цаппа в руке, нетерпеливо переминался с ноги на ногу посередине садовой дорожки и был похож на покладистого рогоносца, провожающего любовника своей жены. Впрочем, если между Цаппом и миссис Лоу и были когда-то сильные чувства, то они явно остыли. Этот вывод Робин сделала из того, как сдержанно, по-дружески они чмокнули друг друга в щечку. В самом деле, невозможно было представить себе, что эти три пожилых человека вовлечены в любовный треугольник.

— Пошли, Моррис! — позвал Лоу.— Такси ждет.— Тут он обернулся и заметил Робин.— Боже мой, Робин! Что вы здесь делаете в такую рань?

Пока она еще раз все объясняла, Моррис Цапп вразвалочку спустился с крыльца и подошел к ним.— Привет, Робин! Как делишки? — Он достал из кармана длинную сигару, похожую на стратегическую ракету, и запихнул ее в рот, сжав зубами.

— Вот распечатка.

— Отлично. Прочитаю, как только смогу.— Он поджег сигару и выпустил дым.

— Как я вам говорила, книга не закончена. И не выверена.

— Конечно, конечно,— кивнул Цапп.— Я сообщу вам о своих впечатлениях. Если понравится — позвоню, если нет — пришлю обратно. Там есть ваш номер телефона?

— Нет,— сказала Робин.— Но я сейчас припишу.

— Да, пожалуйста. Вы заметили, что в наше время хорошие новости поступают по телефону, а дурные — по почте?

— Только сейчас, когда вы сказали,— ответила Робин и написала свой телефон на папке с распечаткой.

— Моррис, такси! — напомнил Филипп.

— Успокойся, Филипп, оно ведь не собирается сбежать. Правда, шеф?

— Никак нет, сэр,— ответил водитель.— Мне все равно.

— Ну вот,— сказал Моррис Цапп, пряча папку в чемоданчик, набитый книгами и периодикой.

— Я только говорю, что счетчик тикает.

— Ну и что?

—Пожалуй, я стал немножко нервным с тех пор, как меня назначили деканом,—вздохнул Филипп Лоу.—И ничего не могу с этим поделать.

—Не раскисай, Филипп,—подбодрил Цапп.—Или, как говорят у вас в Британии, держи хвост пистолетом.—Он засмеялся и тут же закашлялся от дыма.—Надо бы тебе как-нибудь навестить Эйфорию. Тебе будет полезно посмотреть, как мы тратим деньги.

—Ты собираешься стоять тут до пенсии?—спросил Лоу.

—До пенсии? Ненавижу это слово,—фыркнул Цапп.—Кстати, недавно выяснилось, что принудительный выход на пенсию противоречит конституции и является формой дискриминации. И зачем мне уходить? По контракту со штатом Эйфория, никто из гуманитариев не может получать больше, чем я. Если они захотят переманить к себе кого-нибудь на баснословные деньги, им придется платить мне по крайней мере на тысячу долларов больше, чем этому счастливчику.

—А почему это распространяется только на гуманитариев?—поинтересовался Лоу.

—Нужно трезво смотреть на вещи,—ответил Цапп.—Парни, которые лечат рак или могут взорвать весь мир, заслуживают большей зарплаты, чем литературный критик.

—Никогда раньше не слышал от тебя ничего более скромного,—оценил Лоу.

—Ну, все мы с возрастом мягчаем,—сказал Цапп, загружаясь в такси.—Чао, ребята!

Машина рванулась с места, подняв в воздух тучи опавших лепестков. Робин и Лоу стояли на тротуаре и махали вслед, пока такси не скрылось за поворотом.

—Он забавный, не правда ли?—спросила Робин.

—Он жулик,—ответил Лоу.—Симпатичный жулик. Странно, что он захотел взглянуть на вашу книгу.

—Почему?

—Обычно он феминисток на дух не выносит. Ему от них в свое время здорово досталось на конференциях и в журналах.

—Он хорошо осведомлен о современной литературе.

— О, Моррис всегда обо всем хорошо осведомлен, нужно отдать ему должное. Хотя интересно, в какие игры он играет?..

— Не думаете же вы, что он способен на плагиат и украдет мою книгу? — спросила Робин, которая слышала, что такое случается.

— Не думаю, — успокоил Лоу. — Работу по феминистской критике ему будет затруднительно выдать за свою. Хотите зайти, выпить кофе?

— Спасибо, но я всю ночь не спала, печатала книгу. Поэтому хочу только одного — спать.

— Как вам будет угодно, — сказал Лоу, провожая ее до машины. — Кстати, что у вас там с отчетом?

— С отчетом?

— По Теневому Резерву.

— Ах, с этим... Честно говоря, опаздываю, — призналась Робин. — Все каникулы проработала над книгой.

— Понятно, — кивнул Лоу. — Впрочем, это можно отложить до окончания второго этапа.

Робин не поняла, что имел в виду Филипп Лоу, и приписала странность последней реплики его глухоте, а кроме того, она слишком устала, чтобы пытаться выяснить ее смысл. Она поехала домой и проспала почти до вечера, а когда проснулась, напрочь обо всем забыла. И только приехав в Университет на следующее утро и увидев Вика Уилкокса, который беседовал с Лоу в переполненном коридоре возле английской кафедры, она снова вспомнила о том странном разговоре. Вик, одетый в черный деловой костюм, в начищенных кожаных ботинках, выглядел среди по-весеннему ярких и легкомысленных нарядов студентов как черный ворон, подсаженный в клетку к экзотическим птицам. Рядом с Виком даже Филипп Лоу в бежевом хлопчатобумажном пиджаке и в мягких туфлях от «Хаш Паппиз» казался поразительно несолидным. Лоу увидел Робин и жестом подозвал к себе.

— Ну, вот и вы,— сказал он.— Я обнаружил вашу тень перед дверью кафедры, одинокого и неприкаянного. Оказалось, что он ждет здесь с девяти часов.

— Привет, Робин,— сказал Вик.

Робин не обратила на него внимания.

— В каком смысле *мою* тень? — спросила она у Лоу.

— Ну, тогда все ясно,— понимающе кивнул профессор.

— *В каком смысле мою тень*? — громко повторила Робин, перекрывая гул голосов.

— Да, это второй этап Теневого Резерва. Мы говорили об этом вчера.

— Я не понимала, о чем вы говорили,— сказала Робин.— Да и сейчас не пойму,— прибавила она, хоть и начала догадываться.

Филипп Лоу беспомощно переводил взгляд с одного на другого.

— Я думал, что мистер Уилкокс…

— Я писал вам об этом,— подсказал Вик.

— Видимо, письмо затерялось,— ответила Робин. Она заметила, что в другом конце коридора, возле расписания занятий третьего курса, стоит Мерион Рассел и смотрит на них так, словно пытается понять, кто же такой Вик Уилкокс.

— О господи! — воскликнул Лоу.— Так вы не знали, что мистер Уилкокс придет сегодня?

— Нет,— сказала Робин.— Я вообще не рассчитывала его увидеть.

— Видите ли,— объяснил Лоу,— во время каникул, пока вас не было в Раммидже, мистер Уилкокс обратился к вице-канцлеру с предложением продлить программу Теневого Резерва. Видимо, этот эксперимент произвел на него такое впечатление…— сказал Лоу и обнажил в широкой улыбке свои желтые зубы,— …что он решил его продолжить, так сказать, в обратном направлении.

— Да, теперь я стану вашей тенью,— сказал Вик.— В конце концов, если основная мысль состоит в том, чтобы укрепить связи между промышленностью и Университетом, это должен быть двусторонний процесс. Нам, промышленникам,— добавил он,— многому нужно поучиться.

—Бесполезно,— буркнула Робин.

—Чудесно,— ответил Лоу, потирая руки.

—Я сказала, что не буду в этом участвовать,— почти закричала Робин.

—Почему?—удивился Лоу.

—Мистер Уилкокс знает,— сказала Робин.

—Нет, не знаю,— возразил Вик.

—Это нечестно по отношению к студентам. На носу экзамены. Ему придется сидеть на моих занятиях.

—Я буду тих, как мышка,— пообещал Вик.—И не помешаю.

—Студенты вряд ли будут возражать,— сказал Филипп Лоу.—А кроме того, это только раз в неделю.

—Раз в неделю?—переспросила Робин.—Странно, как это мистер Уилкокс на целый день бросит свой завод? Я думала, он незаменим.

—Сейчас все идет гладко,— успокоил Вик.—А мне уже причитается много выходных.

—Если мистер Уилкокс готов пожертвовать выходными, я, право, думаю, что…—Лоу умоляюще взглянул на Робин.—Вице-канцлер *очень* заинтересован.

Робин вспомнила о своем отчете ТФИИРУ и о том, что он может помочь ей получить постоянную работу в Раммидже.

—По-моему, у меня нет выбора. Я права?—спросила она.

—Прекрасно!—обрадовался Лоу и облегченно вздохнул.— В таком случае, мистер Уилкокс, передаю вас в умелые руки Робин. Конечно, в метафорическом смысле. Ха-ха!—Они с Уилкоксом обменялись рукопожатиями, и Лоу исчез на кафедре. Робин провела Вика в свой кабинет.

—Я расцениваю все это как закулисные интриги,— сказала она, когда они остались одни.

—Ты о чем?

—Только не надо делать вид, что тебе безумно интересно узнать, как работает кафедра английской литературы.

—Напротив, мне очень интересно.— Он осмотрелся.— Ты прочитала все эти книги?

—Когда я впервые приехала в «Принглс», ты продемонстрировал мне абсолютное презрение к моей работе.

—Я был зол,— ответил Вик.— Из-за Теневого Резерва.

—По-моему, ты устроил все это ради того, чтобы увидеть меня,— сказала Робин. Она со стуком водрузила на стол свою сумку и стала вынимать из нее книги, папки и тетради.

—Я хотел посмотреть, чем ты занимаешься,— объяснил Вик.—Я хочу учиться. Я прочитал те книги, о которых ты говорила—«Джен Эйр» и «Меркнущие высоты».

На такую приманку Робин не клюнуть не могла.

—И что ты о них думаешь?

—«Джен Эйр» мне понравилась. Правда, немножко затянуто. А в «Меркнущих высотах» я запутался—кто есть кто?

—Это сделано намеренно.

—Правда? А зачем?

—Одни и те же имена возникают в разных сочетаниях и в разных поколениях. Кэтти-старшая, урожденная Кэтрин Эршоу, в браке становится Кэтрин Линтон. Кэтти-младшая, то есть Кэтрин Линтон, в первый раз выходит замуж за Линтона Хатклифа, сына Изабеллы Линтон и Хатклифа, и становится Кэтрин Хатклиф, а по второму мужу — Хейртону Эршоу — превращается в Кэтрин Эршоу. Иными словами, в конце жизни она носит имя своей матери—Кэтрин Эршоу.

—Тебе бы поучаствовать в конкурсе «Выдающийся ум»,— сказал Вик.

—Это действительно сбивает с толку, особенно учитывая сдвиги во времени,— продолжала Робин,— но именно это и делает «Меркнущие высоты» столь выдающимся романом той эпохи.

—Я так не думаю. Многим он понравился бы больше, не будь он таким мудреным.

—Трудности генерируют смысл. Они заставляют читателя больше работать головой.

—Но чтение — это противоположность работы,— возразил Вик.— Книги читают, приходя домой с работы, чтобы отдохнуть.

—У нас здесь,—сказала Робин,—чтение и есть работа. Чтение—это производство, а производим мы смысл.

В дверь постучали, потом она медленно приоткрылась, и в комнату просунулась голова Мерион Рассел, похожая на пальчиковую куклу. Она похлопала глазами на Робин и Вика, после чего исчезла. Дверь снова закрылась, из коридора послышались шуршание и шорохи, как будто там хозяйничали мыши.

—У меня десятичасовой семинар,—объяснила Робин.

—Ты обычно начинаешь работать в десять?

—Я никогда не прекращаю работать,— сказала Робин.— Когда я не работаю здесь, я работаю дома. Это тебе не завод. Мы не включаемся и не выключаемся. Сядь вон в том углу и постарайся как можно меньше бросаться в глаза.

—А о чем будет семинар?

—Теннисон. Вот, возьми,—она протянула ему сборник Теннисона, дешевое старенькое издание с сентиментальными картинками, которое еще студенткой купила в букинистическом магазине и пользовалась им много лет, до тех пор, пока не вышло аннотированное лонгменовское издание.

Робин подошла к двери и открыла ее.

—Пожалуйста, проходите,— радушно пригласила она студентов.

На сей раз настала очередь Мерион Рассел открывать семинарскую дискуссию — она должна была зачитать небольшое сообщение по теме, выбранной из старого списка экзаменационных вопросов. Но когда студенты вошли в кабинет и расселись вокруг стола, Мерион среди них не оказалось.

—А где Мерион?—спросила Робин.

—Ушла в туалет,— ответила Лаура Джонс, крупная рослая девушка в спортивном костюме, совмещавшая обучение на Физкультурном факультете и Факультете Изящных Искусств, чемпионка Университета по толканию ядра.

—Она сказала, что плохо себя чувствует,—добавила Хелен Лоример, у которой ногти были покрыты зеленым лаком—в тон волосам, а в уши вдеты пластмассовые сережки: улыбающаяся мордашка в одном ухе, грустная—в другом.

—Она дала мне свой доклад, чтобы я его прочитал,—сообщил Саймон Бредфорд, худощавый молодой человек с тоненькой бородкой и в очках с толстыми стеклами.

—Подождите меня,—сказала Робин,—пойду посмотрю, что с ней случилось. Да, кстати, это мистер Уилкокс, он присутствует на занятиях по программе в честь Года Промышленности. Надеюсь, все вы знаете, что этот год объявлен Годом Промышленности?—Студенты смотрели на нее безо всякого интереса.—Попросите мистера Уилкокса, чтобы он вам рассказал.—И Робин вышла из комнаты.

Она обнаружила Мерион Рассел в женском туалете для преподавателей.

—Что случилось, Мерион?—спросила Робин.—Предменструальное недомогание?

—Тот человек…—отозвалась Мерион Рассел.—Это ведь он был на заводе, да?

—Да.

—Что он здесь делает? Пришел жаловаться?

—Конечно, нет. Просто присутствует на семинаре.

—Зачем?

—Долго объяснять. Пойдемте, все вас ждут.

—Я не могу.

—Почему?

—Мне стыдно. Он видел меня в одном белье.

—Он вас не узнает.

—Нет, узнает.

—Нет, не узнает. Вы выглядите совершенно иначе.

На Мерион в тот день были широкие шаровары и огромного размера футболка с портретом Боба Гелдофа, стилизованного под Христа.

—О чем у вас доклад?

— О борьбе оптимизма и пессимизма в лирике Теннисона,— сказала Мерион.

— Ну, так пошли. Послушаем его.

Если Вик и объяснял оставшимся трем студентам, что такое Год Промышленности, он был предельно лаконичен: когда Робин и Мерион Рассел вернулись в кабинет, там уже было тихо. Вик листал сборник Теннисона, а студенты смотрели на него, как кролики на великолепного горностая. Вик бросил взгляд на вошедшую Мерион, но, как Робин и предсказывала, не узнал ее.

Мерион стала монотонно и тихо читать свой доклад. Все шло гладко до тех пор, пока она не сказала, что строка из «Локсли Холл» — «Пусть огромный мир помчится по желобкам перемен» — напоминает нам о железных дорогах викторианской эпохи. Вик поднял руку.

— Да, мистер Уилкокс? — сказала Робин так приветливо, как только смогла.

— Наверно, он думал скорее о трамваях, чем о поездах,— заметил Вик.— Колеса поезда не ездят по желобкам.

Саймон Бредфорд звонко рассмеялся, но, перехватив взгляд Робин, тут же пожалел об этом.

— Вам понравилось предположение, Саймон? — спросила Робин.

— Ну…— протянул он.— Трамваи, на мой взгляд, не слишком поэтичны.

— В той книге, которую я читала, говорится об эпохе железных дорог,— защищалась Мерион.

— В какой книге? — уточнила Робин.

— В одной критической книжке. Теперь уже не помню, в какой именно,— откликнулась Мерион, быстро просматривая свои записи.

— Всегда записывайте, какой вспомогательной литературой вы пользовались,— сказала Робин.— Это хоть и мелочь, но очень интересная. Когда Теннисон писал это стихотворение, он находился под впечатлением того, как колеса поездов бегут по желобкам.— И она зачитала сноску из лонгменовского аннотированного издания:—«Когда я первый раз ехал на поезде из Ливерпуля в Манчестер в 1830 году, я думал, что колеса бегут по желобкам. Была темная ночь, а на станции вокруг поезда собралась такая толпа, что колес я не видел. Тогда-то я и написал эту строку».

На сей раз засмеялся Вик.

— Что ж, выходит, он ошибся?

— Так каков же будет ответ? — спросила Лаура, увлеченная литературой девушка, которая на семинарах записывала за Робин каждое слово.— Это поезд или трамвай?

— Либо одно, либо другое,— ответила Робин.— На самом деле неважно. Продолжайте, Мерион.

— Погодите,— вмешался Вик.— И то и другое быть не может. «Желобки» — это… как вы ее называли?.. метонимия?

На студентов его замечание произвело сильное впечатление. А Робин была тронута тем, что Вик запомнил ее слова, и поправила его даже с некоторым сожалением.

— Нет, это метафора. «Желобки перемен» — типичная метафора. Мир, мчащийся сквозь века, сравнивается здесь с чем-то, что движется по железным рельсам.

— Но раз там желобки, тогда понятно, по каким именно.

— Совершенно верно,— согласилась Робин.— Имеет место метонимия внутри метафоры. А если уж быть совсем точным, синекдоха — часть в значении целого.

— Но представляя себе желобки, я вовсе не думаю о поезде. Это должен быть трамвай.

— А что думают остальные? — спросила Робин.— Хелен?

Хелен Лоример неохотно подняла глаза на Робин.

— Если Теннисон думал, что пишет о поезде, значит, это поезд,— сказала она.

— Не обязательно,— возразил Саймон Бредфорд.— Это умышленный обман.

И он посмотрел на Робин, ожидая ее одобрения. В прошлом году Саймон Бредфорд ходил на ее семинар по литературной критике. Хелен Лоример туда не ходила, об умышленном обмане не слышала, и выглядела теперь столь же растерянно, как и сережка в ее левом ухе.

Все замолчали и с надеждой смотрели на Робин.

— Это апория,— сказала она.— Случайная апория, необъяснимая двусмысленность, неразрешимое противоречие. Мы знаем, что Теннисон замыслил аллюзию с железной дорогой и, как сказала Хелен, мы не можем сбрасывать это со счетов.— Эти аргументы заставили Хелен Лоример просиять, и теперь она была похожа на сережку в своем правом ухе.— Но еще нам известно, что поезда не ходят по желобкам, а все, что ходит, не отвечает метафорике данной темы. Как сказал Саймон, трамваи не слишком поэтичны. Поэтому читатель и путается в своих попытках понять заключенный в этой строке смысл.

— Вы хотите сказать, что это неудачная строка? — спросил Вик.

— Напротив, ответила Робин.— По-моему, это одна из немногих удачных строк в стихотворении.

— Если на экзамене будет вопрос об эпохе железных дорог, можно ее процитировать? — спросила Лаура Джонс.

— Да, Лаура,— с готовностью разрешила Робин.— Но только в том случае, если вы дадите понять, что знаете про апорию.

— Как она пишется?

Робин написала это слово ярким фломастером на листе картона, прикрепленном к стене.

— *Апория*. В классической риторике это искреннее либо притворное непонимание чего-либо во время дискуссии. Сегодня деконструктивисты называют так наиболее яркие противоречия или двусмысленности в читательском восприятии текста. Можно сказать, что это излюбленный троп деконструктивистов. Хиллис Миллер сравнивает его с тем, как человек идет по горной тропе и вдруг видит, что тропа кончилась, и он стоит в растерянности, не в состоянии двигаться ни вперед, ни назад. Само слово восходит к греческому, которое означает «непроходимая тропа». Продолжайте, Мерион.

Через несколько минут Вик, воодушевленный успехом своего вмешательства по поводу «желобка», снова поднял руку.

Мерион как раз вещала о том, что у Теннисона эмоции гораздо сильнее мыслей, и в подтверждение своего тезиса процитировала лирические излияния возлюбленного из «Мод»: «Так приди же в садик, Мод, / Ночка темная зовет».

— Да, мистер Уилкокс? — нахмурилась Робин.

— Это же песня, — сказал Вик. — «Так приди же в садик, Мод». Ее любил петь мой дедушка.

— В самом деле?

— Ну да. Там парень поет своей девушке. Очень известная песня. Это ведь совсем другое дело, правда?

— Теннисон написал «Мод» как стихотворение, — объяснила Робин. — А уже потом кто-то положил его на музыку.

— Увы, — сказал Вик, — значит, я ошибся. Или это апория?

— Нет, это ошибка, — заверила его Робин. — Я вынуждена попросить вас больше не прерывать занятия, иначе Мерион никогда не дочитает.

Вик обиженно умолк. Он ерзал на стуле, время от времени тяжело вздыхал, заставляя студентов нервно запинаться в середине фразы, он слюнявил палец, переворачивая страницы сборника Теннисона и с такой силой сжимал его в руках, что хрустели суставы пальцев. Но больше он не проронил ни слова. Через некоторое время он, видимо, утерял интерес к дискуссии и на свой страх и риск погрузился в чтение Теннисона. Когда семинар кончился и студенты ушли, он спросил Робин, можно ли ему взять эту книгу.

— Конечно. А зачем?

— Я подумал, что если почитаю ее, я лучше пойму то, о чем вы будете говорить через неделю.

— Через неделю у нас совсем не Теннисон. По-моему, «Дэниел Деронда».

— Ты хочешь сказать, что покончила с Теннисоном? И это все?

— В этой группе — да.

— Но ты же так и не сказала им, оптимист он или пессимист.

— Я никогда не говорю студентам, что они должны думать, — сказала Робин.

— Тогда откуда они возьмут правильные ответы?

—На такие вопросы не существует правильных ответов. Есть только интерпретации.

—Тогда зачем все это?—удивился Вик.—Зачем целый день сидеть и обсуждать книги, если от этого не становишься умнее?

—Но *ты* же стал,—возразила Робин.—Ты ведь узнал, что язык гораздо изворотливее и неопределеннее, чем ты привык считать.

—Тебе это нужно?

—Это нужно тебе,—поправила Робин, собирая книги и бумаги на письменном столе.—Хочешь взять до следующей недели «Дэниел Деронда»?

—А о чем он писал?

—Это не он, это книга. Автор—Джордж Элиот.

—А этот твой Элиот—хороший писатель?

—Это не он, это она. Видишь, как ненадежен язык? Да, хороший. Хочешь взять «Дэниел Деронда» вместо Теннисона?

—Я возьму обоих,—ответил Вик.—Тут есть один хороший кусочек.

Он открыл Теннисона и прочитал вслух, водя пальцем по строчкам:

«Женщина — уменьшенный мужчина, и порывы всех ее страстей— / Это лунный свет в сравненьи с солнцем и вода в сравнении с вином».

—Мне следовало бы предугадать, что ты западешь на «Локсли Холл»,—сказала Робин.

—Цепляет,—ответил Вик, листая страницы.—Почему ты не отвечала на мои письма?

—Потому что я их не читала,—объяснила Робин.—Даже не распечатывала.

—Это не очень мило с твоей стороны.

—Я слишком хорошо знала, что там написано,—сказала Робин.—А если ты собираешься вести себя глупо и сентиментально, воздействуя на меня Теннисоном, я немедленно отменю весь этот второй этап Теневого Резерва.

—Ничего не могу поделать. Все время вспоминаю Франкфурт.

—Забудь. Представь себе, что его не было. Хочешь кофе?

—Но должно же это для тебя хоть что-нибудь значить?

—Это была апория,— отозвалась Робин.— Непроходимая тропа. Она никуда не ведет.

—Да,— горестно произнес Вик.— Я застыл на месте. Не могу двигаться ни вперед, ни назад.

Робин вздохнула.

—Извини, Вик. Тебе не кажется, что мы слишком разные? Не говоря уже о том, что ты связан другими узами.

—Это не имеет значения,— заявил Вик.— Об этом я позабочусь.

—Мы с тобой из разных миров.

—Я могу измениться. Я уже изменился. Прочитал «Джен Эйр» и «Меркнущие высоты». Я избавился от картинок на заводе, я…

—Что ты сделал?

—Мы проводили генеральную уборку. Я воспользовался случаем и поснимал все картинки.

—Они повесят новые.

—Я попросил профсоюз поставить этот вопрос на голосование. Мастерам цехов все равно, а вот рабочие-азиаты пользуются определенным влиянием. Они, как ты знаешь, немножко ханжи.

—Вот это да! Я потрясена,— призналась Робин и благосклонно улыбнулась. Но это стало роковой ошибкой. К ее изумлению, Вик схватил ее за руку и бухнулся перед ней на колени, своей позой напомнив Робин одну из гравюр в старом издании Теннисона.

—Дай мне шанс, Робин!

Она вырвала руку и прошипела:

—Идиот, встань немедленно!

В эту самую минуту раздался стук в дверь, и в кабинет, едва дыша, ворвалась Мерион Рассел. Она так и застыла на пороге, уставившись на коленопреклоненного Вика. Робин отодвинула свой стул и тоже опустилась на колени.

— Мерион, мистер Уилкокс обронил ручку, — спокойно сказала она. — Не поможете нам ее найти?

— Ой, я не могу, — воскликнула Мерион. — У меня лекция. Я вернулась за сумкой. — И она указала на пакет с книгами, оставленный под стулом.

— Хорошо, — кивнула Робин, — возьмите его.

— Извините.

Мерион Рассел схватила пакет и вышла из кабинета, бросив по пути взгляд на Вика.

— Ну вот, — сказала Робин, поднимаясь с пола.

— Извини, я забылся, — проговорил Вик, отряхивая колени.

— А теперь, пожалуйста, уходи, — попросила Робин. — Я скажу Лоу, что передумала.

— Позволь мне остаться. Подобное больше не повторится.

Он выглядел растерянным и беспомощным. Предыдущая сцена напомнила Робин о том, как они пришли в ее номер во Франкфурте. Он тогда набросился на нее, едва закрылась дверь, и был так же несдержан.

— Я тебе не верю. По-моему, ты слегка не в себе.

— Обещаю.

Робин подождала, пока он посмотрит ей прямо в глаза, потом спросила:

— Больше не будет воспоминаний о Франкфурте?

— Нет.

— И никакой любовной чепухи?

Он сглотнул и угрюмо кивнул:

— Хорошо.

Робин подумала о картине, которая открылась взору Мерион Рассел, и хихикнула.

— Пошли, выпьем кофе, — предложила она.

Как всегда в эти утренние часы, преподавательский буфет оказался переполнен, и им пришлось встать в небольшую очередь за кофе. Вик оглядывался по сторонам и был несколько озадачен.

— Что здесь происходит? — спросил он. — У всех этих людей ранний ленч?

— Нет, просто утренний кофе.

— И как долго это разрешается?

— Что разрешается?

— Ты хочешь сказать, что они могут торчать здесь, сколько угодно?

Робин взглянула на своих коллег, которые развалились на стульях, улыбались и болтали друг с другом или просматривали свежие газеты и еженедельники, а заодно пили кофе и похрустывали печеньем. И вдруг она посмотрела на все это глазами постороннего и чуть не покраснела.

— У нас есть определенная работа, — сказала она, — и неважно, когда и где мы ее делаем.

— Если приходить к десяти, а в одиннадцать идти пить кофе, — возразил Вик, — трудно найти время для работы.

Казалось, он не мог нащупать манеру поведения, промежуточную между стеснением и воинственностью. Первый вариант провалился, вот он и перешел сразу ко второму.

Робин заплатила за два кофе и провела Вика к паре свободных стульев возле высокого окна, откуда открывался вид на центральную площадь кампуса.

— Тебе это может показаться странным, — сказала она, — но большинство находящихся здесь людей сейчас работают.

— Не надо дурить мне голову. Как это они работают?

— Обсуждают университетские дела, прикидывают повестки дня заседаний разных комиссий. Обмениваются идеями, касающимися их научной работы, или советуются по поводу конкретных студентов. Что-то в этом роде.

К несчастью, именно в этот момент сидевший рядом профессор-египтолог громко спросил у своего соседа:

— Как у тебя в этом году тюльпаны, Добсон?

— Если бы я здесь командовал, — заявил Уилкокс, — я бы закрыл эту лавочку, а та женщина за стойкой пусть ходит по коридорам с тележкой.

Профессор-египтолог обернулся и с интересом посмотрел на Вика.

—Какие они все расхристанные, эти люди. Ты не находишь? Большинство даже без галстуков. А вон тот—посмотри!—у него же рубашка навыпуск!

—Это очень известный теолог,—сказала Робин.

—Но это не оправдывает его манеру выглядеть так, будто он спит прямо в одежде,—заметил Вик.

К их столику подошел Филипп Лоу. В одной руке он нес чашечку кофе, в другой—стопку документов.

—Вы позволите к вам присоединиться?—спросил он.—Как ваши дела, мистер Уилкокс?

—Мистер Уилкокс не одобряет наши привычки,—опередила Робин.—Шеи без галстуков и питье кофе без конца.

—На производстве такого не бывает,—сказал Вик.—Люди начнут хитрить.

—Я не уверен в том, что среди наших коллег никто не хитрит,—вздохнул Лоу, оглядывая буфет.—Некоторые лица видишь здесь постоянно.

—Хорошо, вы ведь начальник,—напомнил Вик.—Почему вы не сделаете им замечание?

Филипп Лоу гулко засмеялся.

—Я начальник ни над кем. Боюсь, вы так же ошибаетесь, как и наше правительство.

—В каком смысле?

—Ну, вам кажется, что университеты организованы как бизнес: с четким делением на управленцев и трудящихся. На самом же деле это коллегиальные институты. Вот почему вся история с сокращениями превращается в снежный ком. Извините за прямоту, Робин.

Она извиняюще махнула рукой.

—Видите ли,—продолжал Филипп Лоу,—когда правительство урезает нам финансирование, они надеются увеличить эффективность нашего труда, избавившись от лишних сотрудников, как это делается в промышленности. Давайте признаемся самим себе, что здесь это невозможно. Было бы чудом, если бы это получилось. На производстве руководители решают, кого уволить силой, старший состав увольняет младших, и так далее. В университетах такая пирамида отсутствует. Все в определенном смысле равны, раз уж прошли по конкурсу. Никого нельзя уволить против его желания. Никто не проголосует за увольнение своего коллеги.

— Думаю, что никто,— подала голос Робин.

— Это прекрасно, Робин, но никто не проголосует и за изменение учебного плана, который всем нам угрожает увольнением. Даже считать не хочу, сколько долгих часов провел я на заседаниях комиссий, обсуждая сокращения,— устало вздохнул Лоу.— Но за все это время я не припомню, чтобы кто-нибудь признал дельными существующие порядки. Все согласны с необходимостью сокращений, потому что правительство контролирует наши кошельки, но на самом деле никто никого не сокращает.

— В таком случае, вы скоро обанкротитесь,— объявил Вик.

— Мы бы уже обанкротились, если бы не отправляли никого на пенсию,— сказал Лоу.— Но, увы, не всегда люди, согласившиеся выйти на пенсию,— это те, кого бы мы хотели лишиться. Правительство дает нам большие деньги для того, чтобы выход на пенсию выглядел заманчиво. И мы платим людям за их уход, а они едут работать в Америку, уходят на вольные хлеба или вовсе ничего не делают. И это вместо того, чтобы заплатить талантливым молодым людям, таким как Робин.

— Производит впечатление полной неразберихи,— сказал Вик.— Безусловно, выход один — изменить всю систему. Укрепить управление.

— Нет,— горячо возразила Робин,— выход не в этом. Если университеты организовать по принципу коммерческих организаций, будет разрушено все, что делает их ценными. Лучше уж наоборот — перестроить промышленность по университетскому принципу. Ввести на заводах коллегиальность управления.

— Ха! Мы не удержимся на рынке и пяти минут,— засмеялся Вик.

— Тем хуже для рынка, — заявила Робин. — Может, университеты в чем-то и неэффективны. Может быть, мы и тратим на споры слишком много времени, потому что ни у кого нет абсолютной власти. Но это предпочтительнее системы, в которой каждый боится стоящего на ступеньку выше, где каждый сам за себя, обманом набивает себе цену и втихую хулиганит в туалете, потому что знает: если он заведет себе компанию, его завтра же уволят и никто за него не заступится. Нет уж, я на стороне университета со всеми его огрехами.

— Что ж, — сказал Вик, — это хорошая работа, если удастся ее получить.

Он отвернулся, выглянул в окно, которое в этот теплый день было открыто, и посмотрел на центральную площадь кампуса.

Робин проследила за его взглядом. На лужайке, как яркие цветы, устроились студенты в летней одежде: они читали, разговаривали, обнимались или слушали преподавателей. Солнце ярко освещало фасад здания библиотеки, стеклянные двери которого поминутно распахивались, посверкивая, подобно маяку, когда впускали и выпускали читателей. Солнечные блики падали на здания самого разного размера и архитектуры — биологического, химического, физического, инженерного, педагогического и юридического факультетов. Солнце освещало и ботанические сады, и спортивный комплекс, и игровые площадки, и беговую дорожку, где тренировались и резвились студенты. Светило оно и на здание Актового зала, где университетский оркестр и хор репетировали ораторию «Сновидение Геронтия»[1], которую собирались исполнить в конце семестра. И на Студенческий союз с кабинетами многочисленных комиссий и редакций газет; и на картинную галерею с небольшой, но изысканной коллекцией шедевров. И Робин явственнее, чем обычно, показалось, что университет — это идеальный пример человеческого сообщества, где работа и отдых, культура и природа существуют в полной гармонии, где есть

---

[1] Оратория английского композитора и дирижера Эдуарда Уильяма Элгара (1857—1934).

пространство, свет и красивые здания, построенные на прекрасной земле, и люди свободны в труде и самовыражении, согласно своему ритму жизни и наклонностям.

А потом она, вздрогнув от неожиданности, вдруг подумала о том, что это же солнце точно так же освещает и рифленые крыши заводов в Вест-Уоллсбери и в литейном цехе становится нестерпимо жарко. Она представила себе рабочих, обливающихся потом и слепнущих от яркого полуденного солнца. Они едят свои бутерброды, притулившись в тени кирпичной стены, а потом, услышав гудок, бредут в жаркие и шумные цеха, чтобы еще четыре часа заниматься той же работой.

Нет, не так! Вместо того, чтобы отправить их в этот ад, Робин силой своего воображения перенесла их в кампус: взяла весь штат завода — рабочих, мастеров, менеджеров, директоров, секретарш, уборщиков и поваров, прямо в халатах, промасленных спецовках и полосатых костюмах — и повезла на автобусах через весь город, а потом высадила у ворот кампуса и позволила им бродить по территории длинной процессией, во главе с Денни Рэмом, двумя сикхами с вагранки и огромным негром с «выбивалки». Их глаза, подобные белым пятнам на темных лицах, удивленно и восторженно взирали на прекрасные здания, деревья, клумбы и лужайки, а еще на красивых молодых людей, работающих и играющих вокруг. А красивые молодые люди и их преподаватели прекращают бездельничать или дискутировать, поднимаются на ноги и идут поприветствовать заводских, пожимают им руки, радушно приглашают присоединиться к ним, и на зеленой траве собираются сотни небольших семинарских групп, состоящих наполовину из студентов и лекторов, наполовину из рабочих и менеджеров. Они говорят о том, как примирить университетские и коммерческие требования на благо всего общества.

Робин показалось, что Филипп Лоу с ней разговаривает.

— Простите, — сказала она, — я замечталась.

— Привилегия молодости, — улыбнулся Лоу. — А я было подумал, что у вас начались проблемы со слухом.

2

—Следующий вопрос повестки дня,—объявил Филипп Лоу,—что нам делать с отчетом Комиссии по учебным программам?

—Выбросить в корзину,—предложил Руперт Сатклиф.

—Руперту легко глумиться,—сказал Боб Басби, председатель этой самой Комиссии,—а вот пересматривать программы—дело нелегкое. Каждый на кафедре хочет защитить собственные интересы. Как и любая программа, наша тоже своего рода компромисс.

—Я бы даже сказал, что это компромисс, совершенно не годный для работы,—заметил Руперт Сатклиф.—Я подсчитал: каждый год во время экзаменов мы составляем сто семьдесят три различных документа.

—Мы еще не касались вопроса об оценках,—сказал Боб Басби.—Хотели сначала согласовать все, что касается структуры курсов.

—Но вопрос об оценках жизненно важен,—вмешалась Робин,—потому что затрагивает сам подход студентов к обучению. Разве не пора вообще отказаться от экзаменов и ввести некую форму постоянных оценок в процессе учебы?

—Деканат никогда на это не пойдет,—возразил Боб Басби.

—И будет прав,—поддержал его Руперт Сатклиф.—Постоянные оценки—это для начальной школы.

—Позволю себе напомнить,—устало отозвался Филипп Лоу,—как напомню и факультетской комиссии, что основная наша задача—экономия средств перед лицом сокращений. В конце этого года нас по разным причинам покинут три человека. Скорее всего, на будущий год сокращения продолжатся. Если мы будем работать по старой программе всё с меньшим и меньшим штатом, занятость каждого преподавателя разрастется до непомерных размеров. Задача Комиссии по учебным программам—попытаться противостоять этому, а не плодить новые программы, согласно которым каждый из нас предпочел бы работать.

— Рационализация,— подсказал Вик с дальнего конца стола. Все собравшиеся в кабинете Филиппа Лоу, включая и Робин, обернулись и удивленно воззрились на Вика. Сопровождая Робин на заседаниях, он обычно молчал. Не вмешивался он и в ход семинаров, если не считать первого дня его пребывания в Университете. Раз в неделю тихий и внимательный Вик сидел в углу кабинета Робин или на заднем ряду лекционной аудитории и ходил за ней по коридорам и лестницам Факультета Изящных Искусств, как преданный пес. Иногда Робин задавалась вопросом: зачем ему все это? Но чаще, как и в то утро, попросту забывала о его существовании. Шла четвертая неделя семестра, и они присутствовали на заседании Подкомиссии по повестке дня.

Как и у всего прочего на факультете, у этой подкомиссии тоже была своя история и свой фольклор, который Робин собирала по крупицам из самых разных источников. Несколько десятилетий подряд факультет возглавлял печально известный чудаковатый человек по имени Гордон Мастерс, который воспользовался благоприятным моментом для развития различных видов спорта, а комиссию не созывал вовсе, если не считать ежегодных отчетных собраний. После студенческих демонстраций 1969 года (в результате которых Мастерс внезапно вышел на пенсию вследствие тяжелого психического расстройства) новый Университетский устав обязал его преемника, Далтона, созывать эту комиссию регулярно. Но он хитроумно расстроил все демократические планы, скрывая ото всех повестку дня этих заседаний. Его коллеги могли поднять волновавшие их вопросы только в разделе «прочее». Филипп Лоу, в ту пору старший преподаватель, воодушевленный своим пребыванием в Америке по обмену, решил нанести удар по тактике Далтона и организовал новую подкомиссию—по разработке повестки дня,— в чьи функции входила подготовка материалов для обсуждения на заседании Комиссии. Весь этот аппарат Лоу и унаследовал, став деканом после внезапной гибели Далтона в автомобильной аварии. Он стал использовать Подкомиссию как кулуарный орган для обсуждения политики факультета. На ее заседаниях решали, как с минимальным риском представить различные вопросы на Комиссию по учебным программам. Кроме Лоу в качестве председателя в нее входили Руперт Сатклиф, Боб Басби и Робин, а также студенческий представитель, который почти никогда не присутствовал на заседаниях. Не было его и на этот раз.

— Вы сейчас говорите именно о рационализации,— продолжал Вик.— Снижение финансирования, повышение эффективности труда. Решение задач с меньшими затратами. Так же, как и в промышленности.

— Что ж, это любопытное замечание,— вежливо изрек Филипп Лоу.

— Может быть, мистер Уилкокс составит для нас новую программу,— с усмешкой предложил Руперт Сатклиф.

— Нет, этого я сделать не могу. Но могу дать вам один совет,— сказал Вик.— Для успеха в бизнесе есть только один путь: делать то, что нужно людям, и делать это хорошо.

— Видимо, это и есть формула Генри Форда,— заметил Боб Басби.

— Это тот, который утверждал, что «история есть бегство»? — уточнил Руперт Сатклиф.— Эта модель не представляется мне многообещающей применительно к Английской кафедре.

— Ерунда,— сказала Робин.— Если пойти по этому пути, у нас будет один общий курс для всех студентов, без каких бы то ни было вариантов.

— Ну, тут есть о чем поговорить,— напомнил Руперт Сатклиф.— Нечто подобное у нас происходило во времена Мастерса. У нас было больше времени на размышления и разговоры друг с другом. А студенты четко знали, что им нужно делать.

— Нет смысла возвращаться к прошлому, тем более что оно было достаточно скучным,— нетерпеливо возразил Боб Басби.— С тех пор как ты пришел на кафедру, Руперт, наш предмет дается гораздо шире. Теперь у нас есть курсы по лингвистике, журналистике, американской литературе, мировой литературе, литературной критике, женской прозе, не говоря уже о спецкурсах по творчеству современных английских писателей. За три года невозможно охватить всю программу. И мы ввели систему выбора.

— А кончили тем, что на экзаменах заполняем сто семьдесят три бумажки и составляем длиннющее расписание занятий,— сказал Руперт Сатклиф.

— Лучше это, чем программа, которая не дает студентам возможности выбирать,— возразила Робин.— Кстати, мистер Уилкокс хитрит. На заводе очень много самых разных видов работ.

— Это верно,— кивнул Вик.— Но не так много, как было, когда я туда пришел. Дело в том, что монотонные операции всегда дешевле и надежнее, чем те, которые все время меняются.

— Но монотонность — это смерть! — воскликнула Робин.— Разнообразие — вот жизнь. Разнообразие — условие существования смысла. Язык — это система, основанная на разнообразии, как говорил Соссюр.

— Да, но все-таки *система*,— сказал Руперт Сатклиф.— Вопрос именно в том, есть ли у нас система или просто сплошная каша. А этот документ,— он похлопал ладонью по отчету Комиссии по учебным программам,— только гуще заварит эту кашу.

Филипп Лоу, который слушал этот спор, держа опущенную голову в ладонях, выпрямился и заговорил:

— Я думаю, что истина, как всегда, лежит между двумя крайностями. Конечно, я согласен с Робин. Если все мы изо дня в день будем учить одному и тому же, мы или сойдем с ума, или умрем от скуки. Причем вместе со студентами. С другой стороны, совершенно справедливо замечание, что мы пытаемся делать слишком много, а в результате ничего не делаем достаточно хорошо.

Робин подумала, что Филипп Лоу сегодня в отличной форме. За его правым ухом вился тоненький пластмассовый проводок, исчезавший под седыми волосами. Это наводило на мысль, что его бодрый настрой связан с приобретением слухового аппарата.

— Отчасти это вопрос истории, — продолжил он. — Давным-давно, как помнит Руперт, мы все работали по одной программе, читая курс английской литературы. Программу от «Беовульфа» до Вирджинии Вульф все студенты проходили вместе — слушали лекции и раз в неделю посещали семинары. Жизнь наша была легка и удобна, хоть и немножко пресновата. В шестидесятые и семидесятые годы мы стали добавлять в нее различные вкусные ингредиенты, те, о которых говорил Боб, но ничего не изымали из основной программы. И кончилось это необъятной системой спецкурсов и спецсеминаров поверх объемной программы лекций и семинаров. Но мы справлялись, хоть и пыхтели, пока у нас было достаточно денег, чтобы привлекать все новых и новых преподавателей. Теперь, когда денег почти нет, нам ничего не остается, кроме как признать, что сегодняшняя программа слишком сложна для нас. Как трехмачтовый корабль с огромным количеством парусов, но с очень маленьким экипажем. И мы карабкаемся вверх-вниз по мачтам, пытаясь справиться с парусами, вместо того чтобы наслаждаться путешествием. Что касается работы Комиссии, Боб, мне кажется, ты начал не с самой насущной проблемы. Не мог бы ты пересмотреть этот вопрос, прежде чем мы включим его в повестку дня?

— Хорошо, — вздохнул Боб Басби.

— Отлично, — кивнул Филипп Лоу. — У нас еще осталось время на следующий вопрос: ПэДэЭф.

— Это еще что такое? — насторожился Руперт Сатклиф.

— Предпринимательская деятельность факультета. Новая идея Вице-канцлера.

— Только не это! — простонал Боб Басби.

— Он хочет, чтобы каждая кафедра представила свой проект по частному предпринимательству для финансовой помощи Университету. Какие будут предложения?

— Мы что, должны организовать благотворительный базар? — спросил Руперт Сатклиф. — Или распродажу флажков?

— Нет, Руперт, нет! Консультации, исследовательская работа и тому подобное, — объяснил Лоу. — Конечно, научным работникам проще выдвигать такие предложения. Но вот египтологи, например, собираются организовать экскурсионные поездки по Нилу. Нам нужно просто спросить самих себя: что может продать внешнему миру наш факультет?

— У нас полно симпатичных девушек,— отозвался Боб Басби и широко улыбнулся, но смутился, перехватив взгляд Робин.

— Я не поняла,— сказала Робин.— У нас еле хватает сил на то, чтобы учить наших студентов и заниматься наукой. Откуда мы возьмем их на то, чтобы зарабатывать на стороне?

— Смысл в том, чтобы заработать дополнительные деньги и расширить штат. Университет заберет двадцать процентов прибыли, а остальное мы можем тратить по своему усмотрению.

— А если у нас будут одни затраты,— возразила Робин,— тогда что?

Филипп Лоу пожал плечами.

— Университет покроет наши убытки и закроет программу, но штат мы уже не расширим.

— Но потратим впустую уйму времени.

— Да, это рискованно,— согласился Филипп Лоу. Но таково веяние времени. Помоги себе сам. Авантюрный капитализм. Ведь так, мистер Уилкокс?

— Я согласен с Робин,— к ее крайнему изумлению отозвался Вик.— И дело не в том, что я не верю в рынок. Верю. Но вы никаким боком к нему не относитесь. Вы можете только поиграть в капитализм. Занимайтесь лучше тем, что умеете делать.

— Как это — поиграть в капитализм? — не понял Филипп Лоу.

— Вы не понесете убытков, потому что вам их покроет Университет,— объяснил Вик.— Вы не получите реальной прибыли, потому что, насколько я понял, у вас не будет личных стимулов. Допустим, в порядке бреда, что Робин предложит вам коммерческий проект для Английской кафедры — скажем, консультации по профессиональному заводскому жаргону.

— Между прочим, неплохая мысль,— обрадовался Филипп Лоу и сделал пометку в блокноте.

—Допустим также, что это окажется очень прибыльным делом. Она получит премию? Ей повысят зарплату? Будет ли она продвигаться по служебной лестнице быстрее, чем мистер Сатклиф, которому, насколько я понял, нечего предложить?

—Конечно нет,— признался Филипп Лоу,— но…— торжественно добавил он,— в этом случае она безусловно останется в штате.

—Волшебно!— воскликнул Вик.—Она будет вкалывать ради того, чтобы сохранить свою нищенскую зарплату, а Университет получит прибыль, чтобы платить тунеядцам вроде Сатклифа.

—Я протестую!— возмутился Сатклиф.

—Будет больше смысла, если она станет давать эти консультации частным образом,— подвел итог Вик.

—Но я не хочу быть консультантом,— возразила Робин.—Я хочу преподавать в университете.

На столе Филиппа Лоу зазвонил телефон, и ему пришлось повернуться спиной к собравшимся, чтобы снять трубку.

—Я же сказал, Пэм, никаких телефонных звонков,— возмущенно произнес он, но быстро посерьезнел.— А-а. Хорошо. Соедините.— Он слушал, казалось, целую вечность (а на самом деле всего пару минут), ничего не отвечая, кроме «ох», «понятно» и «о господи». Ведя этот односторонний разговор, он все больше и больше наклонял свой стул, словно под гипнозом собеседника. Робин и все остальные в ужасе ждали, когда стул потеряет равновесие. Само собой разумеется, когда Филипп Лоу повернулся, чтобы положить трубку, он упал, угодив головой в корзину для бумаг. Все вскочили и бросились его поднимать.— Ничего, ничего,— уверял он, потирая лоб.— Пришло письмо УГК. Боюсь, в нем плохие новости. Нам урежут финансирование на десять процентов. Вице-канцлер считает, что на будущий год мы лишимся еще ста научных должностей.

Говоря это, Филипп Лоу старался не смотреть в глаза Робин.

—Ну вот,— сказала Робин, когда они вернулись в ее кабинет.—Это был последний шанс сохранить работу.

—Мне очень жаль,—вздохнул Вик.—У тебя это действительно здорово получается.

Робин печально улыбнулась.

—Спасибо, Вик. Интересно, можно ли считать тебя судьей?

Капли дождя стучали по оконному стеклу, замутняя взгляд, как слезы. Хорошая погода, с которой начался семестр, продержалась недолго. Сегодня на лужайках уже не резвилась молодежь, только несколько человек торопливо шагали по дорожкам, прячась под зонтиками.

—Я хотел сказать,—продолжил Вик,—что ты прирожденный педагог. Вот, например, твоя лекция про метафору и метонимию. Теперь я слышу все это по телевизору, в журналах, в том, как разговаривают люди.

Робин обернулась и с улыбкой посмотрела на него.

—Мне очень приятно это слышать. Если даже *ты* это понял, значит, это поймет кто угодно.

—Большое спасибо,—ответил Вик.

—Извини, я не хотела тебя обидеть. Просто это значит, что Чарльз ошибался, когда говорил, будто мы не должны учить тех, кто ничего не читал. Это ложное противопоставление. По-моему, нет на земле человека, который прочитал бы меньше, чем ты.

—За последние несколько недель я прочитал больше, чем за все годы после окончания школы,—сказал Вик.—«Джен Эйр», «Меркнущие высоты» и «Дэниела Деронду». Точнее, половину «Дэниела Деронды». Еще вот этого парня,—он достал карманное издание «Культуры и анархии» Мэтью Арнольда, которому был посвящен сегодняшний семинар, и помахал им в воздухе,—и Теннисона. Как это ни смешно, Теннисон мне понравился больше всего. Никогда не думал, что стану читать стихи—и вот пожалуйста. Я даже выучил кое-что наизусть и читаю сам себе в машине.

—Вместо Дженнифер Раш?—поддела Робин.

—Что-то я устал от Дженнифер Раш.

—Отлично!

—У нее слова плохо рифмуются. А вот Теннисон рифмует первоклассно.

—Это точно. А какие отрывки ты выучил?

Глядя ей прямо в глаза, Вик продекламировал:

Так уж вышло—упорхнула полюбившая меня,
И один я с моей тенью на обломках корабля.

—Весьма симпатично,— сказала Робин после некоторой паузы.

—Мне показалось, что очень к месту.

—Неважно,— отрезала Робин.— Откуда это?

—Разве ты не знаешь? Называется «Локсли Холл шестьдесят лет спустя».

—По-моему, я такого не читала.

—Ты хочешь сказать, что я читал что-то, чего не читала ты? Поразительно.— Он обрадовался как ребенок.

—Что ж,—сказала Робин,— раз ты пристрастился к поэзии, Теневой Резерв не прошел для тебя даром.

—А для тебя?

—Я научилась быть благодарной судьбе за то, что не работаю на заводе,—ответила Робин.— Чем скорее появятся те заводы без электричества, о которых ты говорил, тем лучше. Люди не должны зарабатывать на жизнь, делая все время одно и то же.

—А как они тогда будут зарабатывать?

—Они вообще не должны этого делать. Пусть лучше учатся. А работать и производить ценности будут роботы.

—Значит, ты признаешь, что кто-то все же должен этим заниматься?

—Я понимаю, что университеты не растут на деревьях, если ты об этом.

—Что ж, это уже кое-что.

В этот момент раздался стук в дверь, и вошла Памела, секретарь кафедры.

—Вам звонят, Робин.

—Привет,—услышала она в трубке голос профессора Цаппа.— Как поживаете?

—Хорошо, спасибо,—ответила Робин. А вы? Где вы?

—У меня все отлично, я дома, в Эйфории. Сейчас теплая звездная ночь, я выбрался из-за письменного стола, взял свой радиотелефон и любуюсь на залив, делая несколько звонков. Слушайте, я прочитал вашу книгу. По-моему, это потрясающе.

Робин почувствовала, что ее настроение поднимается, как воздушный шарик.

—Правда?—переспросила она.—Вы будете рекомендовать ее университетскому издательству?

—Уже. Вы получите от них письмо. Запрашивайте вдвое больше того, что они предложат.

—Ой, я боюсь, у меня не хватит храбрости,—смутилась Робин.—А сколько это?

—Понятия не имею, но сколько бы ни было, настаивайте на том, чтобы удвоить их цифру.

—Они откажутся, и все пойдет прахом.

—Не откажутся,—заверил ее Моррис Цапп.—Только еще сильнее захотят с вами сотрудничать. Но звоню я не поэтому. Я звоню насчет работы.

—Работы?—Робин заткнула свободное ухо, чтобы не слышать стука пишущей машинки Памелы.

—Да, мы тут собираемся с осени ввести курс по женской прозе. Вам это интересно?

—Конечно,—обрадовалась Робин.

—Великолепно. В таком случае, мне нужно ваше резюме, и чем скорее, тем лучше. Вы можете переслать мне его по факсу?

—По факту?

—По фак-су. Факс… Ладно, оставим это. Пришлите по почте, срочно и с уведомлением. Вам придется приехать сюда на несколько дней, познакомиться с сотрудниками факультета, привезти документы и все такое прочее. Годится? Разумеется, дорога за наш счет.

—Отлично,—согласилась Робин.—А когда?

—На следующей неделе.

—На следующей *неделе*?

— Ну да, которая после нынешней. Буду с вами откровенен, Робин, есть еще один кандидат, которого пропихивает мой прохиндей-коллега. Поэтому я хочу ввести вас в игру как можно скорее. Я уверен, они обалдеют от вашего британского произношения. У нас в штате нет ни одного англичанина. Это большой плюс для вас, здесь полным-полно англофилов. Видимо, потому, что мы очень далеко от Англии.

— А кто второй кандидат?

— Пусть вас это не беспокоит. Она не очень хороший преподаватель. Просто писательница. Предоставьте это мне. Делайте что говорю, и это место будет вашим.

— Ох... Не знаю, как мне вас благодарить,— пробормотала Робин.

— Мы обсудим это позже,— ответил Цапп, но произнес он это без всякого намека, просто по привычке.— Вас не интересует зарплата?

— Интересует,— призналась Робин.— Сколько?

— Точно пока не знаю. Вы ведь очень молоды. Но никак не меньше сорока тысяч долларов.

Робин замолчала, производя в уме арифметические действия.

— Я понимаю, что это не слишком много...— сказал Цапп.

— По-моему, вполне нормально,— ответила Робин, уже подсчитавшая, что это вдвое больше того, что она получает в Раммидже.

— Но зарплата быстро вырастет. Люди вроде вас сегодня очень ценятся.

— Что значит «вроде меня»?

— Феминистки, занимающиеся литературной критикой. Здесь у нас теория в почете. В вашей жизни будет множество конференций, будете ходить на лекции. Штат Эйфория задумал создать новый Институт Передовых Исследований. Если это выгорит, к нам прибудут все акулы из Йеля и Института Джона Хопкинса, чтобы читать здесь лекции—каждый по семестру.

— Звучит заманчиво,— призвала Робин.

—Да, вам это должно понравиться,—сказал Моррис Цапп. Не забудьте про резюме, и пусть ваше начальство свяжется с нашим председателем, Мортоном Зигфилдом. Скоро увидимся. Чао!

Робин положила телефонную трубку и громко рассмеялась. Памела подняла глаза от клавиатуры.

—Ваша мама здорова?—спросила она.

—Мама?

—Она уже звонила, когда вы были на заседании подкомиссии.

—Нет, это была не мама,—сказала Робин.—Интересно, что у нее стряслось.

—Она сказала, чтобы вы не беспокоились, она перезвонит вечером.

—А почему вы подумали, что сейчас звонила она?—спросила Робин, неприятно удивленная интересом секретарши к ее личной жизни. Памела выглядела обиженной, и Робин тут же стало стыдно. Чтобы смягчить ситуацию, она решила поделиться с ней новостью.

—Наконец-то хоть кто-то предложил мне работу. В Америке!

—Ух ты! Как здорово.

—Но держите это в секрете, Памела. Профессор Лоу сейчас свободен?

—Дезире Цапп!—воскликнул Филипп Лоу, когда Робин пересказала ему разговор с Моррисом Цаппом.—Второй кандидат—это наверняка Дезире.

—Почему вы так думаете?—удивилась Робин.

—Готов поспорить на что угодно. В рождественской открытке она писала, что подыскивает себе работу в академических кругах, предпочтительно—на Западном побережье. Дезире на факультете у Морриса!—Он даже присвистнул от удовольствия.—Моррис сделает что угодно, лишь бы этого не допустить.

—Даже возьмет меня?

353

—Вам это должно льстить,—сказал Филипп Лоу.—Моррис не предлагал бы вашу кандидатуру, не будь он уверен в том, что вы победите. Видимо, ваша книга действительно произвела на него впечатление. Вот почему он так быстро ее прочитал. Наверно, ездил по Европе, разыскивая молодое дарование. Вероятно, никого не нашел…—Филипп Лоу задумчиво уставился в окно, словно пытался постичь ход мыслей Морриса Цаппа, и осторожно потер синяк на лбу—последствие удара о мусорную корзину.

—Разве я могу конкурировать с Дезире Цапп? Она же мировая знаменитость.

—Как верно заметил Моррис, она не очень хороший преподаватель,—ответил Филипп Лоу.—Пожалуй, это будет его маленькой местью. Академические нравы. Тщательность теоретика.

—Но в Америке должно быть очень много хороших специалистов по женской прозе.

—Скорее всего, они не расположены брать Дезире. Она для них героическая феминистка. Или они ее испугались. Эта женщина умеет сражаться до последнего. Вам лучше понимать, во что вы ввязываетесь, Робин. Американские академические круги неоднократно обагрены кровью. Предположим, вы получили это место. Борьба только начинается. Вам придется много публиковаться, чтобы оправдать оказанное вам доверие. Когда придет время писать отчет, половина ваших коллег попытается нанести вам удар в спину. О другой половине не хочу даже говорить. Вы и вправду об этом мечтаете?

—У меня нет выбора,—сказала Робин.—В этой стране у меня нет будущего.

—Пожалуй, сейчас нет,—вздохнул Лоу.—Но ужас в том, что однажды уехав, вы уже не вернетесь.

—Откуда вы знаете?

—Никто не возвращается. Даже если кто-то и захочет вернуться, мы не в состоянии оплатить дорогу, чтобы он прилетел на интервью. Но винить вас в том, что вы воспользуетесь этим шансом, я не буду.

—Значит, вы напишете мне рекомендацию?

—Я напишу блестящую рекомендацию,— заверил Филипп Лоу.— И все в ней будет правдой, от первого до последнего слова.

Робин вернулась в свой кабинет легкой поступью. Мысли ее путались. После разговора с Филиппом Лоу блеск предложения Морриса Цаппа несколько поугас, но все равно было приятно, что появился человек, который хочет взять ее на работу. Робин напрочь забыла о Вике и даже удивилась, когда увидела его сидящим на стуле у окна и читающим «Культуру и анархию» при тусклом свете дождливого дня. Когда она поделилась с ним новостью, он совсем не обрадовался.

—Когда, ты сказала, нужно приступать?— переспросил он.

—Осенью. Я так понимаю, в сентябре.

—Значит, у меня совсем мало времени.

—Времени на что?

—На то, чтобы заставить тебя передумать…

—Ох, Вик,— сказала она,— мне-то казалось, что ты выбросил из головы эти глупости.

—Я не могу тебя разлюбить.

—Не порти мне настроение,— попросила Робин.— У меня удачный день. Не омрачай его.

—Извини,— сказал он, глядя в пол.

—Вик,— покачала головой Робин,— сколько раз я тебе говорила: я не верю в эту индивидуалистическую любовь.

—Да, ты так говорила,— подтвердил он.

—Ты хочешь сказать, что я не это имела в виду?

—Я думал, что невозможно иметь в виду то, что говоришь, или говорить то, что имеешь в виду,— сказал Вик.— Я думал, что есть разница между «я», которое говорит, и «я», о котором говорят.

—Ах, ах, ах!— передразнила Робин, уперев руки в боки.— Как мы быстро обучаемся!

—Суть в том,— продолжал Вик,— что если ты не веришь в любовь, зачем же ты тогда так заботишься о своих студентах? Почему тебе жалко Денни Рэма?

Робин вспыхнула.

—Это совсем другое дело.

—Нет, не другое. Ты заботишься о них, потому что они — индивидуальности.

—Я забочусь о них, потому что беспокоюсь о занятиях и о свободе.

—Пустые слова. «Занятия» и «свобода» — просто слова.

—Любое слово — это только слово. *Il n'y a pas de hors-texte.*

—Что?

—«Вне текста нет ничего».

—Я не согласен,—заявил Вик, глядя ей прямо в глаза.—Ведь это означает, что у нас нет свободы воли.

—Не обязательно,— возразила Робин.— Осознав, что вне текста нет ничего, можно начинать писать самому.

Снова раздался стук в дверь, и снова возникла Памела.

—Моя мама?—спросила Робин.

—Нет, это звонят мистеру Уилкоксу.

—Присаживайся, Вик. Спасибо, что так быстро приехал,— сказал Стюарт Бакстер, сидя за огромным и почти пустым письменным столом, изящно отделанным черным деревом, как и панели на стене. Последний писк моды. Вик давно заметил, что чем выше по служебной лестнице конгломерата поднимается человек, тем больше становится его письменный стол и тем меньше бумаг и прочих предметов на нем лежит. Безразмерный стол из розового дерева, принадлежащий председателю Совета директоров сэру Ричарду Литлгоу, в пентхаусе которого Вик однажды побывал, был вообще девственно пуст, если не считать кожаного пресс-папье и серебряной перьевой ручки. Стюарт Бакстер еще не достиг блистательной простоты, но поднос для входящих документов уже был пуст, а на подносе для исходящих лежал только один листок бумаги. Кабинет Бакстера находился на восемнадцатом этаже двадцатиэтажной башни «Мидланд Амальгамейтед» в самом центре Раммиджа. Огромное окно за его спиной выходило на юго-восток и открывало вид на скучный, лишенный зелени район города.

Серые, мокрые от дождя крыши заводов и складов тянулись до самого горизонта как волны угрюмого маслянистого моря.

— Тут не далеко,—сказал Вик. Он сел на удобный стул, в действительности оказавшийся неудобным, потому что был низким и заставлял посетителя смотреть на Стюарта Бакстера снизу вверх. Впрочем, Вик не любил смотреть на Бакстера ни под каким углом. Это был симпатичный мужчина, всегда уверенный в себе. Идеально выбритый, безукоризненно подстриженный, с ровными белыми зубами. Он носил однотонные рубашки с белоснежными воротничками, на фоне которых его гладкое круглое лицо сияло здоровым румянцем.

— Ты из университета, да? — спросил Бакстер.— Ты теперь проводишь там много времени.

— Участвую в Теневом Резерве,— напомнил Вик.— Во втором этапе. Я присылал тебе служебную записку.

— Да, я передал ее председателю. Ответа пока не получил. Но я думал, что это всего лишь предложение.

— Я сам говорил об этом с Литлгоу. На торжественном банкете. Мне показалось, что сама идея ему понравилась, вот я и занялся этим делом.

— Надо было предупредить, Вик. Я люблю знать, чем заняты мои директора.

— Я делаю это в свободное время.

Бакстер улыбнулся.

— Говорят, она красотка, эта твоя тень.

— Сейчас тень я,—поправил Вик.

— Вы стали неразлучны. Я слышал, ты брал ее с собой во Франкфурт.

Вик поднялся.

— Если ты вызвал меня, чтобы обсуждать заводские сплетни…

— Нет, я вызвал тебя по гораздо более серьезному поводу. Сядь, Вик. Чашечку кофе?

— Нет, спасибо,— сказал Вик, пристраиваясь на краешке стула.— Что за повод? — Он вдруг почувствовал, как по телу пробежал холодок паники.

—Мы продаем «Принглс».

—Не может быть!

—Сделка уже заключена. Объявление будет сделано завтра. Пока это конфиденциальная информация.

—Но мы в прошлом месяце дали прибыль!

—Небольшую. Совсем маленькую.

—Но будет больше! Литейный уже готов. А как же новый станок?

—«Фаундро» считает это хорошим вложением средств. Ты купил его очень выгодно.

—«Фаундро»? — еле выговорил Вик. Его легкие отказывались набирать воздух.

—Да, мы продаем «Принглс» Группе ЭФИ, в которую, как тебе известно, входит и «Фаундро».

—Ты хочешь сказать, что они собираются слить две компании?

—Видимо, замысел таков. Конечно, будет проведена рационализация. Взгляни правде в глаза, Вик: в этой сфере слишком много компаний, которые занимаются одним и тем же.

—«Принглс» уже рационализирована,—напомнил Вик. Это сделал я. Компания должна была возродиться. Я говорил, что это займет восемнадцать месяцев, а уложился в год. Теперь ты говоришь, что продал ее конкурентам.

—Мы все видим, что ты проделал огромную работу, Вик,— согласился Бакстер.— Но Совет директоров считает, что «Принглс» не вписывается в нашу долгосрочную стратегию.

—Иными словами,—с горечью заметил Вик,—продав сейчас «Принглс», вы сможете в конце года выйти на прибыль.

Стюарт Бакстер молчал, разглядывая свои ногти.

—Я не буду работать с Норманом Коулом,—сказал Вик.

—А тебя никто об этом и не просит, Вик,—ответил Бакстер.

—Значит, спасибо, до свиданья, вот тебе годовой оклад, и не трать все сразу.

—Мы оставим тебе машину,—пообещал Бакстер.

—Что ж, тогда другое дело,—усмехнулся Вик.

—Мне очень жаль, Вик. Правда жаль. Я сказал в ЭФИ: если у вас есть мозги, вы оставите Вика управлять новой компанией. Но я так понял, что это будет Коул.

—Желаю им успеха с этим двурушником.

—Честно говоря, Вик, мне кажется, их насторожили кое-какие истории, которые про тебя рассказывают.

—Какие истории?

—Про то, как ты поснимал на заводе все картинки.

—Профсоюз меня поддержал.

—Знаю, но это выглядит немного… странно. А еще что ты один день в неделю проводишь в университете.

—В свое свободное время.

—Тоже странно. Кто-то меня недавно спросил: а что, Уилкокс переродился в христианина? Это ведь не так, Вик?

—Нет, не так,—ответил Вик, вставая.

Бакстер тоже встал.

—Мне кажется, будет удобнее, если ты перевезешь свои вещи сегодня к вечеру. Вряд ли тебе будет приятно заниматься этим завтра утром, в присутствии Нормана Коула.

Он через стол протянул Вику руку. Вик не стал пожимать ее, повернулся и вышел из кабинета.

Вик медленно ехал в «Принглс», а точнее, машина сама везла его туда, как лошадь с отпущенными поводьями идет по дороге, к которой привыкла. Вик не знал, что для него хуже всего — что все труды последнего года пошли псу под хвост, или то, что прибыль с них получит Норман Коул, или же то, что придется сообщить новость Марджори. Он остановился на последнем. Желтый фургон с рекламой «Ривьерского загара», ехавший по соседней полосе, оживил в памяти мучительный для Вика образ жены, которая тщетно прихорашивается дома, не догадываясь об обрушившемся на них ударе. Для начала придется отказаться от отпуска на Тенерифе. Если за год он не найдет работу—продать дом и перебраться в жилье поскромнее, без ванной *en suite*.

Дэвид Лодж

Вик свернул к Вест-Уоллсбери вслед за желтым фургоном и поплелся у него в хвосте по пустынным улицам, мимо затихших заводов с табличками на воротах «Сдается в аренду»; мимо складов без окон, похожих на гаражи-переростки, мимо «Сауны Сюзанны», вниз по Кони-лейн. Вику показалось, что фургон проедет мимо «Принглс», но, к его удивлению, он свернул в ворота и остановился возле административного корпуса. Из кабины выбрался Брайан Эверторп, благодарственно помахал водителю, и фургон уехал. Эверторп заметил Вика, едва тот вылез из машины, и подошел к нему.

—Привет, Вик. А я думал, у тебя сегодня день высшего образования.

—Сорвалось. Что с твоей машиной?

—Заглохла на другом конце города. Думаю, аккумулятор. Пришлось оставить в ремонте и схватить попутку. Это серьезно?

—Что?

—То, из-за чего сорвалось.

—Пожалуй, да.

—Ты выглядишь подавленным, Вик, если позволишь это заметить. Как человек, переживший потрясение.

Вик сомневался. Очень хотелось все рассказать. Не для того, чтобы благородно предупредить Эверторпа об увольнении, а просто чтобы самому полегчало. Хотелось с кем-нибудь поделиться, переложить часть ноши на другие плечи. Даже если Эверторп все разболтает остальным—ну и что? Почему его, Вика, должно волновать завтрашнее изумление Стюарта Бакстера и «Мидланд Амальгамейтед»?

—Зайди ко мне на минутку,—пригласил он, решившись.

Вестибюль был битком набит ящиками с мебелью. В центре этого бедлама Ширли, Дорин и Лесли срывали упаковочную пленку с длинного бежевого дивана и повизгивали от восторга. Увидев Вика, две девушки быстро вернулись на рабочие места. Ширли, стоявшая на коленях, вскочила на ноги и одернула юбку.

—Ох, здравствуйте, Вик. Я думала, вас сегодня не будет.

— Изменились планы,— сказал он и огляделся.— Привезли новую мебель?

— Мы решили ее распаковать. Хотели сделать вам сюрприз.

— Она такая красивая, мистер Уилкокс,— защебетала Дорин.

— И обивка очень миленькая,— добавила Лесли.

— Да, неплохая,— сказал Вик и погладил обивку, а сам подумал: еще одно очко в пользу Нормана Коула.— Надо убрать все старье. Займитесь этим, Ширли.

По дороге в кабинет он думал о том, выживут ли в передряге эти три женщины. Возможно, ведь секретарши и телефонистки всегда пригодятся. А вот Брайан Эверторп уже не пригодится.

Вик закрыл дверь, предупредил Эверторпа о секретности и сообщил ему новость.

Брайан хмыкнул и погладил бакенбарды.

— Ты, кажется, не удивлен?— спросил Вик.

— Ждал чего-то подобного.

— А я вот нет,— сказал Вик. Он уже жалел, что все рассказал.— Меня здесь не оставят. Насчет тебя не знаю.

— Ну, меня-то наверняка уберут. Я знаю.

— Тогда почему ты так весел?

— Я здесь уже давно. Попаду под сокращение.

— Тем более.

— Я подстраховался.

— Каким образом?

— Некоторое время назад вложил деньги в небольшой бизнес,— сказал Брайан Эверторп.— Теперь он уже не маленький.— Он вынул из кармана визитку и протянул ее Вику.

Вик прочитал:

— «Ривьерский загар»? Так было написано на фургоне, который тебя подвозил.

— Да, я был там, когда у меня заглох мотор.

— Хорошо идут дела?

— Великолепно. Особенно в это время года. Множество женщин по всему Раммиджу сейчас готовится к тому, чтобы провести отпуск на Майорке или Корфу. Они не хотят в первый день появиться на пляже белыми, как свиное сало, вот и берут напрокат наши установки, чтобы подзагореть прямо на дому. А вернувшись из отпуска, берут их опять, чтобы поддерживать загар. Мы все время расширяемся. На прошлой неделе купили еще пятьдесят установок. Сделаны в Тайване, отличное качество.

— У тебя, наверно, каждый день полно дел?

— Я за всем слежу. Использую свой опыт работы в бизнесе,— сказал Эверторп.— И связи для расширения клиентуры. Карточку туда, карточку сюда…

Вик с трудом сдерживал гнев, чтобы все-таки добиться от Эверторпа полного признания.

— То есть ты занимался делами «Ривьерского загара», тогда когда должен был всего себя отдавать работе в «Принглс»? Как ты считаешь, это этично?

— Этично? — переспросил Эверторп и хмыкнул.— Окажи мне любезность, Вик, ответь на вопрос: то, как поступает с нами «Мидланд Амальгамейтед», это этично?

— По-моему, это цинично. Но ничего неэтичного в этом я не вижу. А вот ты работал на себя в то время, за которое тебе платили здесь. Теперь понятно, почему тебя никогда нельзя было найти, если ты был нужен! — взорвался Вик.— Ты, наверно, развозил заказчикам солнечные ванны.

— Иногда приходилось, если больше было некому. Продать-то надо, сам знаешь. Когда это твои собственные деньги, все совсем иначе, Вик. Но на самом деле та моя роль гораздо важнее этой. Не удивлюсь, если рано или поздно я вообще встану во главе фирмы. Получив выходное пособие, я смогу купить самую большую долю акций.

— Ты не заслуживаешь пособия, Брайан. Даже рукопожатия,— сказал Вик.— Ты заслуживаешь пинка под зад. Думаю, мне придется сообщить об этом Стюарту Бакстеру.

— Да ради Бога,— ответил Брайан Эверторп.— У него самая большая часть акций в «Ривьерском загаре».

Выяснилось, что забирать из кабинета Вику почти нечего. Настольный органайзер, десятилетней давности фотография

Марджори и детей в рамочке, настольная лампа, подаренная ему по случаю ухода из «Рамкол Инжениринг», пара записных книжек, старый свитер да сломанный складной зонтик—вот и все. Его имущество уместилось в большой пакет из супермаркета. И тем не менее, Ширли посмотрела на Вика с подозрением, когда он проходил через ее кабинет к выходу. Может, Брайан Эверторп уже рассказал ей о том, что Вика увольняют?

—Снова уходите?—спросила она.

—Еду домой.

—Я позвонила на аукцион, завтра они заберут всю старую мебель.

—Надеюсь, новая окажется столь же прочной,—сказал Вик, глядя на Ширли в упор.—Старый диван изрядно помяли и потерли.

Ширли побледнела, потом покраснела.

Вику даже стало немножко стыдно за себя.

—До свидания, Ширли, спасибо за помощь,—сказал он и вышел из офиса.

Домой он ехал быстро, прямой дорогой, чтобы побыстрее покончить со всеми объяснениями. Увидев его в дверях кухни, Марджори сразу заподозрила неладное. Она стояла возле мойки, в фартуке, и чистила картошку.

—Ты сегодня рано,—сказала она, и картофелина выпала у нее из рук, плюхнувшись в воду.—Что-нибудь случилось?

—Налей нам чаю, и я тебе все расскажу.

Она смотрела на него, крепко стиснув руки, чтобы унять дрожь.

—Говори сразу, Вик.

—Хорошо. «Принглс» продали Группе ЭФИ и будут сливать с «Фаундро». Меня выгнали. С завтрашнего дня.

Марджори подошла к мужу и обняла его.

—Ой, Вик,—сказала она.—Мне тебя очень жалко. Ты столько работал…

Он готов был разрыдаться и забиться в истерике. Марджори, напротив, была совершенно спокойна, и Вика даже несколько растрогала ее лишенная всякого эгоизма реакция. Он смотрел через ее плечо на блестящие поверхности кухонной мебели и на дорогую, сияющую технику.

— Я найду другую работу,— пообещал он.— Но на это нужно время.

— Конечно, найдешь, дорогой.— Марджори была почти весела.— Ты ведь знал об этом, да? Знал, что это скоро произойдет. Поэтому ты и вел себя так странно.

Вик не знал, что ответить. Он был так потрясен предательством компании, что чуть не сказал ей всю правду. Но потом решил, что преданность жены заслуживает милосердного обмана.

— Да,— кивнул он.— Я чувствовал, что это назревает.

— Нужно было сказать мне,— упрекнула Марджори.— Я так волновалась. Думала, что теряю тебя.

— Теряешь?

— Я думала, что у тебя есть другая женщина.

Он рассмеялся и легонько шлепнул ее.

— Может, все-таки нальешь чаю?

Он вдруг понял, что с того момента, как Стюарт Бакстер сообщил ему об увольнении, ни разу не вспомнил о Робин Пенроуз.

— Я принесу чай в гостиную. У нас твой папа.

— Папа? А что он здесь делает?

— Только что приехал. Он иногда заходит, чтобы составить мне компанию. Знает, что я ужасно нервничаю.

— Не говори ему,— попросил Вик.

— Хорошо,— сказала Марджори.— Но ведь завтра об этом напишут в газетах.

— Да, ты права,— согласился Вик.

Им пришлось разбудить старика, который сладко подремывал в кресле, реанимировать его чашкой крепкого чая, а потом обрушить на него главную новость. Он принял ее поразительно легко. Ему казалось, что годовое жалование, которое выплатят Вику,— сумасшедшие деньги и на них можно долго и безбедно существовать. Вик не стал его разочаровывать. Во всяком случае, сейчас. Потом один за другим появились дети. Им все рассказали, и семья собралась на импровизированный семейный совет.

— У меня нет никакого капитала, кроме этого дома,— сказал Вик,— да и за него еще не все выплачено. Придется затянуть пояса, пока я не найду другую работу. Боюсь, придется отменить поездку на каникулы.

— О, нет! — простонала Сандра.

— Не будь эгоисткой, Сандра,— одернула ее Марджори.— Какие уж тут каникулы?

— Тогда я поеду сама, с Клиффом,— не унималась Сандра.— Буду все лето работать в «Твизерс» и накоплю.

— Отлично,— сказал Вик.— Но только при условии, что будешь вносить свой вклад в семейный бюджет.

Сандра фыркнула.

— А как же Университет? Надеюсь, теперь я могу туда не поступать?

— Нет, я все равно хочу, чтобы ты училась. Но я думал, что тебя это не интересует.

— Я передумала. Но если ты все время будешь бухтеть насчет денег...

— Не волнуйся, на это мы деньги найдем. Думаю, будет легче, если ты поступишь в местный университет,— сказал он и обратился к старшему сыну.— Реймонд, мне кажется, тебе тоже пора давать маме часть своих денег.

— Я от вас уезжаю,— ответил Реймонд.— Мне предложили работу.

Когда ропот удивления, вызванный этим сообщением, слегка утих, Реймонд объяснил, что на студии, где его группа делала свою демо-запись, ему предложили место помощника продюсера.

— Они пришли в ужас от нашей музыки, но их потрясло мое знание электроники,— сказал он.— Потом я выпивал с Сиднеем, владельцем студии, и он предложил мне поработать. Студия, конечно, маленькая, Сидней только начинает раскручиваться, но у нее есть будущее. Тут крутятся несколько групп, ищут, где бы записаться, чтобы их в Лондоне не ободрали как липку.

— Слушай, па, а почему бы тебе не организовать свой бизнес? — спросил Гэри.

— Да, у тебя ведь была идея насчет спектрометра, — поддержал его Реймонд.

Вик с недоверием посмотрел на сыновей, но они явно не шутили.

— Это мысль, — признал он. — Если Тома Ригби так же уволят, он тоже сможет внести свою долю в это дело. Конечно, придется брать ссуду в банке, но все равно, это мысль.

— Сидней тоже брал ссуду, — ввернул Реймонд.

— Плохо, что у меня нечего заложить. За дом еще не выплачено. Банку это покажется рискованным. Прежде чем сделать первую модель, придется провести много экспериментов.

— Да, рискованно вот так вот начинать одному, — кивнул мистер Уилкокс. — Лучше поискать какую-нибудь работу вроде прежней. Может, «Рамкол» возьмет тебя назад. Или «Вангард».

— Папа, у них и без меня есть исполнительные директора.

— Не обязательно быть именно директором. Не зазнавайся, сынок.

— Ну не разнорабочим же ему идти, дед, — сказал Гэри.

— Не хами, Гэри, — осадил Вик. — Я вообще не уверен, что хочу снова работать на компанию. Не хочу гнуть спину на компании и конгломераты, у которых столько же человеческих чувств, сколько у чугунной вагонетки.

— Если ты начнешь свое дело, Вик, — сказала Марджори, — я пойду к тебе секретаршей. Получится экономия.

— А я буду бухгалтером, считать на калькуляторе, — воодушевился Гэри. — У нас будет семейный бизнес, как пакистанский магазин на углу.

— Ты не потянешь, — сказал мистер Уилкокс. — Эти педерасты работают как лошади.

— Я с удовольствием поработаю, — размечталась Марджори, — я устала целыми днями сидеть дома. Вы уже выросли. А если это будет собственный бизнес...

Вик смотрел на нее, не скрывая удивления. Ее глаза сияли. Она улыбалась. И на ее щеках опять появились ямочки.

Когда Робин в тот вечер приехала домой, телефон звонил так настойчиво, будто не умолкал весь день. Это была мама.

— Что случилось? — спросила Робин.

— Ну, кое-что приятное. На твое имя пришло заказное письмо из Мельбурнской юридической фирмы. Я за него расписалась и сегодня переслала его тебе.

— Интересно, что бы это могло быть?

— Недавно умер твой дядя Уолтер, — сообщила миссис Пенроуз. — Мы узнали об этом вскоре после твоего отъезда в Раммидж. Я хотела сказать тебе, но забыла. Мы с ним много лет не общались. По-моему, никто из родственников не общался. Он превратился в настоящего затворника, после того как продал свою овечью ферму этой нефтяной компании...

— Мама, какое отношение все это имеет ко мне? — перебила Робин.

— Ну, я думаю, он оставил тебе что-нибудь по завещанию.

— С какой стати? Он же мне не родной дядя, разве не так?

— Что-то вроде приемного. Он женился на папиной сестре Этель. Она умерла молодой от укуса пчелы. У нее была аллергия, а она об этом не знала. Своих детей у них не было, а тебя он всегда любил, даже после того, как ты заставила его опустить все наличные деньги в ящик для пожертвований, который держал безногий мальчишка. Тебе тогда было три года.

— Это правдивая история? — Робин помнила того маленького мальчика в коротких штанишках, бейсболке и с протезом вместо одной ноги. В руках он держал ящик с щелью для монет. Но Робин была не уверена, что история с деньгами дяди Уолтера на самом деле имела место.

— Конечно, правдивая! — Мама, казалось, была оскорблена ее недоверием. — Правда, это будет очень мило, если дядя Уолтер вспомнил о тебе, когда составлял завещание?

— Это было бы кстати, — согласилась Робин. — Я как раз получила счета. Кстати, мамочка, я, возможно, уеду в Америку.

И Робин рассказала матери о предложении Морриса Цаппа.

— Что ж, моя дорогая,— сказала миссис Пенроуз,— мне бы не хотелось сознавать, что ты так далеко от дома, но ведь это, наверно, на годик-другой.

— Дело в том,— ответила Робин,— что если я уеду, мне будет трудно вернуться обратно. И кто знает, будет ли когда-нибудь в Англии работа, ради которой стоит возвращаться?

— Что ж, доченька, поступай, как считаешь нужным,— сказала мама.— Чарльз в последнее время не объявлялся? — грустно спросила она.

— Нет,— ответила Робин, и на этом разговор кончился.

На следующее утро, спустившись вниз, Робин обнаружила возле двери два конверта. Первый — от мамы, в нем лежало письмо из Мельбурна. Адрес на втором был написан почерком Чарльза. Чтобы оставить напоследок возможное удовольствие, которое обещало чтение письма из Мельбурна, Робин сначала распечатала письмо от Чарльза. Он писал, что дела в банке идут хорошо, хотя работать приходится много, и к вечеру он буквально валится с ног. Отношения между ним и Дебби не заладились, и он от нее съехал.

Она была для меня совсем новым типом личности, и поначалу это меня привлекло. Я принял быстроту реакции за ум. Честно говоря, дорогая, она просто дура. Таковы, судя по всему, почти все валютные дилеры. А как иначе можно изо дня в день играть в эту тупую игру? Ни о чем другом они вообще не думают. Когда приходишь домой из банка после долгого и тяжелого рабочего дня, хочется интеллектуальной беседы и совсем не хочется говорить о курсах валют и процентных ставках. Через некоторое время я стал смотреть телевизор, просто чтобы не слушать. Потом решил поселиться отдельно. Купил небольшой домик. Он недорогой, но цена на недвижимость в Лондоне растет на пятьдесят фунтов ежедневно, поэтому тут не прогадаешь. Может, приедешь ко мне на выходные? Можно будет сходить на концерт, побродить по музеям.

Я знаю, о чем ты сейчас думаешь: «О, нет, только не все сначала». Согласен. Есть что-то абсурдное в том, как мы то сходимся, то расходимся. Другой такой пары я не знаю. Интересно, наступит ли тот момент, когда мы смиримся с неизбежным и поженимся? И совсем не обязательно жить вместе, по крайней мере, пока я работаю в Лондоне, а ты в Раммидже. Все равно это невозможно. Но пора расставить все точки над i. А если ты не сможешь найти другую работу, когда кончится твой раммиджский контракт, может, тебе больше понравится быть безработной в Лондоне, чем в Раммидже. Я твердо уверен в том, что к тому времени буду зарабатывать достаточно, чтобы обеспечить тебе такую жизнь, к какой ты привыкла, а то и куда лучше. Не вижу причин, почему бы тебе не публиковаться как свободному художнику? Подумай об этом. И поскорее приезжай на выходные.

С любовью, Чарльз

— Гм! — хмыкнула Робин и, сложив письмо, сунула его обратно в конверт. Потом распечатала второе послание. В нем сухим официальным языком сообщалось, что по завещанию дяди Уолтера она является его единственной наследницей и что он оставил состояние, после вычета налогов равное тремстам тысячам австралийских долларов. Робин вскрикнула и схватила «Гардиан», чтобы посмотреть курсы валют. Потом позвонила маме.

— Ты была права, мам. Дядя Уолтер мне кое-что завещал.

— Сколько, дорогуша?

— Ну, после всех выплат у меня останется порядка ста шестидесяти пяти тысяч фунтов. Плюс-минус несколько сотен.

Миссис Пенроуз тоже вскрикнула, после чего раздался стук — она положила трубку рядом с телефоном. Робин слышала, как мама сообщает эту новость отцу, который, судя по звукам, находился в ванной. Потом мама опять взяла трубку.

— Папа тебя поздравляет! Я так за тебя рада, моя дорогая. Вот это сумма!

— Разумеется, я разделю ее с вами.

— Глупости, доченька, это твои деньги. Дядя Уолтер оставил их тебе.

— Но это так странно… Он ведь меня почти не знал. Логичнее было бы оставить их папе. Или нам с Бэзилом пополам.

— Денег у Бэзила больше, чем нужно. А нам с папой и так хорошо, хотя с твоей стороны было очень благородно это предложить. Теперь тебе не нужно будет уезжать в Америку.

— Почему? — удивилась Робин. Ее восторг понемногу таял.

— А зачем? Ты можешь делать что хочешь, имея сто шестьдесят пять тысяч.

— Пожалуй, ты права, — сказала Робин. — Но я совсем не хочу бросать работу.

Ночью кончился дождь. Тихое солнечное утро, на небе ни облачка. Один из тех редких дней, когда воздух в Раммидже кажется очистившимся от пыли и гари, все выглядит чистым и нетронутым. Робин в легком платье на пуговицах и в босоножках выходит из своего дома на теплый свежий воздух и на мгновение останавливается, оглядывая улицу. Дышится легко, как на море.

Пыльный и помятый «рено» скрипит, когда она кидает на переднее сиденье сумку от «Глэдстоун» и садится за руль. Мотор несколько секунд астматически свистит, потом кашляет и оживает. Робин не без удовольствия думает о том, что скоро сможет заменить «рено» на новую машину, более шикарную и быструю. Пожалуй, стоит утереть нос Бэзилу и купить «порше». Нет, не «порше», думает она, вспоминая проповедь Вика об отечественных машинах. Может, «лотус»? Вот только в него не сядешь в юбке. Потом она думает: что за глупости? Мне прекрасно подходит «рено», просто нужно сменить аккумулятор.

Робин медленно и осторожно едет в Университет. Ее настолько согревает мысль о грядущем богатстве, что совершенно не хочется, чтобы какой-нибудь водитель-лихач, выскочив из-за поворота, врезался в нее и разбил вдребезги. До Университета она добирается благополучно. Проезжая мимо дома Уилкокса на Эвондейл-роуд, Робин замечает в окне чью-то руку. Вероятно, Марджори вытряхивает коврики через окно второго этажа. Интересно, почему Уилкокса вчера так срочно вызвали и почему он не вернулся. Робин припарковывается под липой. Это место свободно, потому что водители боятся капающей с ветвей липкой смолы. Но Робин совершенно не смущает налет, которые остается на потускневшей поверхности «рено». Она берет сумку и идет к Факультету Изящных Искусств. Солнце заливает теплым светом красный кирпич здания и играет в свежей блестящей листве. От подсыхающих лужаек поднимается пар. Робин идет беспечной пружинистой походкой, размахивая сумочкой, которая теперь гораздо легче, чем в январе, потому что начинаются экзамены и занятия почти кончились. Она улыбается, здороваясь с коллегами и студентами в вестибюле, на лестнице, в коридоре перед кафедрой.

Боб Басби прикалывает записку на доску объявлений и кивает, увидев Робин.

— В понедельник у нас внеочередное общее собрание по обсуждению письма из УГК,—сообщает он.—Дела, похоже, плохи.—Он понижает голос до таинственного шепота.—Я слышал, вы можете покинуть нас раньше, чем собирались? Имейте в виду, я вас не виню.

— Кто вам сказал?—спросила Робин.

— Слухи.

— Что ж, буду очень рада, если вы не станете способствовать их дальнейшему распространению,—заявила Робин.

Она идет дальше по коридору, уже раздраженная осведомленностью Боба Басби и болтливостью Памелы, а источником слухов могла быть только она. Робин отмечает про себя, что никому на кафедре нельзя говорить о наследстве.

Возле двери кабинета ее как всегда кто-то ждет. Подойдя поближе, она видит, что это Вик Уилкокс. Она не узнала его сразу, потому что он не в привычном темном костюме, а в рубашке с коротким рукавом и в легких светлых брюках. В руках он держит две книги.

— Не ожидала тебя увидеть.— говорит Робин, отпирая дверь кабинета.—Пришел наверстать то, что упустил вчера?

—Нет,— отвечает он, заходя следом за ней в кабинет и закрывая за собой дверь.— Я пришел сказать, что больше никогда не приду.

—А-а,— говорит Робин.— Впрочем, это неважно. Занятия почти кончились. Вряд ли ты получишь удовольствие, наблюдая за тем, как я проверяю экзаменационные работы. Что-нибудь стряслось в «Принглс»?

—С «Принглс» покончено,— сообщает Вик.— «Принглс» продали той группе, в которую входит «Фаундро». С этим мне вчера и звонили. С сегодняшнего дня я безработный.

Он показывает на свою одежду так, словно она и есть главный признак его рухнувшего положения.

После того как Вик рассказывает все в подробностях, Робин говорит:

—Как же они могли так поступить с тобой? Выбросить на улицу без всякого предупреждения!

—Увы.

—Это же чудовищно!

—Когда решение принято, их уже ничто не волнует. Они ведь знают, что останься я еще на неделю, запросто мог бы из мести разорить компанию. Впрочем, я бы все равно не стал этого делать.

—Мне очень жаль, Вик. Ты, должно быть, ужасно расстроен.

Он пожимает плечами.

—В чем-то выигрываешь, в чем-то проигрываешь. Как это ни смешно, тут тоже есть свои положительные стороны. Несчастье сплотило семью.

—Марджори не очень огорчилась?

—Марджори держится потрясающе,— говорит Вик.— Между прочим,— он откидывает со лба непослушную прядь волос и смущенно отводит глаза,— мы с ней вроде как примирились. Я подумал, что должен тебе об этом сказать.

—Я очень рада,— нежно говорит Робин.— Правда, рада это слышать.

—Я просто хотел расставить все точки над i,— объясняет Вик и с тревогой смотрит на Робин.— Боюсь, я вел себя несколько глупо.

—Не волнуйся об этом.

—Я жил как во сне. А эта история меня разбудила. Должно быть, я был не в себе, когда надеялся, что тебе может понравиться немолодой коротышка-инженер.

Робин смеется.

—Ты совершенно особенный человек, Робин,— торжественно говорит Вик.—Однажды ты встретишь мужчину, который будет достоин того, чтобы жениться на тебе.

—Мне не нужен мужчина в качестве дополнения ко мне самой,—улыбается Робин.

—Это потому, что ты его еще не встретила.

—Знаешь, как раз сегодня утром мне сделали предложение,—беззаботно сообщила она.

Вик выпучил глаза.

—Кто?

—Чарльз.

—Ты его примешь?

—Нет,— отвечает Робин.— А что собираешься делать ты? Наверно, искать другую работу.

—Нет, мне надоела эта мышиная возня.

—Неужели уйдешь на покой?

—Этого я не могу себе позволить. К тому же я буду скучать без работы.

—Можешь получить степень как вольный слушатель английской кафедры,— говорит Робин полушутя-полусерьезно.

—Я подумываю о том, чтобы открыть свое дело. Помнишь, я рассказывал тебе про идею со спектрометром? Вчера я разговаривал с Томом Ригби, он согласен.

—Великолепная мысль! И дело верное.

—Вопрос в том, где взять начальный капитал.

—У меня навалом этого капитала,— говорит Робин.— И я вложу его в твой спектрометр. Я буду… этим… как это называется?.. не участвующим компаньоном.

Вик смеется.

— Я говорю о шестизначных цифрах.

— Я тоже,— кивает Робин и рассказывает ему о наследстве.— Возьми эти деньги. Используй их. Я не хочу. И не работать тоже не хочу. Лучше поеду в Америку.

— Я не могу забрать у тебя все деньги,— возражает Вик.— Это будет неправильно.

— Тогда возьми сто тысяч,— предлагает Робин.— Этого хватит?

— Этого больше чем достаточно.

— Значит, договорились.

— Но ты можешь их потерять.

— Я тебе доверяю, Вик. Я видела тебя в работе. Я была твоей тенью,— улыбается Робин.

— С другой стороны, ты можешь стать миллионершей. Как тебе такая перспектива?

— Рискну,— отвечает Робин.

— Тогда спасибо. Я поговорю с Томом Ригби, и мой юрист пришлет тебе все документы.

— Отлично. Теперь, наверно, мы должны пожать друг другу руки.

— Это можно опустить.

— А я не хочу это опускать,— говорит Робин, протягивая ему руку. Раздается стук в дверь, появляется Мерион Рассел в футболке с надписью «Только позвони».

— Ох, извините,— бормочет она,— я зайду позже.

— Ничего страшного, я уже ухожу,— говорит Вик и протягивает Робин ее книги.— Я возвращаю их тебе. Спасибо.

— Ах да. Ты успел дочитать?

— Я не закончил «Дэниела Деронду», но вряд ли когда-нибудь дочитаю,— отвечает Вик.— Я бы оставил себе Теннисона, если можно. На память.

— Конечно,— кивает Робин. Она садится за стол, пишет на титульном листе «Вику с любовью от его тени» и протягивает ему книгу.

Он смотрит на титульный лист.

—«С любовью»,— повторяет он.— Ну, вот ты мне это и сказала.

Он потерянно улыбается, закрывает книгу, прощается и выходит из кабинета мимо стоящей в дверях Мерион.

Мерион придвигает стул вплотную к столу Робин и присаживается на краешек. Наклоняется к Робин и с тревогой смотрит на нее.

—Скажите, ведь это неправда, что вы уезжаете в Америку?—спрашивает она.

Робин роняет ручку.

—Боже милостивый! Неужели здесь вообще ничего не скроешь? Где вы это услышали?

Мерион виновато смотрит на нее, но не сдается.

—В коридоре. Студенты выходили с семинара вместе с мистером Сатклифом… Я случайно услышала их разговор. А я хотела на будущий год записаться в ваш семинар по женской прозе.

—Я не собираюсь обсуждать свои планы с вами, Мерион. Это личное. Я и сама не знаю, что буду делать на будущий год. Подождите, тогда узнаете.

—Извините, это, наверно, наглость… Я не хочу, чтобы вы уезжали, Робин. Вы лучший преподаватель кафедры, так все говорят. А если вы уедете, не останется никого, кто мог бы вести женскую прозу.

—Вы пришли только за этим, Мерион?

Девушка вздыхает и качает головой. Она собирается уходить.

—Кстати,— вспоминает Робин,— ваша фирма доставляет поцелограммы в Лондон?

—Обычно нет. Но там тоже есть такие фирмы.

—Мне бы хотелось отправить гориллограмму одному человеку в Лондон,— сообщает Робин.

—Я могу дать вам адрес агентства,— предлагает Мерион.

—Правда? Большое спасибо. Я хочу, чтобы ее доставили в один лондонский банк, в разгар рабочего дня. А как человек в костюме гориллы пройдет через охрану?

—Мы всегда переодеваемся в туалете,— успокаивает Мерион.

—Отлично. Тогда, Мерион, дайте мне их адрес как можно скорее.

Когда Мерион уходит, Робин кладет перед собой лист бумаги и начинает, улыбаясь, сочинять маленькое стихотворение. Через некоторое время опять раздается стук в дверь, и в кабинет вплывает Филипп Лоу.

—С добрым утром, Робин. У вас есть минутка?—Он садится на стул, с которого недавно встала Мерион.— Я отправил ваши рекомендации в Америку.

—Так быстро! Огромное спасибо.

—Уверяю вас, это не потому, что я хочу от вас избавиться. Не представляю, как мы будем обходиться без вас на будущий год. На ваши курсы уже записалось очень много студентов.

—Помните, в январе вы сказали,—напомнила Робин,—что если мне подвернется работа, я обязательно должна соглашаться.

—Да-да, вы правы.

—Я совершенно не хочу уезжать из Англии. Но я хочу, чтобы у меня была работа.

—Как раз об этом я и хотел с вами поговорить. Знаете, я тут выяснил, что такое «вирамация».

—Вирамация?

—Ну да, помните? Я нашел это слово в новом издании энциклопедии «Коллинз». Оказывается, это означает полную свободу использования выделенных фондов, бюджета и тому подобного. Раньше у нас на факультете не было вирамации, но на будущий год нам ее дают.

—И что это значит?

—Это значит, что если мы сократим какие-нибудь расходы, мы сможем использовать сэкономленные средства на что захотим. Поскольку на нашей кафедре учится очень много студентов, а несколько маленьких кафедр находятся на грани исчезновения, мы, вероятно, сможем заменить Руперта, избежав сокращения его ставки.

—Понятно,—кивнула Робин.

—Это только предположение, имейте в виду,—предупредил Филипп Лоу.—Я ничего не могу гарантировать. Я только хотел спросить, не согласитесь ли вы, учитывая эти обстоятельства, задержаться на факультете еще на годик и посмотреть, что будет?

Робин думает. Филипп Лоу смотрит, как она думает. Чтобы избежать его напряженного взгляда, Робин поворачивается на стуле и выглядывает в окно, на зеленый квадрат газона посреди кампуса. Студенты, которых выгнала на улицу хорошая погода, уже распределяются парами и группами, расстилают свои куртки и пакеты, чтобы посидеть или полежать на травке. На одном из газонов молодой негр-садовник с газонокосилкой подстригает траву, осторожно обходя цветники, клумбы и развалившихся студентов. Если они видят, что оказались у него на пути, они встают и переходят на новое место, как стайка птиц. Садовник одного с ними возраста, но они не вступают в общение — ни кивков, ни слов, ни взгляда. Студенты не испытывают к садовнику неприязни, как и он к ним, просто по молчаливой договоренности они избегают друг друга. Они — представители разных миров. Чисто английский подход к классовому и расовому вопросам. Робин вспоминает сочиненную ею утопию про рабочих на кампусе и улыбается своей глупости. Эта пропасть непреодолима.

—Хорошо,— говорит она и поворачивается к Филиппу Лоу.— Я остаюсь.

Дэвид Лодж
Хорошая работа
Роман

Маркетинг Татьяна Киселева
Менеджеры Ольга Орлова, Юлия Козлова
Ответственный за выпуск Виктор Обухов
Редактор Петр Ворсанов
Корректор Маргарита Григорян
Художественное оформление
Софья Шаховская, Алексей Касьян
Компьютерная верстка Алексей Касьян

ЛР № 071895 от 09.06.99.
Подписано в печать 08.07.04. Формат 84×108/32.
Бум. офсет. № 1. Гарнитура Minion.
Печать высокая. Тираж 5000 экз.
Заказ № 0409250.

Издательство Независимая Газета.
101000, Москва, ул. Мясницкая, 13.
E-mail: ngbooks@ng.ru
Наши книги в Интернете:
www.petropol.com, www.esterum.com

Отпечатано в полном соответствии
с качеством предоставленного оригинал-макета
в ОАО «Ярославский полиграфкомбинат».
150049, Ярославль, ул. Свободы, 97.

Издательство Независимая Газета

Книжный киоск НГ

Мясницкая, д.13, стр.10, ком.105

Тел. 921 8827

* * *

Отдел реализации

Тел. 927 2313

* * *

Факс 925 5008

e-mail ngbooks@ng.ru